ARSÈNE LUPIN

MAURICE LEBLANC

ARSÈNE LUPIN

E A CONDESSA DE CAGLIOSTRO

Tradução
Bruno Anselmi
Matangrano

Principis

Esta é uma publicação Principis, selo exclusivo da Ciranda Cultural
© 2021 Ciranda Cultural Editora e Distribuidora Ltda.

Traduzido do original em francês
La comtesse de Cagliostro

Texto
Maurice Leblanc

Tradução
Bruno Anselmi Matangrano

Revisão
Tuca Dantas
Nair Hitomi Kayo

Produção editorial
Ciranda Cultural

Diagramação
Linea Editora

Design de capa
Ciranda Cultural

Imagens
alex74/shutterstock.com;
YurkaImmortal/shutterstock.com;
Irina Solatges/shutterstock.com;
nadiia/shutterstock.com;
Vanesa Duque/shutterstock.com;
Nosyrevy/shutterstock.com

(Romance de folhetim publicado de 10 de dezembro de 1923 a 30 de janeiro de 1924, no Le Journal, *em Paris.)*

Dados Internacionais de Catalogação na Publicação (CIP) de acordo com ISBD

M425a	Leblanc, Maurice
	Arsène Lupin e a condessa de Cagliostro / Maurice Leblanc ; traduzido por Bruno Anselmi Matangrano. – Jandira, SP : Principis, 2021. 256 p. ; 15,5cm x 22,6cm. - (Arsène Lupin)
	Tradução de: La comtesse de Cagliostro ISBN: 978-65-5552-544-1
	1. Literatura francesa. 2. Ficção. I. Matangrano, Bruno Anselmi. II. Título. III. Série.
	CDD 843
2021-2055	CDU 821.133.1-3

Elaborado por Vagner Rodolfo da Silva - CRB-8/9410

Índice para catálogo sistemático:
1. Literatura francesa : Ficção 843
2. Literatura francesa : Ficção 821.133.1-3

1ª edição em 2021
www.cirandacultural.com.br
Todos os direitos reservados.
Nenhuma parte desta publicação pode ser reproduzida, arquivada em sistema de busca ou transmitida por qualquer meio, seja ele eletrônico, fotocópia, gravação ou outros, sem prévia autorização do detentor dos direitos, e não pode circular encadernada ou encapada de maneira distinta daquela em que foi publicada, ou sem que as mesmas condições sejam impostas aos compradores subsequentes.

SUMÁRIO

Arsène Lupin aos vinte anos 9

Joséphine Balsamo, nascida em 1788 24

Um tribunal de inquisição..37

O barco que segue 53

Um dos sete braços...66

Guardas e policiais 79

As delícias de Capoue 95

Duas vontades... 112

A Rocha Tarpeia 131

A mão mutilada 150

O velho farol... 166

Demência e genialidade.. 183

O caixa-forte dos monges... 208

"A criatura infernal" 227

Epílogo 252

Aqui está a primeira aventura de Arsène Lupin, a qual, sem dúvida, teria sido publicada antes das outras, se ele não tivesse se oposto a isso por tantas vezes e tão resolutamente.

– Não – dizia. – Entre a condessa de Cagliostro e eu nada está resolvido. Esperemos.

A espera durou mais do que ele previa. Um quarto de século se passou antes da RESOLUÇÃO DEFINITIVA. *E é somente hoje que ele permitiu contar o que foi o aterrador duelo de amor e de ódio que colocou um jovem de vinte anos contra* A FILHA DE CAGLIOSTRO.

ARSÈNE LUPIN
AOS VINTE ANOS

Depois de ter apagado a lanterna, Raoul d'Andrésy jogou sua bicicleta atrás dos arbustos. Naquele momento, o relógio de Bénouville batia três horas.

Na sombra espessa da noite, Raoul seguiu a estrada rural que levava à propriedade de Haie de Étigues e assim chegou aos muros da fortaleza. Esperou um pouco. Cavalos pateando, rodas ressoando no pavimento de um pátio, um ruído de sininhos, as duas folhas da porta abertas de repente... E uma caminhonete passou. Raoul mal teve tempo de ouvir as vozes de homens e distinguir o canhão de um fuzil. O carro já ganhava a rodovia principal e disparava rumo a Étretat.

– Ora, vamos – disse a si mesmo –, caçar mergulhões é divertido. A rocha onde são abatidos está longe... Enfim, vou saber o que é essa competição de caça improvisada e o que significam todas essas idas e vindas.

Ele ladeou pela esquerda os muros da propriedade, contornou-os e, após a segunda curva, deteve-se no quadragésimo passo. Segurava duas chaves na mão. A primeira abriu uma pequena porta baixa, depois da qual subiu por uma escada entalhada no vão de uma velha muralha meio demolida, que flanqueava uma das alas do castelo. A segunda revelava uma entrada secreta, no nível do primeiro andar.

Raoul acendeu a lanterna de bolso e, sem muita precaução, pois sabia que apenas o outro lado do castelo era habitado e que Clarisse d'Étigues, única filha do barão, morava no segundo andar, seguiu por um corredor que o conduziu a um vasto gabinete de trabalho: era ali que, algumas semanas antes, ele tinha pedido ao barão a mão de sua filha, e fora ali que tinha sido acolhido por uma explosão de cólera indignada, da qual guardava uma lembrança desagradável.

Um espelho refletiu seu rosto pálido de adolescente, mais pálido do que o normal. No entanto, conduzido pelas emoções, permanecia senhor de si e, friamente, colocou-se ao trabalho.

Não demorou. Durante sua conversa com o barão, notara que seu interlocutor olhava, algumas vezes, para uma grande escrivaninha de mogno cujo tampo não estava fechado. Raoul conhecia todos os lugares onde era possível esconder alguma coisa, como também os mecanismos para fazê-los funcionar como esconderijo. Um minuto depois, descobria, em uma fenda, uma carta escrita em um papel muito fino e enrolada como um cigarro. Nenhuma assinatura, nenhum endereço.

Estudou aquela missiva cujo texto lhe pareceu banal demais para que a escondessem com tanto cuidado, e, pôde, assim, graças a um trabalho minucioso, detendo-se em certas palavras mais significativas e suprimindo algumas frases evidentemente destinadas a preencher os vazios, reconstituir o que segue:

"Encontrei em Ruão os traços de nossa inimiga e mandei colocar nos jornais locais que um camponês dos arredores de Étretat havia desenterrado, em seu pasto, um velho candelabro de cobre de sete braços. Ela logo telegrafou para a central de aluguel de automóveis de Étretat, que reservou para o dia doze, às três horas da tarde, um cupê na estação de Fécamp. Na manhã desse dia, a central receberá, por meus cuidados, outro despacho anulando aquele pedido. Será, portanto, o *seu* cupê que ela encontrará na estação de Fécamp e que a conduzirá sob escolta, para nós, no momento em que formos fazer nossa reunião.

"Poderemos então nos organizar em tribunal e pronunciar contra ela um veredito implacável. Nos tempos em que a grandeza do fim justificava os meios, a punição teria sido imediata. O mal teria sido cortado pela raiz. Escolha a solução que lhe agradar, mas sempre se lembrando dos termos da nossa última conversa, e dizendo a si mesmo que o sucesso de nossos planos e nossa própria existência dependem dessa criatura infernal. Seja prudente. Organize uma competição de caça para desviar as suspeitas. Chegarei pelo Havre exatamente às quatro horas, com dois de nossos amigos. Não destrua esta carta. O senhor deve devolvê-la para mim."

"O excesso de precaução é um defeito", pensou Raoul. "Se o correspondente do barão não fosse desconfiado, o barão teria queimado essas linhas, e eu não saberia que há um plano de sequestro, um plano de julgamento ilegal e, inclusive, Deus me perdoe!, um plano de assassinato. Nossa! Meu futuro sogro, por mais devoto que seja, parece-me enredado em maquinações pouco católicas. Cometeria ele até um homicídio? Tudo isso é extremamente grave e bem poderia me deixar em vantagem contra ele.

Raoul esfregou as mãos. O caso lhe agradava e não o surpreendia além da medida, pois alguns detalhes tinham despertado sua atenção havia vários dias. Resolveu então retornar à pousada, dormir lá, depois voltar a tempo de descobrir o que planejavam o barão e seus convidados e qual era aquela "criatura infernal" que desejavam suprimir.

Deixou tudo em ordem novamente, mas, em vez de partir, sentou-se diante de uma mesinha onde havia uma foto de Clarisse. Colocando-a bem à frente, ele a contemplou com profundo carinho. Clarisse d'Étigues, pouco mais jovem que ele...! Dezoito anos! Lábios voluptuosos... Olhos cheios de sonho... Faces rosadas, feições delicadas, cabelos claros como os das meninas que correm nas ruas do País de Caux e um ar tão doce e com tanto charme...!

O olhar de Raoul foi se tornando mais rígido. Um pensamento ruim, que ele não chegava a dominar, o invadia. Clarisse estava sozinha lá em cima, isolada em seus aposentos, e já por duas vezes, servindo-se das chaves que ela mesma lhe havia confiado, na hora do chá se juntara a ela. Então, o que o retinha naquele momento? Nenhum ruído poderia chegar aos criados. O barão devia retornar lá pelo meio da tarde. Por que ir embora?

Raoul não era um Lovelace[1]. Muitos sentimentos de proibição e de delicadeza se opunham, desencadeando instintos e apetites cuja violência excessiva conhecia. Mas como resistir à semelhante tentação? O orgulho, o desejo, o amor, a necessidade imperiosa de conquistar incitavam-no à ação. Sem mais se demorar com vãos escrúpulos, subiu agilmente os degraus da escada.

Diante da porta fechada, hesitou. Se antes já a havia cruzado, fora em pleno dia, como um amigo respeitoso. Mas qual significado tal ato adquiriria àquela hora da noite?

Debate de consciência que durou pouco tempo. Deu leves batidinhas, sussurrando:

– Clarisse… Clarisse… sou eu.

Ao fim de um minuto, não obtendo resposta, ia bater de novo e mais forte, quando então a porta do cômodo foi entreaberta e a jovem apareceu, com uma lamparina na mão.

Raoul notou sua palidez e seu assombro, e isso o transtornou a ponto de recuar, deixando-o prestes a partir.

– Não fique brava comigo, Clarisse… Vim contra minha própria vontade… Basta que diga uma palavra e vou-me embora…

Clarisse teria ouvido essas palavras se não tivesse se retirado. Teria facilmente dominado um adversário que aceitava a derrota de antemão.

---

[1] O nome Lovelace pode referir-se a vários membros de uma antiga família inglesa, que detinham o título de barões de Lovelace entre meados de 1530 e 1740. Em 1838, passaram a condes, com a nomeação de William King-Noel (1805-1893), primeiro conde de Lovelace, hoje mais conhecido por ter sido o marido de Ada Lovelace (1815-1852), a matemática que criou o primeiro algoritmo para ser processado por uma máquina, sendo a primeira programadora da história. Foi a única filha legítima de Lorde Byron (1788-1824). No caso, a referência provavelmente menciona o fato de que Raoul não era um nobre inglês do século XIX condicionado a seguir rigorosos costumes e normas de etiqueta e que, portanto, poderia se permitir uma visita à Clarisse, por mais inapropriado que pudesse parecer. (N.T.)

Arsène Lupin e a condessa de Cagliostro

Mas não podia nem escutar nem ver. Queria se indignar, mas só conseguia balbuciar reprovações indistintas. Queria expulsá-lo, mas seu braço não tinha força para fazer um único gesto. Sua mão tremia e precisou apoiar a lamparina. Girou em si mesma e caiu, desmaiada...

Eles se amavam fazia três meses, desde o dia em que se encontraram no Midi, onde Clarisse passava algum tempo na casa de uma amiga de pensionato.

De imediato, sentiram-se unidos por um vínculo que foi, para ele, a coisa mais formidável do mundo; para ela, o sinal de uma escravidão que prezaria cada vez mais. Desde o começo, Raoul lhe pareceu um ser intangível, misterioso, sobre quem nunca compreenderia nada. Ele a desolava por certos acessos de leviandade, de ironia maldosa e de humor preocupado. Mas, ao lado disso, que sedução! Que alegria! Que sobressaltos de entusiasmo e de exaltação juvenil! Todos os seus defeitos adquiriam a aparência de qualidades excessivas, e seus vícios tinham ar de virtudes ignoradas que ainda iriam florescer.

Desde seu retorno à Normandia, ela teve a surpresa de perceber, uma manhã, a fina silhueta do jovem, empoleirado no muro, diante de suas janelas. Ele escolhera uma hospedaria a alguns quilômetros de distância e, assim, quase todo dia vinha em sua bicicleta encontrá-la nos arredores da Haie d'Étigues.

Órfã de mãe, Clarisse não era feliz junto de seu pai, homem duro, de caráter sombrio, excessivamente devoto, obcecado por seu título, avarento, cujos arrendatários o temiam como se fosse um inimigo. Quando Raoul, que nem sequer lhe tinha sido apresentado, teve a audácia de pedir a mão de sua filha, o barão reagiu com tal fúria contra aquele pretendente imberbe, sem eira nem beira, que o teria açoitado se o rapaz não o tivesse enfrentando com ar de domador que controla um animal feroz.

Foi na sequência daquela conversa, e para apagar aquela lembrança na mente de Raoul, que Clarisse cometeu o erro de lhe abrir, por duas vezes, a porta de seus aposentos. Imprudência perigosa da qual Raoul se valera com toda a lógica de um apaixonado.

Naquela manhã, simulando uma indisposição, pediu que lhe levassem o almoço enquanto Raoul se escondia em um cômodo vizinho, e, após a refeição, ficaram por muito tempo abraçados diante da janela aberta, unidos pela lembrança de seus beijos e por tudo o que havia entre eles de carinho e, apesar do erro cometido, de ingenuidade.

No entanto, Clarisse chorava...

As horas corriam. Um sopro fresco que subia do mar e avançava sobre o platô acariciava o rosto dos jovens enamorados. Diante deles, para além de um grande pomar fechado por muros, e em meio aos campos bem ensolarados de colza, uma depressão lhes permitia ver, à direita, a linha branca das altas falésias até Fécamp; e, à esquerda, a baía de Étretat, a porta de Aval e a ponta da enorme Agulha.

Raoul lhe disse docemente:

– Não fique triste, minha querida amada. A vida é tão bela na nossa idade, e ela o será ainda mais para nós quando tivermos abolido todos os obstáculos. Não chore.

Clarisse secou suas lágrimas e tentou sorrir, observando-o. Raoul era esguio como ela, mas largo de ombros, ao mesmo tempo elegante e de aspecto sólido. Seu rosto enérgico oferecia uma boca maliciosa e olhos que brilhavam de alegria. Vestido com calças curtas e uma jaqueta que se abria sobre uma camiseta de lã branca, parecia incrivelmente ágil.

– Raoul, Raoul – disse ela com pesar –, neste exato momento em que está me olhando, não está pensando em mim! Não está pensando em mim depois do que acaba de se passar entre nós! Será possível? Em que está pensando, meu Raoul?

Ele respondeu, rindo:

– No seu pai.

– No meu pai?

– Sim, no barão D'Étigues e em seus convidados. Como senhores da idade deles podem perder seu tempo massacrando pobres pássaros inocentes em um rochedo?

ARSÈNE LUPIN E A CONDESSA DE CAGLIOSTRO

– É a diversão deles.

– A senhorita tem certeza disso? Particularmente, estou bastante intrigado. Veja, se não estivéssemos no ano do Nosso Senhor de 1894, eu antes acreditaria que... A senhoria não vai se ofender?

– Diga, meu querido.

– Pois bem, parecem estar brincando de conspiradores! Sim, é como eu lhe digo, Clarisse... O marquês de Rolleville, Mathieu de la Vaupalière, o conde Oscar de Bennetot, Roux d'Estiers, etc. Todos esses nobres senhores do País de Caux estão no meio de uma conspiração.

Ela lhe fez beicinho.

– Está dizendo bobagens, meu querido.

– Mas a senhorita está me escutando tão lindamente – respondeu Raoul, convencido de que ela não estava sabendo de nada. – A senhorita tem uma maneira tão graciosa de esperar que eu lhe diga coisas sérias...!

– Coisas de amor, Raoul.

Ele segura o rosto dela ardentemente.

– Toda a minha vida é só meu amor por você, minha amada. Se tenho outras preocupações e outras ambições, é para conquistá-la. Clarisse, suponha isto: seu pai, conspirador, é preso e condenado à morte, e, de repente, *eu* o salvo. Depois disso, como ele não me daria a mão de sua filha?

– Ele acabará por ceder mais dia, menos dia, meu querido.

– Nunca! Não tenho nenhuma fortuna... Nenhum amparo...

– O senhor tem seu sobrenome... Raoul d'Andrésy.

– Nem isso!

– Como assim?

– D'Andrésy era o sobrenome da minha mãe, que ela retomou quando ficou viúva, por ordem de sua família, que tinha se indignado com o casamento dela.

– Por quê? – perguntou Clarisse, um pouco aturdida por aquelas confissões inesperadas.

– Por quê? Porque meu pai não era nada além de um plebeu, pobre como Jó... Um simples professor... E professor de quê? De ginástica, de esgrima e de boxe!

– Mas então como o senhor se chama?

– Ah, tenho um nome bem vulgar, minha pobre Clarisse.

– Qual nome?

– Arsène Lupin.

– Arsène Lupin?

– Sim, não é muito bom, e mais valia mudar, não é?

Clarisse parecia chocada. Que ele se chamasse de um modo ou de outro, nada significava. Mas a preposição[2], aos olhos do barão, era a primeira qualidade de um genro...

Mesmo assim, balbuciou:

– O senhor não deveria renegar o seu pai. Não há nenhuma vergonha em ser professor.

– Vergonha alguma – disse, rindo mais alto, um riso que fazia mal a Clarisse. – E juro que aproveitei intensamente as lições de boxe e de ginástica que meu pai me deu quando eu ainda estava na mamadeira. Mas, não é? Minha mãe talvez tenha outras razões para renegá-lo, aquele excelente homem, e isso não diz respeito a ninguém.

Raoul a beija com uma violência súbita, depois começa a dançar e a dar piruetas em torno de si mesmo. E, voltando até ela, continua:

– Mas ria então, garotinha – gritou ele. – Tudo isso é muito engraçado. Ria então. Arsène Lupin ou Raoul d'Andrésy, o que importa? O essencial é ter sucesso. E eu terei sucesso. Está vendo lá em cima? Não há dúvidas sobre isso. Não como uma vidente que não me previu um grande futuro e uma reputação universal. Raoul d'Andrésy será general, ou ministro, ou embaixador... A menos que seja Arsène Lupin. É uma coisa certa diante do destino, uma convenção, assinada por ambas as partes. Estou pronto. Músculos de aço e cérebro número um! Veja, quer que eu caminhe com as mãos? Ou que eu a carregue com os braços esticados? Prefere que eu pegue seu relógio sem que você se dê conta? Ou então que recite Homero

---

[2] O narrador se refere à preposição que antecede alguns sobrenomes franceses, exclusividade das famílias nobres tradicionais. Ao desejar um genro detentor de uma preposição, o barão fazia, portanto, questão de uma longa linhagem de nobreza. (N.T.)

ARSÈNE LUPIN E A CONDESSA DE CAGLIOSTRO

de cor em grego e Milton em inglês? Meu Deus, como a vida é bela! Raoul d'Andrésy... Arsène Lupin... As duas faces da estátua! Qual delas será iluminada pela glória, pelo sol dos vivos?

Ele se detém do nada. Sua alegria parecia de repente incomodá-lo. Contemplou silenciosamente o pequeno cômodo tranquilo cuja serenidade perturbava, como havia perturbado a paz e a pura consciência da jovem garota, e, por uma daquelas reviravoltas imprevistas que eram o charme de sua natureza, ajoelhou-se diante de Clarisse e lhe disse seriamente:

– Perdoe-me, senhorita. Foi errado ter vindo aqui... Não é minha culpa. Tenho dificuldade em encontrar um equilíbrio... O bem, o mal, ambos me atraem. É preciso que me ajude a escolher meu caminho, Clarisse, e é preciso que me perdoe quando eu estiver errado.

Ela pegou seu rosto entre as mãos e, com um tom apaixonado, disse:

– Não tenho nada para perdoar, meu querido. Estou feliz. Você me fará sofrer muito, tenho certeza disso, e aceito de antemão e com alegria todas as dores que serão causadas por você. Aqui, pegue minha fotografia. E certifique-se de nunca precisar corar ao olhar para ela. Por *mim*, serei sempre tal como sou hoje, sua amada e sua esposa. Eu amo você, Raoul!

Clarisse soltou seu rosto. Ele já ria e disse, levantando-se:

– Você me armou cavaleiro. Daqui em diante, eis-me invencível e pronto a fulminar meus inimigos. Apareçam, navarros...! Estou entrando em cena!

O plano de Raoul – deixemos nas sombras o nome Arsène Lupin, já que, naquela época, ignorando seu destino, ele mesmo o via com algum desprezo – o plano de Raoul era muito simples. Entre as árvores do pomar, à esquerda do castelo, e se apoiando contra o muro da fortaleza, com o qual formara outrora um dos bastiões, havia uma torre quebrada, muito baixa, recoberta com um telhado e que desaparecia sob as trepadeiras. Ora, Raoul não tinha dúvidas de que a reunião das quatro horas não ocorreria na grande sala interior onde o barão recebia seus arrendatários. E Raoul notara que uma abertura, antiga janela ou entrada de ar, dava para o campo.

Escalada fácil para um rapaz tão habilidoso! Saindo do castelo e rastejando pelas trepadeiras, içou-se, graças às enormes raízes, até a abertura escavada na espessa muralha, que era profunda o bastante para que ele pudesse se deitar de comprido. Assim, a cinco metros do solo, com o rosto escondido pela folhagem, ele não poderia ser visto, mas via toda a sala, grande cômodo mobiliado com uma vintena de cadeiras, uma mesa e um largo banco de igreja.

Quarenta minutos mais tarde, o barão penetrava o recinto com um de seus amigos. Raoul não se enganara em suas previsões.

O barão Godefroy d'Étigues tinha a musculatura de um lutador de circo e um rosto cor de tijolo, que um colar de barba ruiva circundava, e seu olhar era penetrante e enérgico. Seu companheiro, um primo que Raoul conhecia de vista chamado Oscar de Bennetot, dava essa mesma impressão de nobre provinciano normando, mas com mais vulgaridade e mais corpulência. Naquele momento, ambos pareciam muito agitados.

– Depressa – ordenou o barão. – La Vaupalière, Rolleville e D'Auppegard vão se juntar a nós. Às quatro horas, será Beaumagnan quem vai chegar com o príncipe D'Arcole e de Brie pelo pomar, cuja grande porta já abri… E depois… E depois… Será a vez *dela*… Se, por sorte, ela cair na armadilha.

– Duvido – murmurou Bennetot.

– Por quê? Ela encomendou um cupê. O cupê estará lá e ela entrará nele. D'Ormont, que estará dirigindo, vai trazê-la para nós. Na costa dos Quatro-Caminhos, Roux d'Estiers saltará sobre o veículo, abrirá a porta e terá a dama sob controle, a qual os dois vão amarrar. Isso será inevitável.

Tinham se aproximado do lugar acima do qual Raoul os escutava. Bennetot cochichou:

– E depois?

– Depois explicarei a situação a nossos amigos, o papel dessa mulher…

– E você acha que vão concordar em condená-la?

– Quer concordem ou não, o resultado será o mesmo. Beaumagnan está exigindo isso. Podemos recusar?

– Ah, esse homem vai ser a ruína de todos nós – falou Bennetot.

O barão D'Étigues deu de ombros.

– É preciso um homem como ele para lutar contra uma mulher como ela. Você deixou tudo preparado?

– Sim, os dois barcos estão na praia, abaixo da Escadaria do Padre. O menorzinho está furado e afundará dez minutos depois de o colocarmos na água.

– Você colocou uma pedra nele?

– Sim, um grande seixo furado que será amarrada ao aro com uma corda.

Eles se calaram.

Nenhuma das palavras proferidas havia escapado de Raoul d'Andrésy, e nenhuma delas deixou de atiçar ao máximo sua ardente curiosidade.

– Minha nossa! – pensou. – Eu não trocaria meu lugar de camarote por um império. Que canalhas! Falando de matar como quem fala de trocar de cueca!

Godefroy d'Étigues, sobretudo, o espantava. Como a doce Clarisse podia ser filha daquela figura sombria? O que ele estava buscando? Quais motivos obscuros o conduziam? Raiva, cupidez, desejo de vingança, instintos de crueldade? Evocava a imagem de um carrasco de outrora, pronto para alguma sinistra vergonha. Chamas iluminavam sua face arroxeada e sua barba ruiva.

Os outros três convidados chegaram de repente. Familiares na propriedade de Haie d'Étigues, Raoul os avistara ali com frequência. Uma vez sentados, deram as costas às janelas que iluminavam a sala, de modo que seus rostos permaneciam em uma espécie de penumbra.

Somente às quatro horas, dois recém-chegados entraram. Um deles, mais velho, de silhueta militar, estrangulado em sua sobrecasaca, e usando no queixo uma barbicha imperial, como chamavam no tempo de Napoleão III, deteve-se na soleira da porta.

Todos se levantaram para ficar diante do outro, que Raoul não hesitou em considerar como o autor da carta não assinada, aquele que esperavam e que o barão havia designado pelo nome de Beaumagnan.

Embora fosse o único a não ter nem título nem preposição, foi recebido como um chefe, com uma diligência que convinha à sua atitude de dominação e ao seu olhar autoritário. Barbeado, rosto flácido, magníficos olhos negros impregnados de paixão, algo de severo e até mesmo de ascético em suas maneiras, assim como em suas vestimentas, ele tinha ares de uma pessoa importante da igreja.

Rogou que tivessem a gentileza de se sentarem outra vez, desculpou-se pelo amigo que ele não pudera trazer, o conde de Brie, e introduziu seu companheiro, que logo apresentou:

– O príncipe D'Arcole... Os senhores sabem, não é? O príncipe D'Arcole era dos nossos, mas o acaso quis que ele estivesse ausente em nossas reuniões e que sua vontade se impusesse de longe, e da melhor maneira, aliás. Hoje, seu testemunho nos é necessário, posto que já por duas vezes, em 1870, o príncipe D'Arcole encontrou a criatura infernal que nos ameaça.

Raoul, que logo fizera o cálculo, sentiu alguma decepção: "a criatura infernal" devia ter passado dos cinquenta, já que seus encontros com o príncipe D'Arcole haviam acontecido vinte e quatro anos antes.

No entanto, enquanto o príncipe tomava lugar entre os convidados, Beaumagnan puxava de lado Godefroy d'Étigues. O barão lhe entregou um envelope, contendo sem dúvida alguma a carta comprometedora. Depois tiveram em voz baixa uma conversa bastante agitada, a qual Beaumagnan cortou bruscamente com um gesto de comando enérgico.

"Inadequado esse senhor", Raoul disse a si mesmo. "O veredicto é formal. É preciso cortar o mal pela raiz. O afogamento iria acontecer, pois bem parece que essa foi a solução imposta."

Beaumagnan passou para a última fileira. Mas, antes de se sentar, assim se expressou:

– Meus amigos, os senhores sabem o quanto o atual momento é grave para nós. Todos bem unidos e de acordo quanto ao objetivo magnífico que queremos alcançar, empreenderemos um plano conjunto de importância considerável. Parece-nos, com razão, que os interesses do país, os de nosso partido, os de nossa religião, e eu não separo uns dos outros, estão ligados ao sucesso de nossos projetos. Ora, esses projetos, já há algum tempo, chocam-se com a audácia e com a hostilidade implacável de uma mulher que, dispondo de certas indicações, lançou-se em busca do segredo que estamos quase descobrindo. Se ela o alcançar antes de nós, será a ruína de todos os nossos esforços. Ela ou nós, não há lugar para ambos. Desejamos ardentemente que a batalha em curso seja decidida em nosso favor.

Beaumagnan sentou-se e, apoiando os dois braços no encosto de uma cadeira, dobrou sua alta figura como se não quisesse ser visto.

E os minutos correram.

Entre aqueles homens, reunidos ali por uma causa que deveria ter suscitado conversas, o silêncio foi absoluto, tamanha era a atenção de todos, voltada para os ruídos longínquos que poderiam advir do campo. A captura daquela mulher obcecava o espírito de todos eles. Tinham pressa de ver e de conter sua adversária.

O barão d'Étigues levantou o dedo. Começava-se a escutar o ritmo surdo de passos de um cavalo.

– É meu cupê – disse ele.

Sim, mas a inimiga se encontrava ali?

O barão dirigiu-se até a porta. Como de hábito, o pomar estava vazio, os funcionários sempre só tinham o que fazer na sala de honra situada na ala principal.

O ruído se aproximava. A carruagem deixou a estrada e atravessou o campo. Depois, de repente, apareceu entre os dois pilares da entrada. O condutor fez um gesto e o barão declarou:

– Vitória! Nós a pegamos.

O cupê parou. D'Ormont, que estava conduzindo, saltou rapidamente. Roux d'Estiers lançou-se para fora da carruagem. Ajudados pelo barão, tiraram do interior uma mulher cujas pernas e mãos estavam amarradas. Uma faixa de gaze envolvia sua cabeça. Eles a transportaram até o banco de igreja que marcava o meio da sala.

– Sem a menor dificuldade – contou D'Ormont. – Ao sair do trem, ela se esgueirou para dentro da carruagem. Em Quatro-Caminhos, nós a pegamos sem que tivesse tempo de dizer um A.

– Tirem a faixa – ordenou o barão. – Aliás, bem podemos também lhe dar liberdade de movimentos.

Ele mesmo desamarrou os laços.

D'Ormont tirou o véu e descobriu a cabeça dela.

Houve, entre os presentes, uma exclamação de estupor, e Raoul, do alto de seu posto, de onde percebia a cativa em plena luz, sentiu a mesma comoção de surpresa vendo aparecer uma mulher em todo o esplendor da juventude e da beleza.

Mas um grito dominou os murmúrios. O príncipe D'Arcole tinha avançado até a primeira fileira, e, contraindo o rosto e arregalando os olhos, balbuciou:

– É ela... É ela... Eu a reconheço... Ah! Que coisa assustadora!

– O que houve? – perguntou o barão. – O que há de assustador? Pode se explicar?

E o príncipe D'Arcole proferiu a seguinte frase incompreensível:

– *Ela está com a mesma idade que tinha há vinte e quatro anos!*

A mulher estava sentada e mantinha o tronco reto, os punhos serrados sobre os joelhos. Seu chapéu devia ter se perdido quando foi capturada, e seus cabelos meio despenteados caíam para trás, em uma massa espessa contida por um pente de ouro, enquanto duas mechas com reflexos castanho-avermelhados se dividiam igualmente acima de sua testa, um pouco ondulados nas têmporas.

O rosto era admiravelmente belo, formado por linhas perfeitas e animado por uma expressão que, mesmo na impassibilidade, mesmo em meio ao pavor, parecia um sorriso. Com um queixo mais para fino, maçãs do rosto ligeiramente salientes, olhos amendoados, e pálpebras pesadas, ela lembrava aquelas mulheres de Da Vinci, ou melhor, de Bernardino Luini[3], nas quais

---

[3] Bernardino Luini (c. 1480-1532) foi um pintor italiano que trabalhava com Leonardo da Vinci (1452-1519); muitas de suas obras acabaram sendo falsamente atribuídas a Da Vinci. (N.T.)

toda a graça residia em um sorriso que não se vê, mas que se insinua, e que comove e inquieta ao mesmo tempo. Suas roupas eram simples: sob um casaco de viagem que ela deixou cair, um vestido de lã cinza realçava sua altura e seus ombros.

"Credo!", pensou Raoul, que não desviava o olhar, "ela parece bem inofensiva, uma criatura infernal e magnífica! E eles se juntaram em nove ou dez para lutar contra ela?"

Ela observava atentamente aqueles que a rodeavam, D'Étigues e seus amigos, esforçando-se para distinguir os outros, na penumbra.

Ao fim, ela disse:

– O que querem de mim? Não conheço nenhuma das pessoas que estão aqui. Por que me trouxeram para cá?

– A senhora é nossa inimiga – declarou Godefroy d'Étigues.

Ela balançou a cabeça docemente.

– Inimiga de vocês? Deve haver aí alguma confusão. Os senhores têm certeza de que não se enganaram? Eu sou a madame Pellegrini.

– A senhora não é a madame Pellegrini.

– Estou afirmando que sou...

– Não – repetiu o barão Godefroy, com uma voz forte.

E acrescentou as seguintes palavras, tão desconcertantes quanto aquelas proferidas pelo príncipe d'Arcole:

– *Pellegrini era um dos nomes sob o qual se disfarçava, no século XVIII, o homem do qual a senhora se passava por filha.*

Ela não respondeu na mesma hora, como se não tivesse captado o absurdo da frase. Depois, perguntou:

– Segundo os senhores, como então eu me deveria me chamar?

– *Joséphine Balsamo, condessa de Cagliostro.*

JOSÉPHINE BALSAMO, NASCIDA EM 1788...

Cagliostro[4]! A extraordinária personagem que intrigou tão vivamente a Europa e agitou tão profundamente a corte da França sob o reinado de Luís XVI! O colar da rainha... O cardeal de Rohan... Maria Antonieta... Que episódios perturbadores da existência mais misteriosa.

Um homem bizarro, enigmático, dotado do gênio da intriga, que dispunha de um real poder de dominação e sobre o qual ainda não fora lançada toda a luz.

Impostor? Quem sabe? Temos o direito de negar que alguns seres de sentidos mais refinados podem lançar sobre o mundo dos vivos e dos mortos olhares que nos são proibidos? Devemos tratar como charlatão ou como louco aquele em quem renascem lembranças de suas existências passadas, e que, lembrando-se do que viu, beneficiando-se de aquisições

---

[4] Giuseppe Balsamo (ou Joseph, em francês), mais conhecido como Alessandro, conde de Cagliostro (1743-1795), foi um conhecido ocultista e alquimista dotado de controversos e contestados poderes místicos. Sua vida foi romanceada por Alexandre Dumas (1802-1870), que lhe dedicou os livros *Joseph Balsamo* (1846), *O Colar da Rainha* (1849) e *A condessa de Charny* (1853). (N.T.)

anteriores, de segredos perdidos e de certezas esquecidas, aproveita um poder que chamamos de sobrenatural, quando consiste apenas na valorização, hesitante e balbuciante, de forças que talvez estejamos quase reduzindo à escravidão?

Se Raoul d'Andrésy, no fundo de seu observatório, permanecia cético, e se ria consigo mesmo – talvez não sem alguma reticência – da reviravolta que dominava os acontecimentos, parecia que os presentes aceitavam de antemão como realidades indiscutíveis as mais extravagantes alegações. Possuiriam então a respeito desse assunto provas e noções particulares? Teriam encontrado naquela que, segundo eles, se passava pela filha de Cagliostro, os dons da clarividência e da adivinhação que outrora fora atribuída ao célebre taumaturgo, e pelas quais o consideravam mágico e feiticeiro?

Godefroy d'Étigues, o único entre todos que permanecia de pé, inclinou-se sobre a jovem moça e lhe disse:

– O nome de Cagliostro também é o seu, não é?

Ela refletiu. Parecia que, cuidando de sua própria defesa, buscava a melhor resposta e que queria, antes de se aprofundar na questão, conhecer as armas das quais o inimigo dispunha. Portanto, replicou, calmamente:

– Nada me obriga a lhes responder e tampouco o senhor tem o direito de me interrogar. No entanto, por que eu negaria que, embora minha certidão de nascimento traga o nome Joséphine Pellegrini, por capricho, eu me apresento como Joséphine Balsamo, condessa de Cagliostro? Uma vez que os dois nomes, Cagliostro e Pellegrini, completam a personalidade de Joseph Balsamo, que sempre me interessou.

– De quem, segundo a senhora, por consequência, e contrariando algumas de suas declarações – especificou o barão – a senhora não seria descendente direta?

Ela deu de ombros e se calou. Aquilo era prudência? Desdém? Protesto contra um tal absurdo?

– Não quero considerar esse silêncio nem como uma confissão, nem como uma negação – retomou Godefroy d'Étigues, virando-se para seus amigos. – As palavras dessa mulher não têm nenhuma importância e só seria tempo perdido refutá-las. Estamos aqui para tomar decisões audaciosas sobre um caso que todos conhecemos em seu conjunto, mas sobre o qual a maior parte de nós ignora alguns detalhes. Portanto, é indispensável relembrar os fatos. Eles serão resumidos tão brevemente quanto possível no testemunho que vou ler para os senhores e que rogo que escutem com atenção.

E, pausadamente, leu algumas páginas, que, Raoul não duvidava, deveriam ter sido redigidas por Beaumagnan.

– No começo de março de 1870, isto é, quatro meses antes da guerra entre a França e a Prússia, em meio à multidão de estrangeiros que abarrotava Paris, repentinamente ninguém chamava mais atenção do que a condessa de Cagliostro. Bela, elegante, gastando rios de dinheiro, quase sempre sozinha, ou acompanhada de um jovem rapaz que apresentava como seu irmão, por onde quer que passasse, em todos os salões que a recebiam, foi objeto da mais viva curiosidade. Primeiro, seu nome intrigava, e, depois, a maneira realmente impressionante que tinha de se parecer com o famoso Cagliostro, por seus traços misteriosos, algumas curas milagrosas que efetuou, as respostas que dava às pessoas que a consultavam sobre o passado ou o futuro. O romance de Alexandre Dumas tinha deixado na moda a figura de Joseph Balsamo, o autoproclamado conde de Cagliostro. Usando os mesmos procedimentos, e sendo ainda mais audaciosa, ela se gabava de ser a filha de Cagliostro, afirmava conhecer o segredo da juventude eterna e, sorrindo, falava de tais encontros que tivera ou de tais acontecimentos pelos quais passara durante o reinado de Napoleão I.

"Seu prestígio foi tamanho que forçou as portas das Tulherias e apareceu na corte de Napoleão III. Falava-se inclusive de sessões privadas nas quais a imperatriz Eugénie reunia ao redor da bela condessa seus súditos mais íntimos. Um número clandestino do jornal satírico *Le Charivari*, que, aliás, logo foi apreendido, conta-nos sobre uma sessão à qual assistia um de seus ocasionais colaboradores. Destaco essa passagem:

Arsène Lupin e a condessa de Cagliostro

Alguma coisa de Monalisa. *Uma expressão que não muda muito, mas que quase não se pode definir, que é tanto acalentadora e ingênua quanto cruel e perversa. Tanta experiência no olhar e amargura em seu sorriso imutável, que se poderia lhe conceder então os oitenta anos que ela mesma se atribui. Nesses momentos, ela tira de seu bolso um pequeno espelho de ouro, verte nele duas gotas de um frasco imperceptível, seca-o e se contempla. E, de novo, eis a adorável juventude.*

Como nós a interrogamos, ela nos respondeu:

"Este espelho pertencia a Cagliostro. Para aqueles que se olham nele com confiança, o tempo para. Veja, a data está gravada na moldura, 1783, e a ela se seguem quatro linhas que são a enumeração de quatro grandes enigmas. Esses enigmas que ele se propusera a decifrar foram conseguidos da própria boca da rainha Maria Antonieta, e ele dizia, segundo me contaram, que aquele que os solucionasse seria o rei dos reis."

"Podemos saber quais são?", perguntou alguém.

"Por que não? Conhecê-los não é o mesmo que os decifrar, e o próprio Cagliostro não teve tempo para isso. Nada posso, portanto, transmitir-lhes além de alcunhas, de títulos. Eis aqui a lista[5]:

In robore fortuna[6]

O mármore dos reis da Boêmia

A fortuna dos reis da França

O candelabro de sete braços."

Ela fala em seguida a cada um de nós e nos faz revelações que nos tomam de espanto.

Mas esse era apenas um prelúdio, e a imperatriz, apesar de se recusar a fazer qualquer questãozinha que lhe dissesse respeito pessoalmente, bem queria perguntar alguns esclarecimentos relativos ao futuro.

---

[5] O primeiro enigma foi explicado por uma jovem garota (Ver *Dorothé, dançarina de corda*). Os dois seguintes, por Arsène Lupin (ver *A Ilha dos trinta caixões* e *A Agulha Oca*). O quarto é o tema deste livro. (N.A.)

[6] Expressão latina que significa "Na força da sorte". (N.T.)

Que Sua Majestade tenha a boa graça de soprar de levinho", disse a condessa estendendo o espelho.

E, de repente, tendo examinado a superfície que o sopro embaçara, ela murmurou:

"Estou vendo coisas belas... Uma grande guerra neste verão... A vitória... O retorno das tropas sob o Arco do Triunfo... Estão aclamando o imperador... O príncipe imperial."

"Assim diz – retoma Godefroy d'Étigues – o documento que nos foi comunicado. Documento desconcertante, já que foi publicado várias semanas antes de a guerra ser anunciada. Quem era essa mulher? Quem era essa aventureira, cujas predições perigosas, agindo sobre a mente bastante fraca da infeliz soberana, não deixaram de provocar a catástrofe de 1870? Alguém (lendo o mesmo número do *Charivari*) lhe teria dito um dia:

"– Filha de Cagliostro, que seja, mas quem é a sua mãe?

"– Para encontrar minha mãe – respondeu ela –, busque bem alto, entre os contemporâneos de Cagliostro... Mais alto ainda... Sim, aí está... Joséphine de Beauharnais, futura esposa de Bonaparte, futura imperatriz..."

"A polícia de Napoleão III não podia ficar inativa. Ao fim de junho, entregava um relatório sucinto, estabelecido por um de seus melhores agentes, resultado de uma pesquisa difícil. Vou lê-lo:

"Os passaportes italianos da *signorina*, sempre fazendo reservas sobre a data de nascimento – escreveu o agente –, estão atribuídos ao nome de Joséphine Pellegrini-Balsamo, condessa de Cagliostro, nascida em Palermo, em 29 de junho de 1788. Tendo ido a Palermo, consegui descobrir os antigos registros da paróquia de Mortarana e, em um deles, na data de 29 de julho de 1788, encontrei a declaração de nascimento de Joséphine Balsamo, filha de Joseph Balsamo e de Joséphine de la P., súdita do rei da França.

"Seria aquela Joséphine Tascher de la Pagerie, nome de solteira da esposa divorciada do visconde de Beauharnais e da futura esposa do general Bonaparte? Fiz buscas nessa direção e, na sequência de investigações pacientes, soube, por cartas manuscritas de um lugar-tenente da Jurisdição

ARSÈNE LUPIN E A CONDESSA DE CAGLIOSTRO

de Paris, que estava perto de prender, em 1788, o Lorde Cagliostro que, embora expulso da França, após o caso do Colar[7], morava em um pequeno hotel de Fontainebleau usando o nome de Pellegrini, onde recebia todos os dias uma dama alta e magra. Ora, Joséphine de Beauharnais também habitava Fontainebleau naquela época. Ela era alta e magra. Na véspera do dia marcado para a prisão, Cagliostro desapareceu. No dia seguinte, brusca partida de Joséphine de Beauharnais[8]. Um mês mais tarde, em Palermo, nascimento da criança.

"Essas coincidências não deixam de ser impressionantes. Mas como adquirem valor quando as aproximamos desses dois fatos! Dezoito anos antes, a imperatriz Joséphine introduz no Castelo de Malmaison uma jovem garota que fazia passar por sua afilhada, e que ganha afeição do imperador ao ponto de Napoleão brincar com ela como se fosse uma criança. Qual é o nome dela? Joséphine, ou melhor, Josine.

"Queda do Império. O czar Alexandre I acolhe a tal Josine e a envia para a Rússia. Qual título ela pega para si? Condessa de Cagliostro."

O barão D'Étigues deixa se prolongarem essas últimas palavras no silêncio. Todos o escutaram com uma profunda atenção. Raoul, aturdido por aquela história incrível, tentava captar no rosto da condessa o reflexo da emoção ou de outro sentimento qualquer. Mas ela permanecia impassível, com seus belos olhos sempre um pouco sorridentes.

E o barão prosseguiu:

– Esse relatório, e, provavelmente, a influência perigosa que a condessa exercia nas Tulherias, devia cortar logo a sua sorte. Um mandato de extradiçao foi assinado contra ela e contra seu irmão. O irmão seria mandado

---

[7] "O caso do colar da rainha" foi um golpe que de fato aconteceu na corte do rei Luís XVI de França, quando o cardeal Rohan foi enganado para comprar um colar de diamantes caríssimo que supostamente era destinado à rainha Maria Antonieta, mas esse acabou sendo roubado e vendido em Londres. Após a revelação do que havia acontecido, o cardeal, Cagliostro (que o havia ajudado e aconselhado) e mais de uma dúzia de pessoas, incluindo vários nobres, foram presos em um processo que gerou grande escândalo e abalou a imagem do rei e da rainha que, não por acaso, viriam a ser decapitados durante a Revolução Francesa, alguns anos depois. (N.T.) .

[8] Até aqui nenhum dos biógrafos de Joséphine conseguiu explicar por que ela tinha escapado, de certa maneira, de Fontainebleau. Somente o Sr. Frédéric Masson, apresentando a verdade, escreveu: "Talvez encontraremos um dia alguma carta que especifique e afirme a necessidade *física* de sua partida". (N.A.)

para a Alemanha; ela, para a Itália. Uma manhã, ela chegava a Modane, onde um jovem oficial a conduzira. Ele se inclinou diante dela e a saudou. Aquele oficial se chamava príncipe D'Arcole. Foi ele quem conseguiu os dois documentos, o número do *Charivari* e o relatório secreto cujo original está entre suas mãos com seus timbres e assinaturas. Foi ele afinal quem, agora há pouco, certificava diante dos senhores a identidade indubitável da pessoa que viu naquela manhã e dessa que está vendo hoje.

O príncipe D'Arcole se levantou e articulou, gravemente:

– Não acredito em milagres e, no entanto, o que estou dizendo é a confirmação de um milagre. Mas a verdade me obriga a declarar em nome da minha honra de soldado que esta mulher é a mulher que eu cumprimentei na estação de Modane há vinte e quatro anos.

– Que o senhor só cumprimentou? Sem nem uma palavra de cortesia? – insinuou Joséphine Balsamo.

Ela tinha se virado para o príncipe e o interrogava com uma voz animada, na qual havia alguma ironia.

– O que a senhora quer dizer?

– Quero dizer que oficiais franceses costumam ser corteses demais para se despedir de uma bela mulher com um simples "oi" protocolar.

– E isso significa o quê?

– Isso significa que o senhor bem deve ter proferido algumas palavras.

– Talvez. Não me lembro mais disso… – disse o príncipe D'Arcole com um pouco de embaraço.

– O senhor se inclinou na direção da exilada, meu senhor. Beijou-lhe a mão um pouco mais demoradamente do que seria necessário e o senhor lhe disse: "Eu espero, madame, que os instantes que tive o prazer de passar ao seu lado não tenham sido de todo vãos. De minha parte, jamais os esquecerei". E o senhor repetiu, sublinhando com um acento particular sua intenção de galanteio: "Jamais, a senhora está entendendo? Jamais…"

O príncipe D'Arcole parecia um homem muito bem-educado. No entanto, ante a evocação exata do minuto transcorrido um quarto de século antes, ele ficou tão perturbado que murmurou:

ARSÈNE LUPIN E A CONDESSA DE CAGLIOSTRO

– Meu pai do Céu!

Mas, logo se recompondo, disse em tom brusco, na ofensiva:

– Esqueci, madame. Se a lembrança daquele encontro já foi agradável, a lembrança da segunda vez a apagou.

– Qual segunda vez, meu senhor?

– Foi no começo do ano seguinte, em Versalhes, onde eu acompanhava as delegações francesas encarregadas de negociar a paz da derrota. Eu a avistei em um café, sentada diante de uma mesa, bebendo e rindo com oficiais alemães, um dos quais era oficial de ordenança de Bismarck[9]. Naquele dia, entendi seu papel no Palácio das Tulherias e que a senhora era a emissária.

Todas aquelas revelações, todas aquelas peripécias de uma vida de aparência fabulosa, se desenrolaram em menos de dez minutos. Nenhuma argumentação. Nenhuma tentativa de lógica e de eloquência para impor uma tese inconcebível. Nada além de fatos. Nada além de evidências resumidas, violentas, afirmadas como socos na cara, e ainda mais espantosas por evocarem, contra uma mulher bem jovem, algumas lembranças que remontavam a mais de um século!

Raoul d'Andrésy não conseguia acreditar. A cena lhe parecia sair de um romance, ou melhor, de algum melodrama fantástico e tenebroso, e os conjurados lhe pareciam também fora de qualquer realidade, todos escutando aquelas históricas como se tivessem o valor de fatos indiscutíveis. Claro, Raoul não ignorava a mediocridade intelectual daqueles lordes provincianos, últimos vestígios de outra época. Mas, mesmo assim, como conseguiam abstrair os próprios fatos do problema que a idade atribuída a essa mulher lhes colocava? Por mais crédulos que fossem, não tinham olhos para ver?

Diante deles, aliás, a atitude da Cagliostro parecia ainda mais estranha. Por que aquele silêncio, que, no fim das contas, era uma aceitação, e talvez até uma confissão? Ela se recusava a demolir uma lenda de eterna juventude

---

[9] Otto von Bismarck (1815-1898) foi um nobre e militar prussiano, conhecido por ter unificado os povos germânicos em um único país, a atual Alemanha, e também por sua participação na guerra franco-prussiana. (N.T.)

que lhe concedia e favorecia a realização de seus desígnios? Ou então, inconsciente do aterrador perigo pairando sobre sua cabeça, considerava toda aquela encenação como uma simples brincadeira?

– Assim aconteceu – concluiu o barão D'Étigues. – Não insistirei nos episódios intermediários que ligam tudo ao dia de hoje. Sempre permanecendo nos bastidores, Joséphine Balsamo, condessa de Cagliostro, esteve envolvida na tragicomédia do Boulangismo[10], no drama do Panamá (pois nós a encontramos em todos os acontecimentos funestos em nosso país). Mas, quanto a isso, temos apenas algumas indicações referentes ao papel secreto que ela desempenhou. Nenhuma prova. Passamos por isso e chegamos à época atual. Só mais uma palavra, no entanto. Sobre todos esses pontos, a senhora não teria observações a apresentar?

– Sim – disse ela.

– Pois então fale.

A jovem mulher proferiu, com sua mesma entonação um tanto quanto zombeteira:

– Como os senhores parecem estar conduzindo meu julgamento e o estão fazendo à maneira de um tribunal da Idade Média, gostaria de saber se para os senhores conta para alguma coisa as acusações acumuladas até aqui contra mim? Nesse caso, seria melhor me condenar de uma vez a ser queimada viva, como feiticeira, espiã, herege, todos os crimes que a Santa Inquisição não perdoava.

– Não – respondeu Godefroy d'Étigues. – Essas diversas aventuras somente foram reportadas para dar uma imagem da senhora tão clara quando possível.

– O senhor crê ter dado uma imagem minha tão clara quanto possível?

– Do ponto de vista que nos interessa, sim.

---

[10] Boulangismo foi um movimento político francês, de feição ultranacionalista, em torno da figura de Georges Boulanger (1837-1891), conhecido por ter evitado uma guerra entre a Alemanha e a França no fim do século XIX. Já o "Drama do Panamá", também conhecido como "o Escândalo do Canal do Panamá", ocorrido entre 1888 e 1893, diz respeito a um caso de grande corrupção na Terceira República Francesa em uma companhia francesa responsável pela construção do célebre canal. (N.T.)

– Os senhores se contentam com pouco. E qual relação veem entre essas diferentes desventuras?

– Vejo relações de três tipos. Primeiro, o testemunho de todas as pessoas que a reconheceram, e graças às quais conseguimos voltar, pouco a pouco, aos dias mais distantes. Em seguida, a confissão de suas pretensões.

– Qual confissão?

– A senhora repetiu ao príncipe D'Arcole os termos exatos da conversa que aconteceu entre ele e a senhora na estação de Modane.

– De fato – disse ela. – E depois...?

– E depois aqui estão três retratos. Os três a representam bem, não é?

Ela os olhou e declarou:

– Esses três retratos me representam.

– Pois bem – falou Godefroy d'Étigues –, o primeiro é um retrato em miniatura pintado em 1816, em Moscou, de Josine, condessa de Cagliostro. O segundo, que é essa fotografia, data de 1870. Essa aqui é a última, tirada recentemente em Paris. Os três retratos estão assinados pela senhora. Mesma assinatura. Mesma letra. Mesmo traço.

– O que isso prova?

– Isso prova que a mesma mulher...

– ... que a mesma mulher – interrompeu ela – conserva em 1894 o rosto que tinha em 1816 e em 1870. Logo, já pra fogueira!

– Não zombe, senhora. Bem sabe que entre nós o riso é uma blasfêmia abominável.

Ela fez um gesto de impaciência e bateu o braço do banco.

– Mas enfim, meu senhor, vamos acabar com essa palhaçada? O que está acontecendo? Do que os senhores estão me culpando? Por que estou aqui?

– A senhora está aqui, madame, para nos prestar contas dos crimes que cometeu.

– Quais crimes?

– Meus amigos e eu éramos doze, doze que tínhamos o mesmo objetivo. Somos apenas nove agora. Os outros três estão mortos, assassinados pela senhora.

Uma sombra, ao menos Raoul d'Andrésy acreditou discerni-la ali, pairou como uma nuvem no sorriso da Monalisa. De repente, aliás, o belo rosto retomou sua expressão costumeira, como se nada pudesse alterar a paz daquela mulher, nem mesmo a terrível acusação lançada contra ela com tanta virulência. Até seria possível dizer que os sentimentos habituais lhe eram desconhecidos, ou então que não eram traídos por esses sinais de indignação, revolta e horror que transtornam todos os seres. Que anomalia! Culpada ou não, outra pessoa teria se rebelado, já *ela* se calava e nenhum indício permitia saber se era por cinismo ou por inocência.

Os amigos do barão permaneciam imóveis, os rostos glaciais e contraídos. Atrás daqueles que o escondiam quase inteiramente aos olhares da jovem Joséphine Balsamo, Raoul percebia Beaumagnan. Com os braços apoiados na cadeira, mantinha o rosto entre as mãos. Mas os olhos cintilavam por entre os vãos dos dedos e se prendiam bem no rosto da inimiga.

Em meio ao grande silêncio, Godefroy d'Étigues pronunciou a declaração de acusação, ou melhor, as três declarações da formidável acusação. Falou secamente, como o fizera até ali, sem detalhes inúteis, sem levantar a voz, mais como se lesse as atas de um processo.

– Há dezoito meses, Denis Saint-Hébert, o mais jovem dentre nós, caçava em suas terras nos arredores do Havre. No fim da tarde, deixou seu funcionário e seu segurança, jogou sua espingarda sobre o ombro e foi ver do alto da falésia o sol se pôr no mar. Ele não voltou de noite. No dia seguinte, encontraram seu cadáver sobre os rochedos que o mar desvelara.

"Suicídio? Denis Saint-Hébert era rico, tinha boa saúde e humor alegre. Por que se suicidaria? Crime? Sequer pensou-se nisso. Logo, acidente.

"No mês de junho que se seguiu, outro luto para nós, em condições análogas. Georges d'Isneauval caçava gaivotas logo cedo, ao pé das falésias de Dieppe, e escorregou nas algas de maneira tão lamentável que sua cabeça bateu contra um rochedo e ele caiu inanimado. Algumas horas mais tarde, dois pescadores o viram. Estava morto. Deixou mulher e duas filhas pequenas.

"Também aí foi acidente, não é? Sim, acidente para a viúva, para as duas órfãs, para a família… Mas para nós? Será possível que uma segunda vez o acaso tivesse atacado o pequeno grupo que formamos? Doze amigos se associam para descobrir um grande segredo e atingir um objetivo de um alcance considerável. Dois dentre eles são abatidos. Não se deve supor uma maquinação criminosa que, ao atacá-los, acaba por atacar ao mesmo tempo seus projetos?

"Foi o príncipe D'Arcole que nos abriu os olhos e nos conduziu ao caminho certo. O próprio príncipe D'Arcole sabia que não éramos os únicos a conhecer a existência desse grande segredo. Ele sabia que, durante uma sessão na casa da imperatriz Eugénie, haviam evocado uma lista de quatro enigmas transmitida por Cagliostro a seus descendentes, e que um deles se chamava precisamente, como aquele que nos interessa: o enigma do candelabro de sete braços. Em consequência disso, não seria preciso buscar respostas entre aqueles a quem a lenda poderia ter sido transmitida?

"Graças aos poderosos meios de investigação dos quais dispomos, em quinze dias, nossa busca teve êxito. Em um hotel particular de uma rua solitária de Paris, habitava uma senhora Pellegrini, que vivia bastante retirada e desaparecia com frequência por meses inteiros. Com uma grande beleza, mas de aparência bastante discreta, e como se desejosa de passar despercebida, frequentava, usando o nome de condessa de Cagliostro, alguns meios onde se interessam por magia, ocultismo e missas negras.

"Conseguimos arranjar sua fotografia, esta aqui, e enviá-la ao príncipe D'Arcole, que estava então viajando pela Espanha. Ele reconheceu estupefato a mesma mulher que outrora vira.

"Inquirimos sobre suas movimentações. No dia da morte de Saint--Hebert, nos arredores do Havre, ela estava de passagem pelo Havre. De passagem por Dieppe, quando Georges d'Isneauval agonizava aos pés das falésias de Dieppe!

"Interroguei as famílias. A viúva de Georges d'Isneauval me confiou que seu marido, naqueles últimos tempos, tivera uma ligação com uma mulher que, segundo ela, fizera-o sofrer infinitamente. Por outro lado, uma confissão manuscrita de Saint-Hébert, encontrada em seus papéis, e guardada até aqui por sua mãe, revelou-nos que nosso amigo, tendo a imprudência de anotar nossos doze nomes e algumas indicações relativas ao candelabro de sete braços, teve seu caderno surrupiado por uma mulher.

"Desde então, tudo se explicava. Detentora de uma parte de nossos segredos, e desejando conhecer ainda mais sobre eles, a mesma mulher, que Saint-Hébert havia amado, conquistara os amores de Georges d'Isneauval. Depois, tendo ouvido suas confidências, e temendo ser denunciada por eles a seus amigos, ela os matou. Essa mulher está aqui, diante de nós."

Godefroy d'Étigues fez uma nova pausa. O silêncio se tornou avassalador, tão pesado que os juízes pareciam imobilizados naquela atmosfera opressiva e carregada de angústia. Só a condessa de Cagliostro mantinha um ar distraído, como se nenhuma palavra a houvesse atingido.

Ainda deitado em seu esconderijo, Raoul d'Andrésy admirava a beleza encantadora e voluptuosa da jovem dama e, ao mesmo tempo, experimentava um mal-estar em ver tantas provas se acumularem contra ela. A declaração de acusação a cercava cada vez mais perto. De toda parte, os fatos vinham de assalto, e Raoul apenas temia que um ataque ainda mais direto a ameaçasse.

– Devo lhes falar do terceiro crime? – perguntou o barão.

Ela replicou com um tom de lassidão:

– Se isso lhe deixar feliz. Tudo o que o senhor me diz é sem sentido. O senhor está falando de pessoas das quais eu sequer sabia o nome. Então, um crime a mais ou a menos…

– A senhora não conhecia Saint-Hébert e D'Isneauval?

Ela deu de ombros sem responder.

Godefroy d'Étigues se inclinou, depois disse com uma voz mais baixa:

– E Beaumagnan?

Ela levantou para o barão Godefroy os olhos ingênuos:

– Beaumagnan?

– Sim, o terceiro de nossos amigos que a senhora matou, não? A morte dele não faz muito tempo… Algumas semanas… Foi envenenado… A senhora não o conhecia?

UM TRIBUNAL DE INQUISIÇÃO

O que significava aquela acusação? Raoul olhava para Beaumagnan. Ele se levantara, sem endireitar sua alta figura e, passo a passo, escondendo-se atrás de seus amigos, acabava de sentar-se ao lado da própria Joséphine Balsamo. Esta, virada para o barão, não prestou atenção nele.

Então Raoul compreendeu o porquê de Beaumagnan ter se dissimulado e qual temível armadilha preparavam para a jovem. Se ela realmente tivesse desejado envenenar Beaumagnan, se realmente acreditava que ele estava morto, que assombro a estremeceria em face do próprio Beaumagnan, vivo e pronto a acusá-la! Se, ao contrário, sequer tremesse e aquele homem lhe parecesse tão estranho quanto os outros, que prova seria em seu favor!

Raoul se sentia ansioso e desejava tanto que ela conseguisse frustrar o complô que buscava meios de adverti-la de tudo. Mas o barão D'Étigues não largava sua presa e já retomava a fala:

– A senhora não se lembra desse crime também, não é mesmo?

Ela franziu o cenho, marcando por uma segunda vez um pouco de impaciência, e se calou.

MAURICE LEBLANC

– Talvez a senhora sequer tenha conhecido Beaumagnan, não é? – perguntou o barão, inclinado sobre ela, como um juiz de instrução que aguarda uma resposta desajeitada. Então diga! A senhora não o conhecia?

Ela não respondeu. Justamente por causa daquela insistência obstinada, ela devia estar desconfiando, pois seu sorriso se misturou com certa inquietação. Como uma fera sendo perseguida, farejou a emboscada e pressentiu as trevas no olhar dele.

Observou Godefroy d'Étigues, depois se voltou para o lado de Vaupalière e Bennetot, depois para o outro lado, aquele onde se mantinha Beaumagnan...

Subitamente, fez um gesto atordoado, o sobressalto de alguém que percebe um fantasma, e seus olhos se fecharam. Estendeu as mãos para afastar a terrível visão que a chocava e escutaram-na balbuciar:

– Beaumagnan... Beaumagnan...

Aquilo era a confissão? Ela ia ceder e confessar seus crimes? Beaumagnan esperava. Com todas as suas forças visíveis, por assim dizer, com seus punhos cerrados, veias saltando na testa, seu amargo rosto convulsionado por um esforço sobre-humano de vontade, ele comprimia a crise de fraqueza onde qualquer resistência se despedaça.

Por um momento, acreditou ter sucesso. A jovem cedia e se entregava àquele que a dominava. Uma alegria cruel o transfigurou. Vã esperança! Escapando da vertigem, ela se recompôs. Cada segundo passado conferia-lhe um pouco de serenidade e aumentava seu sorriso, e ela proferiu, com aquela lógica que parece a própria expressão de uma verdade que não se pode contradizer:

– O senhor me assustou, Beaumagnan, pois havia lido nos jornais a notícia de sua morte. Mas por que seus amigos quiseram me enganar?

Raoul logo se deu conta de que tudo o que tinha se passado até ali não tinha importância. Os dois verdadeiros adversários se encontravam um diante do outro. Tão breve quanto devia ser, consideradas as armas de Beaumagnan e o isolamento da jovem dama, o combate real só estava para começar.

Arsène Lupin e a condessa de Cagliostro

E não era mais o ataque tortuoso e contido do barão Godefroy, mas a agressão desordenada de um inimigo cuja cólera e a raiva exasperavam.

– Mentira! Mentira! – gritou. – Tudo na senhora é mentira. A senhora é a própria hipocrisia, a baixeza, a traição, o vício! Tudo o que há de ignóbil e de repugnante no mundo se esconde atrás de seu sorriso. Ah, esse sorriso! Que máscara abominável! Gostaríamos de arrancá-lo com tenazes avermelhadas pelo fogo.

"Esse seu sorriso é a morte, é a danação eterna para aquele que se deixa ser capturado por ele... Ah, que miserável é essa mulher...!"

A impressão que Raoul tivera, desde o começo, de estar assistindo àquela cena de inquisição, experimentou-a mais nitidamente ainda diante da fúria daquele homem que berrava a excomunhão com toda a força de um monge da Idade Média. Sua voz tremia de indignação. Seus gestos ameaçavam, como se fosse apertar a garganta da ímpia, cujo divino sorriso fazia perder a cabeça e condenar aos suplícios do inferno.

– Acalme-se, Beaumagnan – disse-lhe ela, com um excesso de doçura que o irritou como se fosse um ultraje.

Apesar de tudo, tentou se conter e controlar as palavras que se espremiam dentro de si. Mas elas saíam de sua boca, ofegantes, precipitadas ou murmuradas, a ponto de seus amigos, a quem se dirigia agora, terem por vezes dificuldade em compreender a estranha confissão que ele lhes fez, batendo no próprio peito, semelhante aos crentes de outrora que tomavam o público como testemunha de seus erros.

Fui eu que busquei a batalha logo após a morte de D'Isneauval. Sim, pensei que a feiticeira se voltaria ainda mais para perto de nós... E que eu seria mais forte que os outros.... Melhor preparado para a tentação... Vocês conheciam todos os meus planos naquela época, não é? Já dedicado ao serviço da Igreja, eu queria trajar a batina do padre. Estava, portanto, salvo do mal, protegido por compromissos formais, e mais ainda por todo o ardor da minha fé. E para lá me dirigi, até uma daquelas reuniões espíritas onde eu sabia que a encontraria.

"Ela de fato estava lá. Não tive necessidade de que o amigo que havia me levado me mostrasse quem era, e confesso que, na soleira da porta, uma apreensão obscura me fez hesitar. Eu a vigiei. Ela falava com poucas pessoas e se mantinha reservada, mais escutando, enquanto fumava cigarros.

"Segundo minhas instruções, meu amigo foi se sentar perto dela e começou a conversar com as pessoas de seu grupo. Depois, de longe, chamou meu nome. E vi a excitação do olhar dela, e sem contestação possível, que conhecia meu nome por já o ter lido no caderno roubado de Denis Saint-Hébert. Beaumagnan era um dos doze conjurados... Um dos dez sobreviventes. E essa mulher, que parecia viver em uma espécie de sonho, subitamente despertou. Um minuto mais tarde, ela me dirigiu a palavra. Durante duas horas, dispendeu toda a graça de seu espírito e de sua beleza, e obteve de mim a promessa de que iria vê-la no dia seguinte.

"Desde aquele instante, no mesmo segundo em que a deixava à noite, na porta de sua morada, deveria ter fugido para o fim do mundo. Já era tarde demais. Não havia mais em mim nem coragem, nem vontade, nem clarividência, mais nada além do desejo louco de revê-la. Claro, mascarava esse desejo com sábias palavras; estava cumprindo com um dever... Era preciso conhecer o jogo da inimiga, convencê-la de seus crimes e puni-la por isso... Tantos pretextos! Na realidade, logo de pronto estava persuadido de sua inocência. Um tal sorriso era o indício da mais pura das almas.

"Nem a memória sagrada de Saint-Hébert, nem aquela de meu pobre D'Isneauval me traziam alguma luz. Não queria saber. Vivi alguns meses na obscuridade, provando as piores alegrias e sequer corando por ser um objeto de vergonha e de escândalo, por estar renunciando a meus votos e renegando minha fé.

"Falhas inconcebíveis da parte de um homem como eu, eu lhes juro, meus amigos. No entanto, cometi uma que ultrapassa talvez todas as outras. Traí nossa causa. Rompi o juramento de silêncio que havíamos feito quando nos associamos por um projeto comum. *Essa mulher conhece aquilo tudo que nós mesmos conhecemos do grande segredo.*"

Um murmúrio de indignação acolheu aquelas palavras. Beaumagnan curvou a cabeça.

Agora Raoul compreendia melhor o drama que se desenrolava à sua frente, e aquelas figuras que faziam as vezes de atores adquiriam sua verdadeira importância. Nobres provincianos, camponeses, rústicos, sim, certamente, mas Beaumagnan estava ali, Beaumagnan que os incitava com seu fôlego e lhes comunicava sua exaltação. No meio daquelas existências vulgares e daquelas silhuetas caricatas, aquele ali tomava a feição de um profeta, de um iluminado. Beaumagnan lhes apresentara quase como um dever, um trabalho de conjuração, ao qual ele mesmo tinha se dedicado de corpo e alma, como outrora se dedicavam a Deus, abandonando seus castelos para partir nas Cruzadas.

Esses tipos de paixões místicas transformam aqueles em quem ardem esses sentimentos, transformam-nos em heróis ou em carrascos. Realmente havia algo de inquisidor em Beaumagnan. No século XV, teria perseguido e martirizado para arrancar da ímpia a palavra de fé.

Tinha o instinto da dominação e a atitude do homem para quem não existem obstáculos. Entre o objetivo e ele, uma mulher se erguia? Que morra! Se tinha amado aquela mulher, uma confissão pública o absolveria. E aqueles que o escutavam enfrentavam a supremacia daquele mestre severo, ainda mais porque sua severidade parecia agir contra ele também.

Humilhado pela confissão de sua derrota, não sentia mais raiva, e foi com uma voz abafada que concluiu:

– Por que fracassei? Ignoro o motivo. Um homem como eu não deve fracassar. Sequer tenho a desculpa de dizer que ela me interrogou. Não. Com frequência, ela fazia alusões aos quatro enigmas revelados por Cagliostro, e um dia, quase sem perceber, proferi as palavras irreparáveis... Covardemente... Para lhe ser agradável... Para adquirir mais valor ante seus olhos... Para que seu sorriso fosse mais terno. Eu dizia a mim mesmo: "Ela será nossa aliada... Ela nos ajudará com seus conselhos, com toda sua clarividência afiada pelas práticas de adivinhação...". Estava louco. A embriaguez do pecado fazia minha razão vacilar.

"O despertar foi terrível. Um dia – faz agora três semanas – eu devia partir em missão para a Espanha. De manhã, despedi-me dela. De tarde, por volta das três horas, deixei o pequeno apartamento que ocupava perto do Jardim de Luxemburgo, pois tinha um encontro no centro de Paris. Acontece que, tendo se esquecido de dar algumas instruções ao meu criado, voltei para casa pelo pátio interno e pela escada de serviço. Meu criado saíra e deixara a porta da cozinha aberta. De longe, escutei barulho. Avancei lentamente. Havia alguém em meu quarto, estava lá essa mulher cujo reflexo me era revelado pelo espelho.

"O que ela estava fazendo inclinada sobre minha mala? Eu observava.

"Ela abriu uma pequena caixa de papelão que continha as pílulas que tomo quando viajo para combater minhas noites de insônia. Retirou uma daquelas pílulas e, no lugar, colocou outra, uma que tirou de seu porta-moedas.

"Meu transtorno foi tão grande que nem pensei em me atirar sobre ela. Quando cheguei em meu quarto, ela já tinha partido. Não pude alcançá-la.

"Corri até uma farmácia e pedi para analisarem as pílulas. Uma delas continha veneno, o suficiente para me fulminar.

"Assim, tinha a prova irrefutável. Tendo tido a imprudência de falar e de contar o que sabia do segredo, estava condenado. Antes livrar-se de uma testemunha inútil e de um concorrente que podia, cedo ou tarde, pegar sua parte do saque, ou ainda descobrir a verdade, atacar a inimiga, acusá-la e vencê-la, não é? Então, a morte. A morte como para Denis Saint-Hébert e Georges d'Isneauval. A morte estúpida, sem causas suficientes.

"Escrevi a um de meus correspondentes da Espanha. Alguns dias depois, certos jornais anunciaram a morte em Madri de um certo Beaumagnan.

"Desde então, vivi na sua sombra, e a segui passo a passo. Primeiro, ela se dirigiu a Ruão, depois ao Havre, depois a Dieppe, isto é, aos mesmos lugares que circunscrevem o campo de nossas pesquisas. Segundo minhas confidências, sabia que estamos prestes a esquadrinhar um antigo priorado nos arredores de Dieppe. Ela ia até lá todos os dias, e, aproveitando do

ARSÈNE LUPIN E A CONDESSA DE CAGLIOSTRO

fato de o lugar estar abandonado, ficava procurando. Depois, perdi seus traços. Eu a reencontrei em Ruão. Vocês sabem o resto pelo nosso amigo D'Étigues, como a armadilha foi preparada, e como ela foi pega, atraída pela isca do candelabro de sete braços que, pretensamente, um agricultor teria encontrado em seus campos.

"Assim é esta mulher. Vocês se dão conta dos motivos que nos impedem de a entregarmos à justiça. O escândalo dos debates respingaria sobre nós, e, ao lançar plena luz sobre nossos planos, eles se tornariam impossíveis. Nosso dever, por mais abominável que seja, é, portanto, julgá-la nós mesmos, sem ódio, mas com todo o rigor que ela merece."

Beaumagnan calou-se. Terminara seu discurso de acusação com uma gravidade mais perigosa para a acusada do que a sua cólera. Ela parecia realmente culpada, e quase monstruosa naquela série de mortes inúteis. Particularmente, Raoul d'Andrésy não sabia mais o que pensar, e execrava aquele homem que havia amado a jovem e que acabava de se lembrar, tremendo, as alegrias daquele amor sacrílego...

A condessa de Cagliostro levantou-se e olhou seu adversário bem no rosto, sempre um pouco debochada.

– Eu não estava enganada... – disse ela. – Será a fogueira?

– Será o que decidirmos, sem que nada possa impedir a execução de nosso justo veredito – declarou ele.

– Um veredito? Com que direito? – falou ela. – Há juízes para isso. Os senhores não são juízes. O medo do escândalo, o senhor me diz? No que me importa que os senhores precisem de sombras e silêncio para seus projetos? Deixem-me livre.

Ele proferiu:

– Livre? Livre para continuar sua obra de morte? Somos os seus senhores. A senhora enfrentará nosso julgamento.

– Seu julgamento sobre o quê? Se houvesse entre os senhores um único juiz de verdade, um único homem que saiba o que é a razão e a verossimilhança, ele riria de suas acusações estúpidas e de suas provas incoerentes.

– Palavras! Frases! – exclama ele. – Provas contrárias, é disso que nós precisaríamos... Alguma coisa que destruísse o testemunho de meus olhos.

– Para que tentar me defender? Sua resolução está tomada.

– Ela está tomada porque a senhora é culpada.

– Culpada de perseguir o mesmo objetivo de vocês. Sim, isso eu confesso, e esse é o motivo pelo qual os senhores cometeram essa infâmia de vir me espionar e de encenar essa comédia romântica. Se os senhores se deixaram pegar na armadilha, tanto pior para vocês! Se o senhor me fez confidências a propósito do enigma cuja existência eu já conhecia pelo documento de Cagliostro... Tanto pior para vocês! Agora estou obcecada com isso, e jurei atingir meu objetivo, não importa o que aconteça, e apesar de vocês. Eis meu único crime aos olhos dos senhores.

– Seu crime foi ter matado – proferiu Beaumagnan, perdendo a paciência.

– Eu não matei – disse ela firmemente.

– A senhora empurrou Saint-Hébert no abismo e acertou a cabeça de D'Isneauval.

– Saint-Hébert? D'Isneauval? Não conheci essas pessoas. Estou ouvindo hoje o nome deles pela primeira vez.

– E eu? E eu? – falou ele com veemência. – E eu, a senhora não me conhecia? A senhora não quis me envenenar?

– Não.

Ele se exasperou e, abandonando a formalidade, disse, em um acesso de raiva:

– Mas eu vi você, Joséphine Balsamo. Eu a vi antes como a vejo agora. Enquanto você arrumava o veneno, vi seu sorriso que se tornava feroz e o canto do seu lábio que subia ainda mais... Como um sorriso maldito.

Ela balançou a cabeça e proferiu:

– Não era eu.

Ele pareceu sufocar. Como ela tinha a audácia? Mas, tranquilamente, ela pousou a mão sobre o ombro dele, e retomou:

– A raiva está fazendo o senhor perder a cabeça, Beaumagnan, sua alma fanática se revolta contra o pecado do amor. No entanto, apesar disso, o senhor permite que eu me defenda, não é?

– É seu direito. Mas se apresse.

– Serei breve. Peça a seus amigos o retrato em miniatura da condessa de Cagliostro feito em Moscou em 1816... – Beaumagnan obedeceu e pegou a miniatura das mãos do barão. – Pois bem... Vamos examiná-lo atentamente. É um retrato meu, não é?

– Onde a senhora quer chegar? – perguntou ele.

– Responda: é um retrato meu?

– Sim – falou claramente.

– Então, se é um retrato meu, isso significa que eu vivia nessa época? Há oitenta anos, eu tinha entre vinte e cinco e trinta anos? Reflita bem antes de responder. Hein? O senhor está hesitando diante de tal milagre, não é? E o senhor não ousa afirmar? No entanto, há coisa ainda melhor... Abra por trás a moldura dessa miniatura e o senhor verá no verso da porcelana, um outro retrato, o retrato de uma dama sorrindo, cuja cabeça está envolvida por um véu diáfano que desce até as sobrancelhas, e através do qual se vê seus cabeços divididos em duas mechas onduladas. Ainda sou eu, não é?

Enquanto Beaumagnan executava suas instruções, ela também tinha colocado sobre a cabeça um leve véu de tule cuja franja revelava a linha de suas sobrancelhas, e ela baixava então suas pálpebras com uma expressão encantadora. Beaumagnan balbuciou, comparando bcm:

– É a senhora... É a senhora...

– Nenhuma dúvida, não é?

– Nenhuma. É a senhora...

– Pois bem! Leia a data sobre o lado direito.

Beaumagnan recitou:

– Feito em Milão, no ano de 1498.

Ela repetiu:

– Em 1498! Há quatrocentos anos.

Riu francamente e seu riso ressoava com clareza.

– Não façam essas caras confusas – disse. – Primeiro, eu já conhecia a existência desse duplo retrato, e eu o procurava há muito tempo. Mas estejam certos de que não há aí nenhum milagre. Não tentarei persuadi-los que servi de modelo ao pintor e que tenho quatrocentos anos. Não, isso aqui é simplesmente o rosto da Virgem Maria, e é uma cópia de um fragmento da *Sagrada Família*, de Bernardino Luini, pintor milanês, discípulo de Leonardo da Vinci.

Em seguida, ficando séria de repente, e sem deixar ao adversário o tempo de tomar fôlego, ela lhe disse:

– O senhor compreende agora onde eu quero chegar, não é, Beaumagnan? Entre a Virgem de Luini, a jovem de Moscou e eu, há essa coisa intangível, maravilhosa, e, no entanto, inegável, a verossimilhança absoluta. Três rostos em só um. Três rostos que não são o de três mulheres diferentes, mas que são o da mesma mulher. Então por que os senhores não querem admitir que um mesmo fenômeno, bem natural apesar de tudo, reproduziu-se em outras circunstâncias e que a mulher que o senhor viu em seu quarto não era eu, mas outra mulher que se parecia comigo o bastante para criar uma ilusão? Uma outra que teria conhecido e matado seus amigos Saint-Hébert e D'Isneauval?

– Eu vi... Eu vi... – protestou Beaumagnan, que quase a tocava, de pé diante dela, bem pálido e tremendo de indignação. – Eu vi. Meus olhos viram.

– Seus olhos veem também o retrato de vinte e cinco anos atrás e a miniatura de oitenta anos atrás e o quadro de quatrocentos anos. Mas então era eu?

Ela oferecia aos olhares de Beaumagnan seu rosto jovem, sua beleza fresca, seus dentes brilhantes, suas maçãs do rosto tenras e cheias como um fruto. Derrotado, ele exclamou:

– Ah, bruxa! Há momentos em que acredito nesse absurdo. A gente nunca sabe com você! Veja, a mulher da miniatura mostra logo abaixo de seu ombro nu, sob a pele branca do colo, um sinal preto. Esse sinal está

ARSÈNE LUPIN E A CONDESSA DE CAGLIOSTRO

aí abaixo do seu ombro... Eu o vi aí... Veja... Mostre-o então aos outros para que também o vejam, para que estejam convencidos.

Estava lívido e o suor escorria de sua fronte. Levou a mão até o corpete justo. Mas ela o repeliu e, expressando-se com muita dignidade, disse:

– Basta, Beaumagnan, o senhor não sabe o que está fazendo e já não o sabe faz alguns meses. Eu lhe escutava há pouco e estava paralisada, pois o senhor falava de mim como se eu tivesse sido sua amante, e eu não fui sua amante. É uma coisa nobre bater no próprio peito em público, mas ainda é preciso que a confissão seja sincera. O senhor não tem a coragem para isso. O demônio do orgulho não lhe permitiu a confissão humilhante de seu fracasso, e, covardemente, o senhor deixou que acreditassem que não era o caso. Durante meses o senhor se arrastou a meus pés, implorou e me ameaçou, sem que nunca, nem uma única vez, seus lábios sequer roçassem minhas mãos. Eis todo o segredo de sua conduta e de sua raiva.

"Não conseguindo me convencer, o senhor queria me desmoralizar, e, diante de seus amigos, fez de mim uma assustadora imagem de criminosa, de espiã e de bruxa. Sim, de bruxa! Um homem como o senhor não pode fracassar, segundo sua expressão, e se o senhor fracassou isso não pode senão ser por conta da ação de diabólicos sortilégios. Não, Beaumagnan, o senhor não sabe mais o que está fazendo, nem o que está dizendo. O senhor me viu em seu quarto preparando o pó que devia lhe envenenar? Vamos lá então. Com qual direito o senhor invoca o testemunho de seus olhos? Seus olhos? Mas eles estavam obcecados por minha imagem e a outra mulher lhe ofereceu um rosto que não era o dela, mas o meu, que o senhor não conseguia deixar de ver.

"Sim, Beaumagnan, eu repito, a outra mulher... Há uma outra mulher no caminho que todos nós estamos trilhando. Há uma outra mulher que herdou alguns documentos provenientes de Cagliostro e que também se vale dos nomes que ele usava. Marquesa de Belmonte, condessa de Fênix... Procure por ela, Beaumagnan. Pois é ela que o senhor viu, e na verdade foi a partir da mais grosseira das alucinações de um cérebro descarrilhado que o senhor elaborou contra mim tantas acusações mentirosas.

"Vamos, tudo isso não passa de uma comédia pueril e bem tive razão de permanecer calma no meio de todos vocês, inicialmente, como uma dama inocente e, depois, como uma mulher que nada tem a temer. Com seus modos de juízes e torturadores, e apesar do interesse que cada um dos senhores pode ter no sucesso de nossos planos em comum, vocês são no fundo boas pessoas que nunca ousariam me matar. Talvez o senhor, Beaumagnan, que é um fanático e que tem medo de mim, mas lhe seria preciso ter aqui carrascos capazes de obedecê-lo, e não é o caso. Então, o que vai fazer… Prender-me? Atirar-me em algum canto obscuro? Se isso o diverte, que seja! Mas, saiba, não há masmorra de onde eu não consiga sair tão facilmente quanto o senhor pode sair dessa sala. Assim, julgue, condene. De minha parte, não direi mais uma palavra."

Ela se sentou outra vez, tirou seu véu e, de novo, apoiou-se sobre os cotovelos. Seu papel estava terminado. Havia falado sem se exaltar, mas com uma convicção profunda e uma lógica realmente irrefutável, associando as acusações levantadas contra ela àquela lenda de inexplicável longevidade que dominava a aventura.

– Tudo se encaixa, e vocês mesmos precisaram apoiar sua acusação sobre a narrativa de minhas aventuras passadas. Precisaram começar sua acusação pela narrativa de acontecimentos que remontam a cem anos para chegar aos eventos criminosos de hoje. Se estou envolvida nesses, é porque fui a heroína daqueles. Se sou a mulher que viram, sou também aquela que meus diferentes retratos lhes mostra.

O que responder? Beaumagnan calou-se. O duelo concluía-se com sua derrota e ele não tentava mais mascará-la. Aliás, seus amigos não tinham mais aquela feição implacável e convulsionada das pessoas que se encontram encurraladas pela temível decisão de morte. A dúvida estava neles, Raoul d'Andrésy o sentia claramente, e ele teria tirado disso alguma esperança se a lembrança dos preparativos efetuados por Godefroy d'Étigues e Bennetot não atenuassem seu contentamento.

Beaumagnan e o barão D'Étigues conversavam em voz baixa. Em seguida, Beaumagnan retomou, como um homem para quem a discussão está encerrada:

ARSÈNE LUPIN E A CONDESSA DE CAGLIOSTRO

– Vocês têm todas as partes do processo à frente, meus amigos. A acusação e a defesa lhes disseram suas últimas palavras. Viram com que certeza Godefroy d'Étigues e eu acusamos essa mulher, com qual sutileza ela se defendeu, escondendo-se atrás de uma semelhança inadmissível, e dando assim, em última instância, um exemplo evidente de sua destreza e de sua astúcia infernais. A situação, portanto, é muito simples: um adversário com essa potência e que dispõe de tais recursos nunca nos dará descanso. Nossa obra está comprometida. Um após outro, ela destruirá todos nós. Sua existência acarretará fatalmente em nossa ruína e em nosso fracasso.

"Com isso, quero dizer que não há outra solução senão sua morte, e que o castigo mais do que merecido seja o único que devemos considerar? Não. Que ela desapareça, que não possa tentar mais nada, não temos o direito de pedir mais e, se nossa consciência se revolta diante de uma solução tão indulgente, devemos atermo-nos a isso, porque, no fim das contas, não estamos aqui para castigar, mas para nos defender.

"Eis, portanto, as disposições que tomamos, condicionada à aprovação de vocês. Esta noite, um barco inglês irá passar a pouca distância da costa. Um bote se afastará dele, até o qual iremos e para isso nos reencontraremos às dez horas, ao pé da agulha de Belval. Esta mulher será entregue, levada a Londres, desembarcada de noite e presa em uma casa para loucos, até que nossa missão esteja concluída. Creio que nenhum de vocês vai se opor à nossa maneira de agir, que é humana e generosa, mas que salvaguarda nossa missão e nos deixa protegidos dos perigos inevitáveis, não é?"

Raoul logo percebeu o jogo de Beaumagnan, e pensou:

"É a morte. Não há navio inglês. Há dois botes, dos quais um, furado, será conduzido ao alto-mar e afundará. A condessa de Cagliostro desaparecerá sem que ninguém nunca saiba o que foi feito dela".

A duplicidade daquele plano e a maneira insidiosa com a qual foi exposto o assustavam. Como os amigos de Beaumagnan poderiam não apoiá-lo se não lhes havia sido feito nenhum pedido de resposta afirmativa? O silêncio bastava. Se eles não protestassem, Beaumagnan estaria livre para agir por intermédio de Godefroy d'Étigues.

E realmente nenhum deles esboçou qualquer tipo de protesto. Sem perceberem, condenavam-na à morte.

Todos se levantaram para a partida, felizes evidentemente de estarem quites a custo tão baixo. Nenhuma observação foi feita. Pareciam estar indo embora de uma pequena reunião de amigos íntimos na qual haviam discutido coisas insignificantes. Alguns dentre eles deviam, aliás, tomar o trem da noite na estação vizinha. Ao fim de um instante, tinham saído todos, à exceção de Beaumagnan e dos dois primos.

E foi assim que aconteceu aquela cena dramática, o que desconcertava Raoul, na qual a vida de uma mulher havia sido exposta de maneira tão arbitrária e sua morte obtida por um subterfúgio tão odioso, acabando de repente, tão bruscamente como uma peça de teatro, cujo desenrolar produz-se antes da hora lógica, como um processo cuja sentença seria proclamada no meio dos debates.

Naquela espécie de farsa, o caráter insidioso e tortuoso de Beaumagnan parecia cada vez mais nítido para Raoul d'Andrésy. Implacável e fanático, corroído pelo amor e pelo orgulho, o homem a havia sentenciado à morte. Mas havia nele alguns escrúpulos, algumas covardias, hipocrisias, medos confusos, que o obrigavam, por assim dizer, a se proteger diante de sua consciência e, talvez, também diante da justiça. Por isso aquela solução tenebrosa, a anuência obtida graças àquela abominável trapaça.

Agora, de pé, na soleira da porta, observava a mulher que deveria morrer. Lívido, com o cenho franzido, os músculos e o maxilar agitados por um tique nervoso, os braços cruzados, meio que tinha a típica atitude um pouco teatral de um personagem romântico. Pensamentos tumultuosos deviam estar girando em seu cérebro. Estava hesitando no último momento?

Em todo caso, sua meditação não durou muito. Puxou Godefroy d'Étigues pelo ombro e se retirou, enquanto dava a seguinte ordem:

– Fique vigiando! E nada de idiotices, hein? Senão…

Durante todas essas idas e vindas, a condessa de Cagliostro não tinha se mexido, e seu rosto conservava a expressão pensativa e cheia de tranquilidade que era tão pouco propícia àquela situação.

– Certamente – dizia Raoul para si mesmo –, ela não suspeita do perigo. Ser trancafiada em uma casa de loucos, eis tudo o que está enfrentando, e essa é uma perspectiva que não a atormenta nem um pouco.

Uma hora passou. A sombra da noite começava a invadir a sala. Por duas vezes, a jovem dama consultou o relógio que mantinha em seu corselete.

Depois, tentou estabelecer uma conversa com Bennetot, e subitamente seu rosto se impregnou com uma sedução incrível, e sua voz adquiriu inflexões que o tocava como uma carícia.

Bennetot grunhiu, com um ar mal-humorado, e não respondeu.

Mais uma meia hora... Ela olhou à direita e à esquerda, e percebeu que a porta estava entreaberta. Naquele exato minuto, sem a menor hesitação, teve a ideia de uma fuga possível, e todo o seu ser dobrou-se em si mesmo como se para saltar.

No seu canto, Raoul buscava meios de ajudá-la em seu plano. Se tivesse um revólver teria abatido Bennetot. Também pensou em saltar para a sala, mas o vão não era largo o bastante.

Além do mais, Bennetot, que estava armado, sentiu o perigo e pousou seu revólver sobre a mesa, resmungando:

– Um gesto, um só e eu atiro. Juro por Deus!

Ele era homem para manter sua promessa. Ela não se mexeu mais. Com a garganta apertada pela angústia, Raoul a contemplava sem se cansar.

Por volta das 7 horas, Godefroy d'Étigues voltou.

Acendeu uma lâmpada e disse a Oscar de Bennetot:

– Vamos preparar tudo. Vá buscar a maca embaixo do balcão. Em seguida, vá jantar.

Quando ficou sozinho com a jovem, o barão pareceu hesitar. Raoul viu que seus olhos estavam abatidos e que tinha a intenção de falar ou de agir. Mas as palavras e os atos deviam ser daquele tipo diante do qual a gente se esquiva. Portanto, o ataque foi brutal.

– Reze a Deus, senhora – disse subitamente.

Ela repetiu com a voz de quem não compreendia:

– Rezar a Deus? Por que esse conselho?

Então ele disse muito baixo:

– Faça como quiser... É que eu precisava preveni-la...

– Prevenir-me de quê? – perguntou, cada vez mais ansiosa.

– Há momentos em que é preciso rezar a Deus como se fôssemos morrer na mesma noite... – murmurou ele.

Ela foi chacoalhada por um pavor repentino. De súbito, entendeu toda a situação. Seus braços se agitaram em uma espécie de convulsão febril.

– Morrer...? Morrer...? Mas não se trata disso, não é? Beaumagnan não falou disso... Falou de uma casa de loucos...

Ele não respondeu. E escutava-se a infeliz que gaguejava:

– Ah, meu Deus, ele me enganou. A casa de loucos não é verdade... É outra coisa... Vão me atirar na água... em plena noite... Oh, o horror! Mas não é possível... Eu? Morrer...! Socorro...!

Godefroy d'Étigues tinha trazido, dobrada sobre seu ombro, uma longa manta. Com uma brutalidade raivosa, cobriu com ela a cabeça da jovem e forçou a mão contra a sua boca para abafar seus gritos.

Bennetot estava voltando. Em dois, eles a deitaram sobre a maca e a amarraram com firmeza, de maneira que passasse, entre as tábulas espaçadas, o aro de ferro ao qual devia ser presa uma pesada pedra...

O BARCO QUE SEGUE

Como as trevas se acumulavam, Godefroy d'Étigues acendeu uma luminária, e os dois primos se instalaram para a fúnebre vigília. Sob o luar, tinham rostos sinistros, que a ideia do crime desfigurava em caretas.

– Você deveria ter trazido uma garrafa de rum – queixou-se Oscar de Bennetot. – Há momentos em que não é bom saber o que se está fazendo.

– Não estamos passando por um desses momentos – replicou o barão, de maneira firme. – Ao contrário! Precisaremos de toda nossa atenção.

– Que alegria.

Devíamos argumentar com Beaumagnan e lhe recusar toda ajuda.

– Isso não é possível.

– Então, obedeça.

Mais tempo se passou. Nenhum ruído vinha do castelo, nem do campo adormecido.

Bennetot aproximou-se da cativa, escutou, depois, virando-se, disse:

– Ela não está nem gemendo. É uma mulher dura.

E acrescentou, com uma voz na qual havia certo medo:

– Você acredita em tudo o que dizem sobre ela?

– Em tudo o quê?

– Sua idade…? Todas essas histórias de outrora?

– Bobagens!

– Já Beaumagnan acredita nisso.

– E a gente sabe o que Beaumagnan pensa?

– De todo modo, confesse, Godefroy, que há coisas realmente curiosas… E que tudo deixa supor que ela não nasceu ontem, não é?

Godefroy d'Étigues murmurou:

– Sim, evidentemente… Eu mesmo estava me dirigindo a ela enquanto lia como se ela tivesse realmente vivido naquela época.

– Então, você acredita nisso?

– O bastante. Não falemos disso! Já é demais estar envolvido. Ah, eu juro por Deus – e ele subiu o tom – que se eu pudesse recusar, e sem ter de pisar em ovos…! Só que…

Godefroy não estava com humor para conversar, e não disse nada mais sobre um capítulo que parecia lhe ser infinitamente desagradável.

Mas Bennetot retomou:

– Eu também, juro por Deus que estou por um triz de me mandar daqui. Ainda mais que, veja só, tenho pensado que nós estamos sendo completamente enganados. Sim, eu já disse para você, Beaumagnan sabe disso muito mais do que nós, e não somos nada além de marionetes em suas mãos. Mais dia, menos dia, quando ele não tiver mais necessidade de nós, vai nos deixar falando sozinhos, e vamos nos dar conta de que ele escamoteou com o caso em benefício próprio.

– Isso nunca.

– Ainda assim… – objetou Bennetot.

Godefroy tapou-lhe a boca com a mão e cochichou:

– Cale-se. Ela está escutando.

– Que importa – disse o outro –, pois logo mais…

Eles não ousaram mais romper o silêncio. De vez em quando, o relógio da igreja soava suas fortes batidas, que eles contavam com movimento de lábios, entreolhando-se.

Quando contaram dez, Godefroy d'Étigues deu sobre a mesa um formidável soco que fez saltar a lamparina.

– Minha nossa! Temos de ir andando.

– Ah, que vergonha! – exclamou Bennetot. – Nós vamos sozinhos?

– Os outros querem nos acompanhar. Mas vou detê-los no alto da falésia, já que acreditam na história do navio inglês.

– De minha parte, preferia que fôssemos todos juntos.

– Cale-se, a ordem só diz respeito a nós. E, depois, os outros poderiam abrir o bico... E isso sairia daqui. Veja, eles chegaram.

Os outros eram aqueles que não tinham pego o trem, isto é, Ormont, Roux d'Estiers e Rolleville. Chegaram com uma lanterna do estábulo, que o barão lhes mandou apagar.

– Nada de luz – disse ele. – Iam vê-la perambulando pela falésia e em seguida iam sair falando. Todos os criados foram dormir?

– Sim.

– E Clarisse?

– Ela não saiu do quarto.

– De fato – disse o barão –, ela está um pouco tristinha hoje. Pé na estrada!

D'Ormont e Rolleville pegaram os braços da maca. Atravessaram o pomar e seguiram num trecho de terra para alcançar o caminho do campo que conduzia do vilarejo à Escadaria do Padre. O céu estava preto, sem estrelas, e o cortejo, tateando, tropeçava e machucava-se nas ravinas e nos barrancos. Palavrões eram exclamados, logo abafados pela cólera de Godefroy.

– Sem barulho! Podem reconhecer nossas vozes.

– Quem, Godefroy? Não tem absolutamente ninguém aqui e você não devia ter tomado suas precauções quanto ao pessoal da alfândega?

– Sim. Estão no bar, convidados por um homem em quem confio. Mesmo assim, uma ronda pode acontecer.

A planície abriu-se em uma depressão pela qual o caminho continuava. Da melhor forma que conseguiram, chegaram ao endereço onde as escadas começavam. Haviam sido talhadas outrora em plena falésia, por iniciativa de um padre de Bénouville, para que as pessoas da região pudessem descer diretamente até a praia. De dia, os orifícios escavados no calcário se iluminavam e se abriam para vistas magníficas sobre o mar, cujas ondas vinham se chocar contra os rochedos e parecia que se ia afundar.

– Isso vai ser difícil – falou Rolleville. – Nós poderíamos ajudar vocês. A gente ilumina o caminho.

– Não – declarou o barão. – É prudente se separar.

Os outros obedeceram e se afastaram. Os dois primos, sem perder tempo, começaram a difícil operação de descida.

Demorou. Os degraus eram muito altos, e a curva às vezes era tão brusca que faltava espaço para a maca e era preciso erguê-la até quase ficar reta. A luz de uma lanterna de bolso só os iluminava de maneira intermitente. Oscar de Bennetot manteve a calma, a tal ponto que, em seu instinto deselegante de nobre provinciano, simplesmente sugeriu jogar "tudo isso" barco afora, ou seja, por um dos buracos.

Por fim, atingiram uma praia de pequenos seixos onde puderam retomar o fôlego. A alguma distância, avistava-se os dois barcos alongados um ao lado do outro. O mar muito calmo, sem a menor onda, banhava as quilhas. Bennetot mostrou o buraco que tinha aberto no menorzinho dos dois e que, provisoriamente, permanecia tampado por uma rolha de palha, e então deitaram a maca em um dos três bancos de que o barco dispunha.

– Amarremos tudo junto – ordenou Godefroy d'Étigues.

Bennetot chamou-lhe a atenção:

– Se por acaso houver uma busca e descobrirem a coisa no fundo do mar, que prova contra nós essa maca!

– Cabe a nós irmos longe o bastante para que nunca se descubra nada. E, além do mais, é uma maca velha e fora de uso já faz vinte anos, e que tirei de um celeiro abandonado. Nada a temer.

Falava tremendo, e com um tom de voz claramente apavorado, que Bennetot não reconhecia.

– O que você tem, Godefroy?

– Eu? O que você quer que eu tenha?

– Mas então?

Arsène Lupin e a condessa de Cagliostro

– Então, vamos empurrar o barco… Mas primeiro precisamos, segundo as instruções de Beaumagnan, retirar-lhe sua mordaça e lhe perguntar se ela tem algum desejo a expressar. *Você* quer fazer isso?

Bennetot balbuciou:

– Encostar nela? Vê-la? Eu preferiria morrer… E você?

– Tampouco eu conseguiria… Eu não conseguiria…

– Ela é culpada, no entanto… Ela matou…

– Sim… sim… Ao menos, é provável… Só que ela tem um ar tão doce…!

– Sim… – concordou Bennetot. – E ela é tão bonita… Bonita como a Virgem…

Ao mesmo tempo, caíram de joelhos sobre os seixos e se colocaram a rezar bem alto por aquela que ia morrer e por quem pediam "a intervenção da Virgem Maria".

Godefroy misturava os versículos e as súplicas que Bennetot entoava, ao acaso, com fervorosos améns. Aquilo lhes pareceu conceder um pouco de coragem, pois levantaram-se bruscamente outra vez, ávidos por acabar com aquilo. Bennetot carregou a enorme pedra que havia separado, amarrou-a rapidamente ao aro de ferro, e empurrou o barco que logo flutuou sobre a água tranquila. Em seguida, com um esforço conjunto, fizeram deslizar o outro barco e saltaram para dentro dele. Godefroy pegou os dois remos, enquanto Bennetot, com a ajuda de uma corda, rebocava o barco da condenada.

Assim seguiram distanciando-se da costa, com curtas remadas que deixavam cair um ruído fresco de gotinhas. Sombras mais negras que a noite permitiam-lhes guiar-se de modo aproximado entre as rochas e deslizar rumo a alto mar. Mas, ao fim de vinte minutos, o curso tornou-se mais lento e o barco parou.

– Não consigo mais… – murmurou o barão desmoronando. – … Meus braços se recusam. É sua vez…

– Não terei força – confessou Bennetot.

Godefroy fez uma nova tentativa, depois desistiu, dizendo:

– Mas para quê? Certamente ultrapassamos muito a linha onde o mar se quebra. O que você acha?

O outro concordou.

– Além disso – disse ele –, há uma espécie de ondulação leve que levará o barco ainda para mais longe da linha.

– Então tire a rolha de palha.

– É você quem deveria fazer isso – protestou Bennetot, para quem o gesto solicitado parecia o próprio ato de matar.

– Chega de besteira! Vamos acabar com isso.

Bennetot puxou a corda. A quilha veio balançando bem contra ele. Só lhe restava se inclinar e puxar com a mão.

– Estou com medo, Godefroy – gaguejou. – Para minha salvação eterna, não sou eu que estou agindo, mas você, está entendendo?

Godefroy saltou até ele, empurrou-o, curvou-se sobre a borda e, enfiando sua mão, arrancou de uma vez a rolha. Houve um gorgolejar de água borbulhante e isso o perturbou a tal ponto que, em uma reviravolta súbita, quis tapar o buraco. Tarde demais. Bennetot havia pego os remos, e, reencontrando toda sua energia, também assustado com o barulho que escutara, fazia um esforço violento que criou um intervalo de várias braçadas entre as duas embarcações.

– Alto! – ordenou Godefroy. – Alto! Quero salvá-la. Pare, meu Deus do céu…! Ah, mas então é você que a está matando… Assassino, assassino… *Eu* queria salvá-la.

Mas Bennetot, embriagado de terror, sem entender nada, remava até fazer os remos estalarem.

Portanto, o cadáver permaneceu só – pois seria possível chamar de outra forma o ser inerte, impotente e entregue à morte que o barco furado carregava? A água devia subir fatalmente em seu interior em alguns minutos. O frágil barco seria engolido.

Isso Godefroy d'Étigues sabia. Por sua vez, tão decidido quanto, pegou um remo e, sem se preocuparem em ser ouvidos, os dois cúmplices se curvaram com os esforços desesperados para fugir o mais rápido possível do

Arsène Lupin e a condessa de Cagliostro

lugar onde o crime fora cometido. Tinham medo de escutar algum grito de angústia, ou o cochicho atroz de uma coisa que afunda e sobre a qual a água se fecha para sempre.

A canoa se balançava ao sabor da onda quase imóvel, onde o ar, carregado de nuvens muito baixas, parecia pesar com todo o seu peso.

D'Étigues e Oscar de Bennetot deveriam estar a meio caminho de volta. Todos os ruídos cessaram.

Nesse momento, o barco se inclinou a estibordo, e, em uma espécie de torpor assustador no qual agonizava, a jovem teve a sensação de que o desfecho estava se concretizando. Ela não teve nenhum sobressalto, nenhuma revolta. A aceitação da morte provoca um estado de espírito em que parece que já se está do outro lado da vida.

No entanto, ela se surpreendeu de não se arrepiar ao contato com a água gelada, o que era a coisa que sua carne feminina mais temia. Não, o barco não estava afundando. Antes parecia prestes a virar como se alguém passasse a perna pela borda.

Alguém? O barão? Seu cúmplice? Ela concluiu que não era nem um nem outro, pois uma voz que não conhecia murmurou:

– Fique tranquila, é um amigo que veio em seu socorro...

Esse amigo se inclinou sobre ela, e mesmo sem saber se o escutava ou não, logo explicou:

– A senhora nunca me viu... Eu me chamo Raoul... Raoul d'Andrésy... Está tudo bem... Tapei o buraco com um pedaço de madeira envolvido em um trapo. Reparos improvisados, mas que devem bastar... Sobretudo porque vamos nos livrar dessa enorme pedra.

Com a ajuda de uma faca, cortou as cordas que prendiam a jovem; depois pegou a pedra pesada e conseguiu jogá-la fora. Enfim, descartando a coberta com a qual ela estava envolvida, inclinou-se e disse-lhe:

– Como estou contente! Os acontecimentos se passaram ainda muito melhor do que estava esperando e eis que a senhora está salva! A água não teve tempo de subir até a senhora, não é? Que sorte! A senhora não está com dor?

Ela sussurrou, sua voz mal era inteligível:

– Sim... Na canela... As amarras deles torceram meu pé.

– Não há de ser nada – disse ele. – O essencial agora é chegarmos à margem. Seus dois carrascos certamente desembarcaram e devem estar subindo a escada com pressa. Não temos, portanto, nada a temer.

Rapidamente, fez seus preparativos, pegou um remo que tinha escondido antes no fundo, faz com que deslizasse para trás e se colocou a "bombear", enquanto continuava suas explicações em um tom alegre, como se nada mais extraordinário tivesse se passado do que aquilo que aconteceria durante um piquenique.

– Preciso primeiro me apresentar, um pouco mais formalmente, embora esteja pouco apresentável, tendo como único traje algo como um calção de banho que acabei fazendo para mim mesmo e ao qual prendi uma faca... Enfim, Raoul d'Andrésy, a seu dispor, já que o acaso me permitiu. Oh, um acaso bem simples. Surpreendi uma conversa... Soube que estavam tramando um complô contra certa dama... Então, me adiantei. Desci até a praia e, quando os dois primos desembocaram do túnel, entrei na água. Não me restava mais do que me segurar em seu barco assim que estivesse sendo rebocado. Foi o que fiz. E nem um nem outro se deram conta que carregavam com sua vítima um campeão de natação bem decidido a salvá--la. Eu lhe contarei tudo isso em detalhes mais tarde, quando a senhora estiver me escutando. Por ora, imagino que esteja tagarelando em vão.

Parou por um minuto.

– Estou com dor... – disse ela. – Estou esgotada...

Ele respondeu:

– Um conselho: tente dormir. Não existe melhor repouso do que perder a consciência.

Ela deve tê-lo obedecido, pois, depois de alguns gemidos, respirou com um sopro calmo e regular. Raoul cobriu seu rosto e continuou, concluindo:

– É melhor assim. Tenho todo o espaço para agir, e não preciso prestar contas a ninguém.

O que não o impediu, aliás, de monologar com toda a satisfação de alguém que está encantado consigo mesmo e com suas menores ações. A canoa seguiu agilmente impulsionada por ele. A massa de falésias já se distinguia.

Quando o ferro da quilha rangeu sobre os seixos, saltou, depois retirou a jovem mulher com uma facilidade que provava o valor de seus músculos, e a pousou aos pés da falésia.

– Também sou campeão de boxe – disse –, e ainda de luta greco-romana. Vou lhe confessar, já que a senhora não pode me ouvir, que descobri esses méritos na herança de meu pai... E vários outros! Mas chega de bobagens... Descanse aqui, sob essa rocha, onde a senhora está protegida das pérfidas ondas... Quanto a mim, preciso voltar até lá. Suponho que esteja em seus projetos preparar sua revanche contra os dois primos, não? Para isso, é necessário que não encontrem o barco, e que acreditem que tenha, de fato, se afogado. Portanto, um pouco de paciência.

Sem mais se demorar, Raoul d'Andrésy executou aquilo que havia anunciado. De novo, conduziu o barco até o mar alto, retirou a rolha de pano e, seguro de que desapareceria, pulou na água. De volta à margem, buscou suas roupas que tinha escondido em uma reentrância, livrou-se daquela sua espécie de calção de banho e se vestiu outra vez.

– Vamos – disse, juntando-se à jovem –, é preciso subir até lá em cima e não é a coisa mais fácil do mundo.

Ela saía pouco a pouco de seu desmaio e, com a luz de sua lanterna, Raoul viu que estava abrindo os olhos.

Ajudada por ele, tentou ficar de pé, mas a dor lhe arrancou um grito, e caiu outra vez sem forças. Ele desamarrou o sapato e logo viu que a parte de baixo estava coberta de sangue. Ferida pouco perigosa, mas que a fazia sofrer. Com seu lenço, Raoul enfaixou a canela provisoriamente e decidiu partir de imediato.

Então, ele a carregou sobre seu ombro e começou a escalada. Trezentos e cinquenta degraus! Se Godefroy d'Étigues e Bennetot já haviam tido dificuldade na descida, o esforço contrário estava sendo mais complicado, ainda mais para um adolescente! Quatro vezes precisou parar, coberto de suor, com a sensação de que lhe seria impossível continuar.

Continuou, ainda assim, sempre de bom humor. Na terceira parada, tendo se sentado, deitou-a sobre seus joelhos, e lhe pareceu que ela estava rindo de suas brincadeiras e de sua vivacidade inesgotável. Então terminou a subida, apertando assim contra seu peito o corpo encantador cujas formas macias sentia em suas mãos.

Chegando ao topo, não pausou para descanso. Um vento fresco elevando-se varreu a praia. Tinha pressa em colocar a jovem em um lugar protegido; num ímpeto, atravessou os campos e a carregou até um celeiro isolado, onde, desde o começo, tinha se proposto a chegar. Prevendo aqueles acontecimentos, havia deixado lá duas garrafas de água fresca, uma de conhaque e alguns alimentos.

Apoiou uma escada na empena, retomou seu fardo, empurrou para o lado o painel de madeira que servia para fechar a passagem e deixou a escada cair outra vez.

– Doze horas de segurança e de sono. Ninguém nos incomodará. Amanhã, por volta do meio-dia, vou conseguir um carro e a conduzirei até onde a senhora quiser.

Ali, então, estavam trancados um ao lado do outro, logo após a mais trágica e a mais maravilhosa aventura com a qual teriam podido sonhar. Como tudo estava longe agora daquelas cenas atrozes do dia! Tribunal de inquisição, juízes implacáveis, carrascos sinistros, Beaumagnan, Godefroy d'Étigues, a condenação, a descida até o mar, o barco seguindo ao fundo das trevas, que pesadelo! Mas já apagados, e concluindo-se na intimidade da vítima e do salvador!

Sob a luz da lanterna presa em uma viga, ele deitou a jovem entre feixes de feno que guarneciam o celeiro, cuidou dela, fez com que bebesse algo e delicadamente tratou de sua ferida. Protegida por ele, longe de emboscadas, e nada mais tendo a temer de seus inimigos, Joséphine Balsamo entregou-se com total confiança. Fechou os olhos e adormeceu.

Arsène Lupin e a condessa de Cagliostro

A lanterna iluminava em cheio seu belo rosto ao qual a febre de tantas emoções fazia corar. Raoul se ajoelhou diante dela e a contemplou longamente. Sufocada pelo calor do celeiro, tinha aberto a parte de cima de seu corselete, e Raoul notava os ombros harmoniosos cuja linha perfeita se ligava ao mais puro pescoço.

Lembrou-se daquele sinal preto ao qual Beaumagnan fizera alusão e que se via sobre o retrato em miniatura. Como ele poderia resistir à tentação de ver se realmente o mesmo sinal se encontrava ali, no peito daquela mulher cuja vida tinha salvado da morte? Lentamente levantou o tecido. A direita, uma manchinha, negra como uma daquelas pintas que outrora as moças da corte colocavam sobre o lábio, marcava a pele branca e cuidada e seguia o mesmo ritmo da respiração.

– Quem é a senhora? Quem é a senhora? – murmurou bem perturbado. – De qual mundo vem?

Também ele, assim como os outros, experimentava um mal-estar inexplicável e enfrentava a impressão misteriosa que se desprendia daquela criatura e de alguns detalhes de sua vida e de sua aparência física. E a interrogava, contra a própria vontade, como se a jovem pudesse responder em nome daquela que outrora servira de modelo para o retrato em miniatura.

Os lábios emitiam palavras que ele não compreendia e estava tão perto deles, e o hálito que exalavam era tão doce, que os tocou com seus próprios lábios, tremendo.

Ela suspirou. Seus olhos se entreabriram. Vendo Raoul ajoelhado, enrubesceu e sorriu, e aquele sorriso permaneceu enquanto as pesadas pálpebras se abaixavam de novo e ela outra vez caía no sono.

Raoul sentiu-se loucamente apaixonado, e, palpitando de desejo e de admiração, cochichava frases exaltadas e juntava as mãos como se estivesse diante de um ídolo ao qual tivesse endereçado o hino de adoração mais ardente e mais louco.

– Como a senhora é linda...! Não imaginava que havia tanta beleza na vida. Não sorria mais...! Entendo porque tinham vontade de lhe fazer chorar. Seu sorriso perturba... Adoraríamos apagá-lo para que ninguém nunca mais o veja... Ah, não sorria mais para ninguém além de mim, eu lhe suplico...

E, mais baixo, apaixonadamente, acrescentou:

– Joséphine Balsamo... Como seu nome é doce! E como a torna ainda mais misteriosa! Bruxa?, disse Beaumagnan... Não: feiticeira! A senhora surge das trevas e é como a luz, como o sol. Joséphine Balsamo... Encantatriz... Maga... Ah, tudo o que está se abrindo diante de mim...! Tudo o que estou vendo de felicidade...! Minha vida começou no exato minuto em que a peguei em meus braços... Não tenho mais outras lembranças além da senhora... Minha esperança está apenas na senhora. Meu Deus! Meu Deus! Como a senhora é linda! Dá para chorar de desespero...

Ele lhe dizia tudo isso ao seu lado, e sua boca próxima da boca dela, mas o beijo roubado foi a única carícia que se permitiu. Não havia apenas volúpia no sorriso de Joséphine Balsamo, mas também um tal pudor que Raoul se sentia invadido por respeito e sua exaltação se encerrava em palavras graves e cheias de uma devoção juvenil.

– Vou ajudá-la...! Os outros não poderão fazer nada contra a senhora... Se apesar deles quiser alcançar o mesmo objetivo que estão perseguindo, eu lhe prometo que a senhora terá sucesso. Longe ou perto, sempre serei aquele que vai defendê-la e que vai salvá-la... Tenha fé em minha devoção...

Por fim, ele adormeceu, balbuciando promessas e fazendo juramentos que não tinham muito sentido, e aquele foi um sono profundo, longo, sem sonhos, como o sono das crianças que têm necessidade de refazer seu jovem organismo sobrecarregado...

Onze batidas soaram no relógio da igreja. Ele as contou com uma surpresa crescente.

– Onze horas da manhã! Será possível?

Pelas frestas da veneziana e pelas falhas no velho teto econômico de palha, o dia era filtrado. Inclusive, um pouco de sol passava de um lado.

– Mas então onde está a senhora? – perguntou. – Eu não a vejo.

A lanterna tinha se apagado. Ele correu até a veneziana e a puxou para si, enchendo assim o celeiro de luz. Não viu Joséphine Balsamo.

Lançou-se contra os montes de feno, mudou-os de lugar, jogou-os furiosamente pelo alçapão que se abria sobre o andar de baixo. Ninguém. Joséphine Balsamo tinha desaparecido.

Desceu, buscou no pomar, vasculhou o campo vizinho e a trilha. Em vão. Embora ferida, incapaz de colocar o pé no chão, tinha deixado o refúgio, saltado até o solo, atravessado o pomar, o campo vizinho...

Raoul d'Andrésy voltou ao celeiro para fazer uma inspeção minuciosa. Não precisou procurar por muito tempo. Sobre o próprio assoalho, notou um cartão retangular.

Ele o apanhou. Era a fotografia da condessa de Cagliostro. Atrás, escritas a lápis, duas linhas:

Quero agradecer meu salvador,
mas espero que não tente me rever.

UM DOS SETE BRAÇOS

Há certas lendas cujo herói se vê enredado nas aventuras mais extravagantes e descobre, quando terminam, que foi simplesmente o joguete de um sonho. Quando Raoul reencontrou sua bicicleta atrás do monte onde a havia escondido na véspera, perguntou-se subitamente se não havia sido atingido por uma sequência de sonhos ora divertidos, ora pitorescos, ora temíveis, e, definitivamente, bastante decepcionantes.

A hipótese não chegou a detê-lo. A verdade se prendia nele pela fotografia que tinha nas mãos e mais ainda, talvez, pela lembrança inebriante do beijo roubado dos lábios de Joséphine Balsamo. Aquilo era uma certeza que não podia ignorar.

Naquele momento, pela primeira vez – constatou com um remorso que logo afugentou – pensou de uma maneira clara em Clarisse d'Étigues, e nas horas deliciosas da manhã precedente. Mas, na idade de Raoul, aquelas ingratidões e contradições do coração se arranjavam facilmente, parece que é possível se desdobrar em dois seres, dos quais um continuará a amar em uma sorte de inconsciência, na qual a parte do futuro está reservada, enquanto o outro se entrega com frenesi a todos os arroubos da nova paixão. A imagem de Clarisse se ergueu, confusa e dolorosa, como o fundo de uma pequena capela ornamentada de velas oscilantes perto das quais iria rezar de tempo em tempo. Mas a condessa de Cagliostro tornava-se de repente a única divindade que se deveria adorar, uma divindade despótica e ciumenta que não permitiria que lhe roubassem o menor pensamento nem o menor segredo.

Raoul d'Andrésy – continuemos a chamar assim aquele que devia ilustrar o nome de Arsène Lupin –, Raoul d'Andrésy nunca havia amado. Com efeito, o tempo lhe faltara ainda mais do que as oportunidades. Ardendo de ambição, mas sem saber em qual campo e por quais meios se realizariam seus sonhos de glória, de fortuna e de poder, desdobrava-se em todas as direções para estar pronto a responder o chamado do destino. Inteligência, desembaraço, vontade, destreza física, força muscular, flexibilidade, resistência, cultivou todos os seus dons até o limite extremo. Ele mesmo ficava surpreso ao ver que aquele limite recuava sempre diante da potência de seus esforços.

Era preciso viver com isso, pois não tinha nenhum recurso. Órfão, só em sua existência, sem amigos, sem bons contatos, sem ofício, ainda assim sobreviveu. Como? Era um ponto sobre o qual não teria nada além do que explicações insuficientes, e que ele mesmo não examinava muito de perto. A gente vive como consegue. Encara-se as necessidades e os apetites de acordo com as circunstâncias.

– A sorte sorri para mim – dizia para si mesmo. – Vamos em frente. O que deve ser, será, e imagino que será magnífico.

Foi então que seu caminho cruzou com o de Joséphine Balsamo. De repente, sentiu que para conquistá-la faria uso de qualquer energia que tivesse acumulado.

E, para ele, Joséphine Balsamo não tinha nada em comum com a "criatura infernal" que Beaumagnan havia tentado criar diante da imaginação inquieta de seus amigos. Toda aquela visão sanguinária, toda aquela parafernália de crime e de perfídia, todos aqueles ouropéis de bruxa, evaporavam como um pesadelo diante da linda fotografia na qual contemplava os olhos límpidos e os lábios puros da jovem.

– Vou reencontrá-la – jurou cobrindo-a de beijos –, e você me amará como eu amo você, e será para mim como a amante mais devotada e a mais querida. Lerei sua vida misteriosa como um livro aberto. Seu poder de ádivinhação, seus milagres, sua incrível juventude, tudo aquilo que desconcerta os outros e os assusta, tantos procedimentos engenhosos dos quais riremos juntos. Você será minha, Joséphine Balsamo.

Um juramento do qual o próprio Raoul sentia por um instante a pretensão da temeridade. No fundo, Joséphine Balsamo ainda o intimidava, e ele não estava longe de sentir em relação a ela certa irritação, como uma criança que deve submeter-se a quem é mais forte.

Durante dois dias, confinou-se no pequeno quarto que ocupava no térreo de sua hospedaria, e cuja janela dava para um pátio plantado com macieiras. Jornadas de meditação e de espera, às quais se seguiu uma tarde de caminhada através dos campos normandos, isto é, nos próprios lugares onde seria possível encontrar Joséphine Balsamo.

De fato, bem supunha, a jovem, ainda toda mortificada pela horrível provação, não retornaria a seu apartamento de Paris. Estava viva, mas era preciso que aqueles que desejavam sua morte nada soubessem. E, por outro lado, tanto para se vingar quanto para alcançar antes deles o objetivo ao qual se propuseram, não seria preciso que se distanciasse do campo de batalha.

Na noite do terceiro dia, encontrou sobre a mesa de seu quarto um buquê de flores de abril: vincas, narcisos, prímulas, aurículas. Questionou o dono da pousada. Não haviam visto ninguém.

"Foi ela", pensou, abraçando as flores que ela acabava de colher.

Por quatro dias consecutivos, posicionou-se no fundo do pátio, atrás de um barracão. Quando um passo ressoava nos arredores, seu coração palpitava. Decepcionando-se todas as vezes, sentia verdadeira dor com isso.

Mas no quarto dia, às cinco horas, entre as árvores e os arbustos que guarneciam a elevação do pátio, ouviu-se um farfalhar de tecido. Um vestido estava passando. Raoul fez um movimento para correr até a pessoa e, logo, conteve-se e dominou sua raiva.

Reconhecera Clarisse d'Étigues.

Ela trazia à mão um buquê de flores exatamente igual ao outro. Cruzou ligeiramente o vão que a separava do quarto que ficava no térreo, e, estendendo o braço pela janela, ali colocou o buquê.

Quando refazia seus passos, Raoul a viu de frente e ficou chocado com sua palidez. As maçãs de seu rosto tinham perdido sua tonalidade viva e seus olhos fundos revelavam sua angústia e as longas horas de insônia.

– Sofrerei muito por você – ela havia dito, sem prever, no entanto, que seu sofrimento começaria tão cedo e que o mesmo dia em que se entregara a Raoul seria um dia de adeus e de inexplicável abandono.

Raoul se lembrou da predição e, irritando-se com ela pelo mal que ele mesmo lhe causava, furioso por ter se enganado em sua esperança e pelo fato de a dona das flores ser Clarisse e não aquela que estava esperando, deixou-a partir.

Contudo, era à Clarisse – à Clarisse, que destruía assim, ela mesma, sua última chance de felicidade – que ele devia a preciosa indicação da qual precisaria para se orientar durante a noite. Uma hora mais tarde, constatou que uma carta estava amarrada em uma viga e, após romper o lacre, leu:

Meu querido, já acabou? Não, não é? Estou chorando sem motivo...? Não é possível que você já esteja farto de sua Clarisse, certo?

Meu querido, essa noite, todos eles vão pegar o trem e só voltarão amanhã bem tarde. Você virá aqui, não é? Não vai me deixar chorar mais, não é...? Venha, meu querido...

Pobres linhas desoladas...! Raoul não foi tocado por elas. Ele pensava na viagem anunciada e se lembrava daquela acusação de Beaumagnan: "Sabendo por mim que devíamos logo vasculhar de cima a baixo uma propriedade vizinha de Dieppe, ela se apressou a ir até lá..."

Não era aquele o objetivo da expedição? E não seria uma oportunidade para Raoul se juntar à luta e tirar o máximo proveito dos acontecimentos que dela acarretaram?

MAURICE LEBLANC

Naquela mesma noite, às sete horas, vestido como um pescador do litoral, irreconhecível sob a camada ocre com que maquiara seu rosto, subiu no mesmo trem que o barão D'Étigues e Oscar de Bennetot, trocando duas vezes de trem assim como eles e descendo em uma pequena estação onde dormiu.

Na manhã do dia seguinte, D'Ormont, Rolleville e Roux d'Estivers vieram buscar seus dois amigos com um carro, Raoul lançou-se atrás deles.

A uma distância de dez quilômetros, o carro parou diante de um longo solar arruinado que chamavam de "Castelo de Gueures". Aproximando-se do portão aberto, Raoul constatou que, no jardim, uma multidão de trabalhadores fervilhava para transformar a terra em trilhas e gramados.

Eram dez horas. Na escadaria de entrada, os empreiteiros receberam os cinco associados. Raoul entrou sem ser notado, misturou-se aos trabalhadores e fez-lhes perguntas. Soube assim que o Castelo de Gueures acabava de ser comprado pelo marquês de Rolleville e que as reformas haviam começado aquela manhã.

Raoul escutou um dos empreiteiros respondendo ao barão:

– Sim, senhor, as instruções foram dadas. Ordenei a meus homens para trazerem até mim qualquer peça de moeda, objeto de metal, ferro, cobre, etc. que acharem quando estiverem escavando o solo e assim receberem uma recompensa.

Era evidente que todas aquelas reviravoltas não tinham outra razão de ser além de criar a chance de descobrirem alguma coisa. Mas descobrirem o quê?, perguntou-se Raoul.

Ele caminhou pelo parque, deu a volta no solar, entrou no porão.

Às onde horas e meia, ainda não havia conseguido obter nenhum resultado, e, no entanto, a necessidade de agir se impunha em seu espírito com uma força crescente. Qualquer atraso deixaria os outros com chances ainda maiores, e ele corria o risco de se deparar com uma questão já resolvida.

Naquele momento, o grupo de cinco amigos mantinha-se atrás do solar, em uma longa esplanada que se abria para o parque. Um murinho fazendo as vezes de balaustrada a delimitava, marcado, a cada intervalo de alguns

ARSÈNE LUPIN E A CONDESSA DE CAGLIOSTRO

metros, por doze pilares de tijolos que serviam de pedestal para antigos vasos de pedra, quase todos quebrados.

Uma equipe de operários, armados com picaretas, começara a demolir o muro. Raoul os observava trabalhar, pensativamente, as mãos em seus bolsos, o cigarro nos lábios, sem se preocupar com o fato de sua presença poder parecer anormal naquelas paragens.

Godefroy d'Étigues enrolava o tabaco em uma folha de papel. Não tendo fósforos, aproximou-se de Raoul e lhe pediu fogo.

Raoul estendeu o próprio cigarro, e, enquanto o outro acendia o seu, todo um plano formulou-se em sua mente, um plano espontâneo, muito simples, cujos menores detalhes surgiram-lhe em sua ordem lógica. Mas era preciso apressar-se.

Raoul retirou sua boina deixando escapar as mechas de uma cabeleira bem cuidada que certamente não era a de um marinheiro.

O barão D'Étigues olhou-o com atenção e, subitamente entendendo tudo, foi tomado pela cólera.

– De novo o senhor! E disfarçado! O que significa essa nova brincadeira e como o senhor tem a audácia de me seguir até aqui? Eu já lhe respondi da maneira mais categórica possível: um casamento entre minha filha e o senhor é impossível.

Raoul puxou-lhe o braço e disse, com autoridade:

– Sem escândalos! Ambos sairíamos perdendo. Leve-me até seus amigos.

Godefroy queria protestar.

– Leve-me até seus amigos – repetiu Raoul. – Vim lhes ajudar. O que os senhores estão buscando? Um candelabro, nao e?

– Sim – falou o barão, contrariado.

– Um candelabro de sete braços, mais precisamente. Conheço o esconderijo. Mais tarde, eu lhes darei outras indicações que lhes serão úteis para o projeto que os senhores têm em mente. Só então falaremos da senhorita D'Étigues. Não vamos falar sobre ela hoje... Chame seus amigos. Depressa.

Godefroy hesitou, mas as promessas e a segurança de Raoul causaram-lhe forte impressão. Chamou seus amigos que logo se juntaram a éle.

– Conheço esse rapaz e, segundo ele, talvez possamos encontrar... – disse Godefroy

Raoul o interrompeu.

– Não há "talvez", meu senhor. Sou da região. Quando era moleque, brincava nesse castelo com os filhos de um velho jardineiro que era o caseiro daqui e que com frequência nos mostrava um anel chumbado no muro de um dos cômodos do porão. "Há um esconderijo aqui", dizia ele, "vi colocarem antiguidades, castiçais, relógios de carrilhão..."

Aquelas revelações superexcitaram os amigos de Godefroy.

Bennetot rapidamente objetou:

– No porão? Nós já olhamos lá.

– Não muito bem – afirmou Raoul. – Vou guiá-los.

Chegaram até lá por uma escada que descia para o subsolo pelo lado de fora. Duas grandes portas se abriam sobre alguns degraus, depois dos quais começava uma série de salas abobadadas.

– A terceira à esquerda – disse Raoul, que, ao longo de suas buscas, havia estudado o lugar. – Aqui... essa aqui...

Ele fez os cinco entrarem em uma câmara obscura onde era preciso se abaixar.

– Não se vê nada – queixou-se Roux d'Estiers.

– De fato – disse Raoul. – Mas aqui estão uns fósforos e notei um pedaço de vela sobre os degraus da escada. Um instante... Vou pegar lá.

Ele fechou outra vez a porta da câmara, girou a chave, retirou-a e se afastou gritando aos cativos:

– Sempre acendam os sete braços do candelabro. Os senhores vão encontrá-lo sob a última laje, envolvido cuidadosamente em teias de aranha...

Ele ainda não estava do lado de fora quando escutou o ruído de golpes que os cinco amigos davam furiosamente na porta, e pensou que aquela porta, instável e corroída por vermes, não resistiria muito mais do que alguns minutos. Mas aquela trégua lhe seria suficiente.

Com um salto aterrissou sobre a esplanada, pegou uma picareta das mãos de um operário, e correu até o nono pilar, do qual fez voar o vaso.

Em seguida, atacou uma marquise de cimento toda rachada que cobria os tijolos e que logo caiu em pedaços. No espaço que o arranjo de tijolos deixava desocupado, havia uma mistura de terra e de pedras de onde Raoul conseguiu extrair facilmente uma haste de metal corroído que era exatamente um braço daqueles grandes candelabros litúrgicos que se vê em alguns altares.

O grupo de operários começava a cercá-lo surpresos ao ver o objeto que Raoul brandia. Pela primeira vez desde o começo da manhã, uma descoberta daquelas era feita.

Talvez Raoul pudesse ter mantido seu sangue frio e, carregando a haste de metal, fingir se juntar aos cinco amigos a fim de entregá-la a eles. Mas, precisamente naquele exato minuto, gritos vieram do canto do solar, e Rolleville, seguido pelos outros, surgiu vociferando:

– Ladrão! Agarrem-no! Ladrão!

Raoul mergulhou de cabeça no grupo de operários e fugiu. Aquilo era um absurdo, como toda sua conduta nos últimos momentos, aliás. Afinal, se tivesse desejado ganhar a confiança do barão e de seus amigos, não deveria tê-los aprisionado em uma câmara nem surrupiado aquilo que buscavam. Mas Raoul combatia, na verdade, por Joséphine Balsamo e não tinha outro objetivo além de lhe oferecer mais dia, menos dia, o troféu que acabava de conquistar. Salvou-se, então, escapando a toda velocidade.

Como o caminho para o portão principal estava protegido, acompanhou um curso d'água, livrou-se de dois homens que queriam agarrá lo c, sendo seguido por toda uma horda de agressores que uivavam como loucos à vinte metros de distância, emergiu em uma horta cercada por todos os lados por paredes de uma altura desesperadora.

– Droga, estou preso. Vão dar o grito da vitória, o fim da caçada... Que derrota!

A horta, à esquerda, era dominada pela igreja do vilarejo e o cemitério da igreja continuava, horta adentro, por um pequenino espaço cercado, que outrora servira de sepultura aos castelães de Gueures. Fortes grades o cercavam. Teixos se aglomeravam ali. Ora, no exato instante em que

Raoul descia ao longo daquele cercado, uma porta foi entreaberta, um braço esticou-se e barrou seu caminho, uma mão agarrou a mão do jovem rapaz, e Raoul, pasmo, viu-se puxado para uma escuridão absoluta por uma mulher que logo fechou a porta na cara dos perseguidores.

Ele adivinhou, mais do que reconheceu, que era Joséphine Balsamo.

– Venha – disse ela, enfiando-se no meio dos teixos.

Uma outra porta naquela parede estava aberta e se comunicava com o cemitério do vilarejo.

Na frente da igreja estava estacionada uma velha carruagem fora de moda, como já não se encontrava mais naquela época senão nas cidades do interior, atrelada a dois pequenos cavalos magros e malcuidados. Na condução, um cocheiro de barba grisalha, cujas costas bastante curvadas inclinava-se sob uma blusa azul.

Raoul e a condessa mergulharam dentro dela. Ninguém os havia visto.

Ela disse ao cocheiro:

– Léonard, estrada de Luneray e de Doudeville. Rápido!

A igreja ficava na extremidade do vilarejo. Pegando a estrada para a localidade de Luneray, evitava-se assim a aglomeração de casas. Havia uma longa colina que subia até o planalto. Os dois pangarés magricelas a enfrentavam em um passo de grandes corcéis trotadores que escalam os obstáculos de um hipódromo.

Quanto ao interior daquela carruagem de tão deplorável aparência, ele era espaçoso, confortável, protegido contra os olhares indiscretos por treliças de madeira, e tão íntimo que Raoul caiu de joelhos e deu livre curso à sua exaltação amorosa.

Ele sufocava de alegria. Quer a condessa estivesse ofendida ou não, considerava que aquele segundo encontro, que se produzia em condições tão particulares, e após a noite de salvamento, estabelecia entre eles relações que lhe permitiam queimar algumas etapas e começar a conversa por uma declaração adequada.

Ele a fez de uma vez, e de uma maneira alegre que teria desarmado até a mais feroz das mulheres.

– A senhora? É a senhora? Que reviravolta teatral! No instante em que a multidão ia me despedaçar, eis que surge das sombras Joséphine Balsamo para dessa vez me salvar. Ah, como estou feliz, e como eu a amo! Eu a amo já faz anos... Já faz um século! Pois sim, tenho cem anos de amor em mim... Um velho amor jovem como a senhora... E belo como a senhora é bela...! A senhora é tão linda...! Não é possível olhá-la sem ficar emocionado... É uma alegria e, ao mesmo tempo, experimenta-se o desespero de pensar que, não importa o que aconteça, nunca poderemos abraçar toda a beleza que há na senhora. A expressão de seu olhar, de seu sorriso, tudo isso sempre permanecerá intangível.

Ele estremeceu e murmurou:

– Oh, seus olhos voltaram-se para mim! Mas então a senhora não está irritada comigo? Aceita que eu lhe declare meu amor?

Ela entreabriu a portinha:

– E se eu lhe rogasse para descer...?

– Eu recusaria.

– E se eu pedisse socorro ao cocheiro?

– Eu o mataria.

– E se eu mesma desembarcasse?

– Continuaria minha declaração na estrada.

Ela começou a rir.

– Ora, o senhor tem resposta para tudo. Fique. Mas chega de loucuras! Antes, conte me o que acaba de acontecer com o senhor e por que aqueles homens o estavam perseguindo.

Ele disse, triunfante:

– Sim, vou lhe contar tudo, já que a senhora não me rejeitou... Já que aceita meu amor.

– Mas eu não aceitei nada – disse ela, rindo. – O senhor está me sufocando com declarações e sequer me conhece.

– Eu não a conheço?!

– O senhor mal conseguiu me ver, de noite, sob a claridade de uma lanterna.

MAURICE LEBLANC

– E no dia que precedeu aquela noite, eu não a vi? Não tive tempo de lhe admirar, durante aquele abominável teatro em Haie d'Étigues?

De repente, ela o observou, séria.

– Ah, o senhor assistiu...?

– Eu estava lá – disse ele, com um ardor cheio de animação. – Estava lá e sei quem a senhora é! Filha de Cagliostro, eu a conheço. Chega de máscaras! Napoleão I a tratava sem formalidades... A senhora traiu Napoleão III[11], serviu Bismarck, e fez o bravo general Boulanger suicidar-se! A senhora toma banhos na fonte da Juventude. Tem cem anos... E eu a amo.

Ela mantinha uma ruga preocupada que marcava ligeiramente sua testa lisa, e repetiu:

– Ah, o senhor estava lá... Eu bem imaginei. Os miseráveis, como me fizeram sofrer...! E escutou suas acusações odiosas...?

– Escutei coisas estúpidas – exclamou ele –, e vi um bando de energúmenos que a odeiam como odeiam tudo o que é belo. Mas tudo isso não passa de demência e absurdo. Não pensemos nisso hoje. Por mim, não quero me lembrar senão dos milagres encantadores que nascem sob seus passos como se fossem flores. Quero crer em sua juventude eterna. Quero crer que a senhora não seria morta se eu não a tivesse salvado. Quero crer que meu amor é sobrenatural, e que é graças a um encantamento que a senhora saiu agora há pouco do tronco de um teixo.

Ela balançou a cabeça, tranquilizada.

– Para visitar o jardim de Gueures, eu já havia passado por aquela antiga porta cuja chave estava na fechadura, e, sabendo que iam vasculhá-lo essa manhã, fiquei escondida.

– Milagre, eu lhe digo! E o que é senão isso? Há semanas e meses, talvez mais, procuram nesse parque um candelabro de sete braços, e, para o descobrir em alguns minutos, no meio daquela multidão e apesar da vigilância de nossos adversários, bastou-me querer e pensar no prazer que a senhora sentiria.

---

[11] Charles-Louis Napoléon Bonaparte (1808-1873), mais conhecido como Napoleão III, sobrinho de Napoleão Bonaparte, foi Presidente e Imperador da França no início da segunda metade do século XIX. (N.T.).

Ela pareceu estupefata:

– O que o senhor está dizendo...? O senhor teria descoberto...?

– O próprio objeto, não, mas um dos sete braços que pertencem ao candelabro. Aqui está.

Joséphine Balsamo agarrou a haste de metal e a examinou fervorosamente. Era uma haste arredondada, bastante forte, ligeiramente ondulada e cujo metal desaparecia sob uma espessa camada de azinhavre. Uma das extremidades, um pouco achatada, trazia em um dos lados uma grande pedra violeta, lapidada em cabochão.

– Sim, sim – murmurou ela... – Não há a menor dúvida. O braço foi cerrado na base do candelabro. Oh, o senhor não conseguiria acreditar no quanto eu lhe sou grata...!

Raoul contou em algumas frases pitorescas a narrativa da batalha. A jovem não conseguia acreditar.

– Que ideia o senhor teve, não é? Por que essa inspiração de demolir o nono pilar antes de qualquer outro? O acaso?

– De modo algum – afirmou ele. – Uma certeza. Dos doze pilares, onze haviam sido construídos antes do fim do século XVII. O nono, depois.

– Como o senhor sabia disso?

– Porque os tijolos dos outros onze são de dimensões que já há duzentos anos não se usa mais, e os tijolos do número nove são aqueles que a gente emprega ainda hoje. Logo, o número nove foi demolido, depois refeito. Por que outro motivo senão para esconder nele este objeto?

Joséphine Balsamo manteve um longo silêncio. Depois, declarou lentamente:

– É extraordinário... Eu nunca acreditaria que poderíamos conseguir desta forma... E tão rápido...! Bem onde todos nós havíamos fracassado. Sim, de fato – acrescentou ela. – Eis um milagre...

– Um milagre de amor – repetiu Raoul.

O carro seguia com uma rapidez inconcebível, frequentemente por caminhos irregulares que evitavam a travessia por vilarejos. Nem as subidas nem as descidas apagavam o zelo endiabrado dos dois pequenos cavalos magricelas. À direita e à esquerda, planícies deslizavam e passavam como imagens.

– Beaumagnan estava lá? – perguntou a condessa.

– Não – disse ele –, felizmente para ele.

– Felizmente?

– Se estivesse, eu o estrangulava. Detesto aquela figura sombria.

– Menos do que eu – falou ela, com uma voz dura.

– Mas a senhora nem sempre o detestou – disse ele, incapaz de conter seu ciúme.

– Mentiras, calúnias – afirmou Joséphine Balsamo, sem levantar o tom. – Beaumagnan é um impostor e um desequilibrado, com um orgulho doente, e foi porque rejeitei seu amor que ele quis minha morte. Tudo isso, eu disse naquele dia, e ele não protestou... Ele não poderia protestar...

Raoul caiu de novo de joelhos, em um arroubo de entusiasmo.

– Ah, que palavras doces – exclamou. – Então a senhora nunca o amou? Que alívio! Mas também, isso seria admissível? Joséphine Balsamo se apaixonar por um Beaumagnan...

Ele ria e batia palmas.

– Escute, não quero mais chamá-la assim. Joséphine não é um nome bonito. Gosta de Josine? É isso, vou chamá-la de Josine, como também a chamavam Napoleão e sua mãe Beauharnais. Combinado, certo? A senhora é Josine... Minha Josine...

– Respeito em primeiro lugar – disse ela, sorrindo da infantilidade dele –, não sou sua Josine.

– Respeito! Mas eu estou transbordando de respeito. Como não? Estamos presos um perto do outro... A senhora está desprotegida, e eu permaneço prostrado diante da senhora como se estivesse na frente de um ídolo. E estou com medo! E estou tremendo! Se a senhora me desse sua mão para beijar, eu não ousaria...!

GUARDAS E POLICIAIS

Todo o trajeto não foi nada além de uma longa adoração. Talvez a condessa Cagliostro tivesse bastante razão em não colocar Raoul à prova estendendo-lhe sua mão para beijar. Mas, na verdade, como havia feito o juramento de conquistar a jovem, e estava decidido a honrá-lo, mantinha a seu lado atitude e pensamentos de veneração, que lhe deixavam com coragem o bastante para enchê-la de discursos amorosos.

Ela estava escutando? Às vezes, sim, como se estivesse escutando uma criança que lhe conta alegremente sua afeição. Mas, às vezes, fechava-se em um silêncio longínquo que desconcertava Raoul.

Por fim, ele gritou:

– Ah, fale comigo, eu lhe peço. Estou tentando ser engraçado enquanto lhe digo coisas que não ousaria lhe dizer com seriedade demais. Mas, no fundo, tenho medo da senhora, e não sei o que estou dizendo. Eu lhe peço, responda-me. Algumas palavras somente, que me tragam de volta à realidade.

– Algumas palavras somente?

– Sim, não mais do que isso.

– Está bem, vamos então. A estação de Doudeville está bem próxima e o caminho de ferro o aguarda.

Ele cruzou os braços com uma expressão indignada.

– E a senhora?

– Eu?

– Sim, o que vai ser da senhora sozinha?

– Meu Deus, tratarei de me virar como venho fazendo até aqui.

– Impossível! A senhora não pode mais ficar sem mim. A senhora entrou em uma batalha na qual minha ajuda é indispensável. Beaumagnan, Godefroy d'Étigues, o príncipe D'Arcole, são tantos os bandidos que a esmagarão.

– Eles acham que estou morta.

– Mais motivo ainda. Se a senhora está morta, como espera agir?

– Nada tema. Agirei sem que eles me vejam.

– Mas como seria mais fácil por meu intermédio! Não, eu lhe peço, e desta vez falo seriamente, não rejeite minha ajuda. Há coisas que uma mulher não pode realizar sozinha. Pelo simples fato de que a senhora persegue o mesmo objetivo que aqueles homens, e que está em guerra com eles, conseguiram montar contra a senhora o mais ignóbil dos complôs. Acusaram-na de tal modo, e com argumentos aparentemente tão sólidos, que por um momento vi na senhora a bruxa e a criminosa que Beaumagnan acusava com seu ódio e desprezo.

"Não fique irritada comigo. Assim que a senhora os enfrentou, compreendi meu erro. Beaumagnan e seus cúmplices não foram nada além de carrascos odiosos e covardes diante da senhora. A senhora os dominou com toda a sua dignidade e, hoje, não resta mais nenhum traço em minha memória de todas aquelas calúnias. Mas é preciso que aceite minha ajuda. Se eu a aborreci ao lhe declarar meu amor, não falaremos mais disso. Eu nada peço além de poder me devotar à senhora, como eu me dedicaria àquilo que é muito belo e muito puro."

Ela cedeu. Passaram pela vila de Doudeville. Um pouco mais à frente, na estrada para Yvetot, o carro entrou em uma estrada de terra ladeada por faias e plantada com macieiras e ali parou.

– Vamos descer – disse a condessa. – Esta propriedade pertence a uma mulher valente, a Mãe Vasseur, cuja hospedaria fica a alguma distância, e que foi minha cozinheira. Às vezes, venho descansar aqui na casa dela

ARSÈNE LUPIN E A CONDESSA DE CAGLIOSTRO

por dois ou três dias. Vamos almoçar aqui... Léonard, vamos partir em uma hora.

Eles retomaram a estrada principal. A condessa avançava com um passo ligeiro, semelhante ao passo de uma garotinha. Usava um vestido cinzento, apertado na cintura, e um chapéu lilás com bordas de veludo e um buquezinho de violetas. Raoul d'Andrésy caminhava um pouco atrás para não tirar os olhos dela.

Após a primeira curva, elevava-se uma pequena construção branca, coberta com um teto de palha, e precedida por um jardim de ervas medicinais onde abundavam flores. Entrava-se no nível da rua em uma sala de café que ocupava toda a fachada.

– Uma voz de homem – observou Raoul, mostrando uma das portas que estampava a parede do fundo.

– É precisamente o cômodo onde ela me serve o almoço. Talvez ela esteja acompanhada de alguns camponeses.

Ela não tinha acabado de falar quando a porta se abriu e uma mulher bastante idosa, usando um avental de algodão e calçando tamancos, apareceu.

Ao ver Joséphine Balsamo, ela pareceu transtornada, e fechou a porta atrás de si, gaguejando de maneira incompreensível.

– O que houve? – perguntou Joséphine Balsamo, com uma voz bastante preocupada.

Mãe Vasseur caiu sentada e balbuciou:

– Vá embora daqui... Salve-se... Depressa...

– Mas por quê? Fale logo! Explique-se...

Escutaram então as seguintes palavras:

– A polícia... Está procurando pela senhora... Revistaram o quarto onde coloquei suas malas... Estão esperando os guardas... Salve-se, ou a senhora estará perdida.

Por sua vez, a condessa vacilou e foi tomada por uma fraqueza que a obrigou a se apoiar contra um aparador. Seus olhos encontraram os de Raoul e fizeram-lhe uma súplica, como se ela estivesse se sentindo perdida, de fato, e implorasse por seu socorro.

Ele estava confuso. Declarou:

– Que lhe importam os guardas? Não é a senhora que estão procurando... Certo?

– Sim, sim, é ela – repetiu a Mãe Vasseur. – Estão procurando por ela... Salve-a.

Muito pálido, sem ainda perceber o significado exato de uma cena cuja gravidade imaginava ser trágica, pegou o braço da condessa, conduziu-a até a saída, e a empurrou para fora.

Mas, tendo ultrapassado a soleira primeiro, ela recuou com terror e murmurou:

– Os guardas...! Eles me viram...!

Ambos voltaram para dentro às pressas. Mãe Vasseur tremia toda e cochichava estupidamente:

– Os guardas... A polícia...

– Silêncio – falou Raoul em voz baixa, permanecendo muito calmo. – Silêncio! Vou resolver tudo. Quantos policiais estão aqui?

– Dois.

– E dois guardas. Logo, não há nada a fazer pela força, estamos cercados. Onde se encontram as malas que eles revistaram?

– Lá em cima.

– E onde é a escadaria que conduz para cima?

– Aqui.

– Bom. Fiquem aqui, vocês duas, e tratem de não revelar que estão aqui. Mais uma vez, vou resolver tudo!

Ele pegou a mão da condessa e se dirigiu para a porta designada. A escadaria era na verdade uma espécie de escada de madeira rústica que conduzia até um sótão onde estavam espalhados todos os vestidos e toda a roupa que deveriam estar nas malas. Quando chegaram lá, os dois policiais estavam entrando na sala de café, e quando Raoul, com passos surdos, aproximou-se da janela aberta no meio da palha, percebeu os dois guardas que desciam do cavalo e amarravam suas montarias nos pilares do jardim.

Joséphine Balsamo não se mexia. Raoul notou seu rosto desfigurado, que a angústia contraía e envelhecia.

Ele lhe disse:

– Rápido! A senhora precisa mudar de roupas. Coloque um de seus outros vestidos... Um preto, de preferência.

Ele se voltou para a janela, de onde viu, logo abaixo, os policiais e os guardas que conversavam no jardim. Quando ela terminou de se vestir, ele pegou o vestido cinza que ela acabara de tirar e o vestiu. Ele era magro, de aparência esbelta: o vestido cuja parte de baixo puxou para cobrir até seus pés lhe caía perfeitamente e ele parecia tão feliz com aquela fantasia e tão tranquilo que a jovem moça pareceu se acalmar.

– Escute o que estão dizendo – disse ele.

Distinguia-se claramente a conversa que se dava entre os quatro homens na soleira da sala, e escutaram um deles – um dos guardas, sem dúvida – que perguntava com uma voz grossa e arrastada:

– Os senhores têm certeza mesmo de que ela estava vestindo isso na ocasião?

– Toda a certeza. A prova... Duas de suas malas que ela deixou aqui guardadas, e das quais uma traz seu nome: Sra. Pellegrini. E, além disso, Mãe Vasseur é uma mulher valente, não é?

– Não há ninguém mais valente do que Mãe Vasseur. Todo mundo a conhece na região!

– Aí está! A Mãe Vasseur declara que essa Sra. Pellegrini vinha de tempos em tempos passar alguns dias em sua casa.

– Minha nossa! Entre uma invasão e outra.

– Justamente.

– Então será uma boa captura, essa Sra. Pellegrini?

– Excelente. Roubos qualificados. Fraudes. Ocultação. Em suma, tudo e o diabo a quatro... Sem contar montes de cúmplices.

– Temos a descrição dela?

– Sim e não.

– Temos dois retratos que são totalmente diferentes. Em um deles está jovem, no outro, velha. Quanto à idade, está marcado entre trinta e sessenta anos.

Eles caíram na risada, depois a voz grossa continuou:

– Mas vocês estão seguindo uma pista?

– Sim e não. Há quinze dias ela estava em Ruão e em Dieppe. Ali perdemos seu rastro. Recuperamos sua pista na grande linha do caminho de ferro, e a perdemos de novo. Será que ela continuou até o Havre ou bifurcou rumo a Fécamp? Impossível saber. Desaparecimento total. Estamos patinando.

– E por que vocês vieram para cá?

– Por acaso. Um empregado da estação, que tinha vindo até aqui, lembrou-se do nome Pellegrini, inscrito em uma das malas em um lugar escondido por uma etiqueta que tinha se descolado.

– Vocês interrogaram outros passageiros e clientes da hospedaria?

– Ah, é raro ter clientes aqui.

– Há sempre uma dama que avistamos mais cedo, quando chegamos.

– Uma dama?

– Sem dúvida. Ainda estávamos cavalgando quando ela saiu da casa, por aquela porta. Ela inclusive entrou de repente como se não quisesse ser vista.

– Impossível…! Uma dama na pousada…?

– Uma mulher vestida de cinza. Se eu saberia reconhecê-la? Não. Mas a cor do vestido, sim… E o chapéu também… Um chapéu com flores violetas…

Os quatro homens calaram-se.

Toda aquela conversa havia sido escutada por Raoul e pela jovem, olhando um nos olhos do outro, sem dizer uma palavra. A cada nova prova, o rosto de Raoul se tornava mais duro. Ela não protestou nem uma vez.

– Estão vindo… Estão vindo… – declarou ela, surdamente.

– Sim – disse ele. – É hora de agir… Do contrário, eles vão subir e encontrá-la neste cômodo.

ARSÈNE LUPIN E A CONDESSA DE CAGLIOSTRO

Ela continuava com seu chapéu. Ele o pegou e o colocou em si mesmo, abaixando um pouco as asas para exibir as flores violetas e amarrando as fitas em volta do pescoço, o que escondia seu rosto. Depois, deu suas últimas instruções.

– Vou abrir caminho para a senhora. Assim que estiver tudo livre, a senhora seguirá tranquilamente pela estrada até a rua de terra onde sua carruagem está estacionada. Entre nela, e peça que Léonard fique com as rédeas na mão...

– E o senhor? – perguntou ela.

– Eu vou me juntar a vocês em vinte minutos.

– E se eles o prenderem?

– Eles não vão me prender, e nem a senhora. Mas não sejamos precipitados. Não corra. Tenha sangue-frio.

Ele se aproximara da janela. Inclinou-se. Os homens entraram. Ele passou uma perna pela borda, saltou no jardim, deu um grito como se tivesse notado algumas pessoas que o assustaram e saiu correndo em disparada.

Logo, ouviu-se gritos atrás dele.

– É ela...! Um vestido cinza com violetas no chapéu! Pare, senão eu atiro...

Com um salto, atravessou a estrada e enveredou por plantações; saindo delas, escalou a colina de uma fazenda que cruzou na transversal. De novo, outra colina. Depois, campos. Depois, uma trilha que ladeava outra fazenda entre duas sebes de amoras silvestres.

Ele se virou: os perseguidores, um pouco mais longe, não podiam vê-lo. Em um segundo, livrou-se do vestido e do chapéu e os jogou no meio dos arbustos. Em seguida, colocou sua boina de marinheiro, acendeu um cigarro e foi voltando, com as mãos nos bolsos.

No canto da fazenda, os dois policiais surgiram totalmente sem fôlego e se chocaram com ele.

– Hei, marinheiro...? O senhor viu uma mulher por aqui? Uma mulher com um vestido cinza?

Ele afirmou:

– É claro... Uma mulher correndo, não é...? Uma verdadeira louca...

– Isso mesmo... E então?

– Ela entrou na fazenda.

– Como?

– A cerca...

– Faz muito tempo?

– Nem vinte segundos.

Os homens foram embora com pressa, Raoul continuou seu caminho, cumprimentou com um breve "bom dia" amigável os guardas que estavam chegando, e, com um passo despreocupado, ganhou a estrada, saindo um pouco depois da hospedaria e bem perto da curva.

Cem metros mais longe estavam as faias e as macieiras da estradinha onde o carro esperava.

Léonard estava em seu acento, o chicote na mão. Joséphine Balsamo, de dentro, mantinha a porta aberta.

Ele ordenou:

– Para Yvetot, Léonard.

– Como assim? – objetou a condessa. – Vamos passar na frente da pousada!

– O que importa é que ninguém nos veja saindo daqui. Ora, a estrada está deserta. Vamos aproveitar isso... Siga devagar, Léonard... Um aspecto de carro funerário que está voltando vazio.

Passaram de fato diante da hospedaria. Naquele momento, os policiais e os guardas voltavam atravessando os campos. Um deles agitava o vestido cinza e o chapéu. Os outros gesticulavam.

– Eles acharam as suas coisas e já sabem o que esperar. Não é mais a senhora que estão procurando. Sou eu, o marinheiro que encontraram. Quanto ao carro, nem vão prestar atenção nele. E se alguém lhes dissesse que estamos nessa carruagem, a Sra. Pellegrini e eu, o seu cúmplice marinheiro, cairiam na gargalhada.

– Vão interrogar a Mãe Vasseur.

– Ela que se vire!

Quando perderam o grupo de vista, Raoul apressou o passo da parelha...

– Oh, oh! – disse ele, assim que os dois cavalos avançaram ao primeiro golpe do chicote. – Os pobres animais não irão longe. Faz quanto tempo que estão trotando?

– Desde a manhã – disse ela. – Desde Dieppe, onde passei essa noite.

– E para onde vamos?

– Até as margens do Sena.

– Puxa vida! São dezesseis ou dezessete léguas em um dia nesse ritmo! É fabuloso.

Ela não respondeu.

Entre os dois vidros da frente havia uma estreita faixa de espelho no qual ele a podia ver. Ela havia colocado um vestido mais escuro e uma touca leve de onde caía um véu bastante espesso que lhe envolvia a cabeça toda. Ela o desamarrou e tirou de um porta-luvas, localizado abaixo da parte do espelho, um pequeno saco de couro que continha um velho espelho de mão com cabo de ouro, e objetos de toalete, frascos, batom vermelho, escovas...

Pegando o espelho, ela contemplou nele longamente seu rosto cansado e envelhecido.

Depois pingou algumas gotas de uma garrafinha estreita e esfregou a superfície molhada com um trapo de seda. E se olhou de novo.

Raoul não entendeu de pronto e não percebeu a expressão severa dos olhos e aquela melancolia da moça diante de sua imagem estragada.

Dez minutos, quinze minutos passaram-se assim em silêncio e no visível esforço de um olhar no qual todos os pensamentos e todas as vontades concentravam-se. Foi o sorriso quem apareceu primeiro, hesitante, timido como um raio de sol invernal. Ao fim de um instante, tornou-se mais ousado e revelou sua ação por pequenos detalhes que surgiam diante dos olhos espantados de Raoul. O canto da boca subiu mais. A pele se impregnou de cor. A carne pareceu outra vez firme. As maçãs do rosto e o queixo reencontravam suas formas imaculadas, e toda a graça iluminou a bela e tenra figura de Joséphine Balsamo.

O milagre se completara.

"Milagre?", perguntou-se Raoul. "Não. Ou, no máximo, milagre de vontade. Influência de um pensamento claro e tenaz que não aceita a decadência e que restabelece a disciplina onde havia desordem e flacidez. Quanto ao resto, frasco, elixir maravilhoso, simples teatro."

Pegou o espelho que ela havia deixado de lado e o examinou. Era evidentemente o objeto descrito ao longo da reunião na casa de D'Étigues, aquele que a condessa de Cagliostro utilizara diante da imperatriz Eugénie. As bordas eram trabalhadas, a placa de ouro por detrás estava toda machucada por batidas.

No punho, uma coroa de conde, uma data, 1783, e a lista dos quatro enigmas.

Raoul, que sentia vontade de provocá-la, zombou:

– Seu pai lhe legou um espelho precioso. Graças a esse talismã, sente-se as emoções mais desagradáveis.

– De fato, acontece que perdi a cabeça – disse ela. – Isso me acontece raramente e já aguentei firme em circunstâncias mais graves do que esta aqui.

– Oh, oh, mais graves... – disse com uma dúvida irônica.

Eles não trocaram mais nenhuma palavra. Os cavalos continuavam a trotar com um mesmo ritmo. As grandes planícies de Caux, sempre semelhantes e sempre diversas, davam lugar a vastos horizontes plantados de fazendas e arvoredos.

A condessa de Cagliostro tinha baixado seu véu. Raoul sentiu que aquela mulher, que estava tão próxima dele duas horas antes, e à qual oferecera tão alegremente seu amor, afastara-se, até se tornar uma estranha. Não havia mais contato entre eles. A alma misteriosa cercava-se de trevas espessas e aquilo que podia perceber disso era tão diferente daquilo que havia imaginado!

Alma de ladra... Alma furtiva e inquieta, inimiga dos dias ensolarados... Seria possível? Como admitir que aquele rosto ingênuo, como o de uma virgem ignorante, que aquele olhar tão límpido quanto a água de uma fonte não eram nada além de uma aparência mentirosa?

Ele estava decepcionado a tal ponto que, quando estavam atravessando a pequena cidade de Yvetot, só pensava em fugir dali. Não conseguia

Arsène Lupin e a condessa de Cagliostro

decidir-se, o que dobrou sua raiva. A lembrança de Clarisse d'Étigues veio-lhe à mente e, por vingança, evocou por um momento a doce e terna jovem que tinha se entregado tão nobremente.

Mas Joséphine Balsamo não largava sua presa. Por mais murcha que ela lhe parecesse, por mais deformada que estivesse aquela que lhe era um ídolo, ela estava lá! Um odor inebriante emanava dela. Ele tocava suas roupas. Com um gesto, podia pegar sua mão e beijar aquela carne perfumada. Ela era toda a paixão, todo o desejo, toda a volúpia, todo o mistério perturbador da mulher. E de novo, a lembrança de Clarisse d'Étigues desvaneceu.

– Josine... Josine... – murmurou, tão baixo que ela não o escutou.

Aliás, de que valia gritar seu amor e sua dor? Poderia ela lhe devolver a confiança perdida e reencontrar em seus olhos o prestígio que, era sabido, não tinha mais?

Estavam se aproximando do Sena. No alto da costa que desce a Caudebec, viraram à esquerda, entre as colinas arborizadas que dominam o vale de Saint-Wandrille. Margearam as ruínas da célebre abadia[12], seguiram o curso d'água que a banha, avistaram o rio, e tomaram a estrada para Ruão.

Um instante mais tarde, o carro parou, e Léonard logo voltou a partir, depois de ter deixado os dois viajantes na orla de um pequeno bosque de onde se descobria o Sena. Uma pradaria bem trêmula de juncos os separavam dele.

Joséphine Balsamo ofereceu a mão a seu companheiro e lhe disse:

– Adeus, Raoul. Um pouco mais longe, o senhor encontrará a estação Mailleraie.

– E a senhora? – perguntou ele.

– Ah, quanto a mim, minha casa está bem perto.

– Não estou vendo...

– Sim, está. Essa lancha que a gente vê logo li, entre os ramos.

– Eu a acompanho.

---

[12] No caso, Leblanc refere-se à antiga e célebre Abadia de Fontenelle, conhecida hoje em dia como Abadia de Saint-Wandrille, fundada no ano 649. (N.T.)

Um dique estreito cortava o campo no meio dos juncos. A condessa seguiu por ali, acompanhada de Raoul.

Chegaram assim a um terreno aberto, e bem perto da lancha que uma cortina de salgueiros também disfarçava. Ninguém poderia vê-los nem os ouvir. Estavam a sós sob o grande céu azul. Ali se passaram entre eles alguns desses minutos dos quais sempre guardamos a lembrança e que influenciam todo o destino.

– Adeus – disse de novo Joséphine Balsamo. – Adeus...

Ele hesitou diante daquela mão estendida para o adeus supremo.

– O senhor não quer apertar minha mão? – perguntou ela.

– Sim... sim... – murmurou ele. – Mas por que se separar?

– Porque nós não temos mais nada a dizer um para o outro.

– Mais nada, de fato, e, no entanto, nós não dissemos nada.

Acabou por pegar entre suas mãos a mão morna e macia, e declarou:

– As palavras daqueles homens... Suas acusações na hospedaria, então é tudo verdade?

Desejava uma explicação, mesmo uma mentira, que lhe permitisse conservar alguma dúvida, mas ela pareceu surpresa e retrucou:

– De que isso lhe serviria?

– Como?

– Sim, poderíamos acreditar realmente que aquelas revelações podem influenciar sua conduta.

– O que a senhora quer dizer?

– Meu Deus, nada mais simples. Quero dizer que eu teria compreendido sua agitação diante da confirmação dos crimes monstruosos dos quais Beaumagnan e o barão D'Étigues me acusaram falsa e idiotamente, mas hoje isso está fora de questão.

– Mesmo assim, eu me lembro das acusações deles.

– Das acusações deles contra aquela cujo nome eu lhes dei, isto é, contra a marquesa de Belmonte. Mas não se trata de crimes, e, o que o acaso lhe revelou antes, o que isso lhe importa?

Raoul foi interpelado por aquela pergunta inesperada. Ela sorria diante dele, muito à vontade, e retomou, por sua vez, um pouco irônica:

Arsène Lupin e a condessa de Cagliostro

– Talvez seja o visconde Raoul d'Andrésy quem está chocado com seus próprios pensamentos? O visconde Raoul d'Andrésy deve ter evidentemente concepções morais, a delicadeza de um cavalheiro...

– E quando vai ser? – perguntou. – Quando provarei alguma desilusão?

– Na hora certa! – respondeu ela. – Eis a bela palavra que faltava! O senhor está decepcionado. Estava correndo atrás de um belo sonho e tudo evaporou. A mulher apareceu-lhe tal qual ela é. Responda francamente, já que estamos pondo tudo em pratos limpos. O senhor está decepcionado, não está?

Ele disse a palavra com um tom seco:

– Sim.

Seguiu-se um silêncio. Ela o olhava profundamente e cochichou:

– Sou uma ladra, não é? Eis o que o senhor quer dizer. Uma ladra, não é?

– Sim.

Ela sorriu e declarou:

– E o senhor?

E, como ele começava a protestar, ela o pegou rudemente pelo ombro, e lhe perguntou, autoritária, sem qualquer formalidade:

– E você, meu menino? O que você é? Pois, afinal, é preciso deixar bem claro o que você pretende também. Quem é você?

– Eu me chamo Raoul d'Andrésy.

– Que piada! Você se chama Arsène Lupin. Seu pai, Théophraste Lupin, que acumulava os ofícios de professor de boxe e lutador com a profissão mais lucrativa de golpista, foi condenado e preso nos Estados Unidos onde morreu. Sua mãe retomou seu nome de solteira e viveu de favor como parente pobre na casa de um primo afastado, o duque de Dreux-Soubise. Um dia, a duquesa constatou o desaparecimento de uma joia de imenso valor histórico, que não era nenhuma outra senão o famoso colar da rainha Maria Antonieta[13]. Apesar de todas as buscas, nunca se soube quem era o autor daquele roubo, executado com uma ousadia e uma habilidade diabólicas. Mas *eu* sei quem foi. Foi você. Você tinha seis anos.

---

[13] Cf. *Arsène Lupin, Ladrão de Casaca*. (N.A.)

MAURICE LEBLANC

Raoul escutava, pálido de raiva, com o maxilar contraído. Murmurou:

– Minha mãe estava infeliz, humilhada, quis libertá-la.

– Roubando!

– Eu tinha seis anos.

– Hoje, você tem vinte, sua mãe está morta, você é forte, inteligente, cheio de energia. Como vive?

– Eu trabalho.

– Sim, no bolso dos outros.

Ela não lhe deixou tempo de protestar.

– Não diga nada, Raoul. Eu conheço sua vida nos mínimos detalhes e poderia lhe contar pormenores de coisas que fez este ano, e em outros mais antigos, pois eu o sigo já faz bastante tempo, e tudo o que eu lhe diria não seria certamente muito mais bonito do que aquilo que você escutou agora há pouco na hospedaria. Policiais? Guardas? Inquéritos? Perseguições...? *Você* também passou por tudo isso e você só tem vinte anos! Então é mesmo o caso de se culpar por isso? Não, Raoul. Pois eu conheço sua vida, e já que o acaso lhe mostrou um pingo da minha, joguemos ambos um véu sobre isso. O ato de roubar não é bonito: vamos olhar para o outro lado e nos calar.

Ele permaneceu em silêncio. Uma grande exaustão o invadia. De repente, via a existência em um dia nebuloso e angustiante no qual mais nada tinha cor, mais nenhuma beleza, nem graça. Tinha vontade de chorar.

– Pela última vez, Raoul, adeus – disse ela.

– Não... não... – balbuciou ele.

– É preciso, meu menino. Eu só faria mal a você. Não busque misturar sua vida com a minha. Você tem ambição, energia, e com tais qualidades você pode escolher seu caminho.

E mais baixo completou:

– Este que estou trilhando não é o melhor, Raoul.

– Por que a senhora segue por ele então, Josine? Eis justamente o que me assusta.

– É tarde demais.

– Então, para mim também!

– Não, você é jovem. Salve-se. Escape do destino que o ameaça.

– Mas a senhora, a senhora, Josine…?

– Eu? É a minha vida.

– Vida atroz, que a faz sofrer.

– Se você acredita nisso, por que quer dividi-la comigo?

– Por que eu a amo.

– Mais motivo ainda para eu fugir, meu menino. Qualquer amor entre nós está condenado desde já. Você se envergonharia de mim, e eu não confiaria em você.

– Eu a amo.

– Hoje. Mas e amanhã? Raoul, obedeça à ordem que lhe deixei em minha fotografia, naquela primeira noite em que nos encontramos: "Não tente me rever." Vá embora.

– Sim, sim – disse Raoul d'Andrésy, com uma voz morosa. – A senhora tem razão. Mas é terrível pensar que tudo estará acabado entre nós antes mesmo que eu tenha tido o tempo de ter esperança… E que a senhora não vai se lembrar de mim.

– Não nos esquecemos daquele que nos salvou duas vezes.

– Não, mas esquecerá que eu a amo.

Ela balançou a cabeça.

– Não esquecerei – disse ela.

E, retomando a formalidade, acrescentou com emoção:

– Seu entusiasmo, seu ímpeto… Tudo o que há no senhor de sincero e espontâneo… E outras coisas que ainda não desvendei… Tudo isso me toca infinitamente.

Mantiveram suas mãos uma na outra, e seus olhos não se deixaram. Raoul tremia de afeição. Ela lhe disse docemente:

– Quando se separa para sempre, deve-se devolver ao outro aquilo que havia sido dado. Pode devolver meu retrato, Raoul?

– Não, não, nunca – falou ele.

– Então, *eu* – disse ela, com um sorriso que o embriagava – serei mais honesta e vou lhe devolver lealmente aquilo que o senhor me havia dado.

– Do que está falando, Josine?

– Na primeira noite… No celeiro… Enquanto eu dormia, Raoul, o senhor se inclinou sobre mim e eu senti seus lábios sobre os meus.

Com suas mãos cruzadas atrás do pescoço de Raoul, ela puxou a cabeça do jovem rapaz, e as duas bocas se uniram.

– Ah! Josine – disse, perdidamente apaixonado… – Faça comigo o que a senhora quiser, eu a amo… Eu a amo…

Eles andavam ao lado do Sena. Os juncos balançavam acima deles. Suas roupas roçavam nas longas folhas finas que o beijo do vento norte agitava. Seguiram rumo à felicidade, sem outros pensamentos além daqueles que fazem estremecer os amantes cujas mãos se cruzam.

– Só mais uma palavra, Raoul – disse ela, detendo-o. – Uma palavra. Sinto que com o senhor eu serei violenta, exclusiva. Não há outra mulher em sua vida?

– Nenhuma.

– Ah! – disse ela, amargamente. – Já uma mentira!

– Uma mentira?

– E Clarisse d'Étigues? Sim, vocês tiveram alguns encontros no campo. Eu os vi.

Ele se irritou.

– História velha… Um flerte sem importância.

– O senhor jura?

– Juro.

– Tanto melhor – disse ela com uma voz sombria. – Tanto melhor para ela. E que nunca ela se coloque entre nós! Do contrário…

Ele a puxou para si.

– Eu não amo ninguém senão a senhora, Josine. Nunca amei ninguém além da senhora. Minha vida está começando hoje.

AS DELÍCIAS DE CAPOUE

A *Indiferente* era uma lancha parecida com todas as outras, bastante velha, com a pintura já gasta, mas bem polida e bem cuidada por um casal de barqueiros que se chamavam o Sr. e a Sra. Delâtre. Por fora, não se via grande coisa do que A *Indiferente* conseguia transportar, algumas caixas, velhas cestas, barris, eis tudo. Mas se deslizássemos para baixo do convés com a ajuda da escada, era fácil constatar que a lancha não transportava absolutamente nada.

Todo o interior se distribuía em três estreitos cômodos confortáveis e brilhantes, duas cabines separadas por uma sala. Foi ali que Raoul e Joséphine Balsamo viveram durante um mês. O casal Delâtre, pessoas quietas e irritáveis, com as quais Raoul tentou, várias vezes, iniciar uma conversa, mas em vão, ocupavam-se da limpeza e da cozinha. De vez em quando, um pequeno rebocador vinha buscar A *Indiferente* e lhe fazia subir uma curva do Sena.

Toda a história do belo rio revelava-se assim em paisagens charmosas onde os dois iam passear abraçando-se pela cintura... A floresta de Brotonne, as ruínas de Jumièges, a abadia de São Jorge, as colinas da Bouille, Ruão, Pont-de-l'Arche...

Semanas de intensa felicidade! Ali, Raoul dispendeu tesouros de alegria e entusiasmo. Os espetáculos maravilhosos, as belas igrejas góticas, os pores do sol e os luares, tudo lhe era pretexto para declarações inflamadas.

Josine, mais silenciosa, sorria como em um sonho feliz. Cada dia a aproximava mais de seu amado. Se, primeiro, obedecia a um capricho, enfrentava agora a lei de um amor que lhe fazia bater o coração e lhe ensinava o sofrimento de amar demais.

Do passado, de sua vida secreta, jamais dizia uma palavra. No entanto, uma vez, trocaram algumas frases sobre esse assunto. Como Raoul a estava divertindo com aquilo que ele chamava de o milagre de sua eterna juventude, ela respondeu:

– Um milagre é aquilo que não entendemos. Exemplo: percorremos vinte léguas em um dia... Você grita que é um milagre. Mas, com um pouco de atenção, você se daria conta de que a distância foi coberta, não por dois, mas por quatro cavalos, uma vez que Léonard desatrelou e mudou de animais em Doudeville, naquela estrada de terra, onde um estábulo já estava preparado.

– Boa jogada – exclamou o jovem alegre.

– Outro exemplo. Ninguém no mundo sabe que você se chama Lupin. Ora, e se eu contasse que, na mesma noite em que você me salvou da morte, eu já o conhecia sob seu verdadeiro nome...? Milagre? De modo algum. Você bem entende que tudo o que diz respeito ao conde de Cagliostro me interessa, e que há quatorze anos, quando escutei falar do desaparecimento do colar da Rainha na casa da duquesa de Dreux-Soubise, fiz uma investigação minuciosa, o que me permitiu, primeiramente, chegar até o jovem Raoul d'Andrésy, e, em seguida até o jovem Lupin, filho de Théophraste Lupin. Mais tarde, reencontrei seus traços em vários casos. Eu estava obcecada.

Raoul refletiu por alguns segundos, depois falou, com muita seriedade:

– Naquela época, minha Josine, ou você tinha uns dez anos, e seria fenomenal que uma criança dessa idade tivesse sucesso em uma investigação na qual todo mundo fracassou, ou então você tinha a mesma idade que tem hoje, o que seria ainda mais fenomenal, oh filha de Cagliostro!

Ela franziu o cenho. A piada parecia-lhe desagradável.

– Nunca vamos falar sobre isso, está bem, Raoul?

– Lamentável! – disse Raoul um pouco incomodado de ter sido identificado como Arsène Lupin, e que, por isso, desejava uma revanche. – Nada no mundo me fascina mais do que o problema da sua idade e suas diversas proezas no último século. Tenho algumas ideias pessoais quanto a isso, que não deixam de ser interessantes.

Ela o observou, curiosa, apesar de tudo. Raoul aproveitou sua hesitação e logo retomou com um tom ligeiramente zombeteiro:

– Minha argumentação se apoia sobre dois axiomas: 1) como você disse, não há milagre; 2) você é a filha de sua mãe.

Ela sorriu.

– Começou bem.

– Você é a filha da sua mãe – repetiu Raoul –, o que significa que existiu, antes de mais nada, uma condessa de Cagliostro. Há vinte e cinco ou trinta anos, ela ofuscou com sua beleza a Paris do fim do segundo Império, e intrigou a corte de Napoleão III. Com a ajuda de seu suposto irmão que a acompanhava (irmão, amigo ou amante, não importa!), ela maquinou toda a história da filiação de Cagliostro, e preparou falsos documentos que serviram à polícia para informar Napoleão III sobre a filha de Joséphine de Beauharnais e Cagliostro. Expulsa, passou pela Itália, pela Alemanha, depois desapareceu... Para ressuscitar vinte e quatro anos mais tarde, sob os traços idênticos de sua adorável filha, a segunda condessa de Cagliostro, aqui presente. Estamos de acordo quanto a isso?

Josine não respondeu, impassível. Ele continuou:

– Entre a mãe e a filha, uma semelhança perfeita... Tão perfeita que a aventura recomeça bem naturalmente. Por que duas condessas? Só haverá uma, uma só, a única, a verdadeira, aquela que herdou os segredos de seu pai Joseph Balsamo, conde de Cagliostro. E quando Beaumagnan fez sua investigação, ele chegou inevitavelmente a encontrar os documentos que já haviam enganado a polícia de Napoleão, e a série de retratos e miniaturas, que atestam a unidade da sempre jovem dama, e que remontam sua origem até a virgem de Bernardino Luini a quem o acaso tão estranhamente assimilou.

"Além disso, há uma testemunha: o príncipe D'Arcole. Ele viu outrora a condessa de Cagliostro. Conduziu-a a Modane. Ele a reviu em Versalhes. Quando se deu conta, um grito lhe escapou: 'É ela! E ela tem a mesma idade!'

"Quanto a isso, você o subjuga com um mundo de provas, incluindo o relato de algumas palavras trocadas em Modane entre sua mãe e ele, relato que você leu no meticuloso diário que sua mãe guardava contando todos os seus atos. Ufa! Aí estão os segredos e as profundezas do caso. E é muito simples. Uma mãe e uma filha que se parecem e cuja beleza evoca uma imagem de Luini. Um ponto, isso é tudo. Há ainda a marquesa de Belmonte. Mas suponho que a semelhança dessa dama com você seja bastante vaga, e que tenha sido preciso a boa vontade e o cérebro deteriorado do Senhor Beaumagnan para confundir vocês duas. Em resumo, nada de dramático, uma intriga divertida e bem conduzida. Eis tudo."

Raoul se calou. Pareceu-lhe que Joséphine Balsamo tinha empalidecido um pouco e que seu rosto se contraía. Por sua vez, ela devia estar incomodada, e isso o fez rir.

– Acertei bem na mosca, não? – perguntou.

Ela se esquivou.

– Meu passado me pertence e minha idade não importa a ninguém. A esse propósito, você pode acreditar no que o agradar.

Ele se atirou sobre ela e a beijou furiosamente.

– Eu acho que você tem quatrocentos anos, Joséphine Balsamo, e nada é mais delicioso do que o beijo de uma centenária. Quando penso que você talvez tenha conhecido Robespierre, e talvez até Luís XVI!

O incidente não se prolonga. Raoul d'Andrésy sentia tão claramente a irritação de Joséphine Balsamo ante a menor tentativa indiscreta que não ousou questioná-la mais. Aliás, já não sabia a exata verdade?

Claro, ele sabia, e nenhuma dúvida permanecia em seu espírito. No entanto, a jovem conservava todo um prestígio misterioso que o subjugava, contra sua vontade, e do qual não guardava nenhum rancor.

Ao fim da terceira semana, Léonard reapareceu. Uma manhã, Raoul avistou a carruagem com os dois pequenos cavalos magricelas da condessa indo embora.

Ela não voltou antes do anoitecer. Léonard transportou para *A Indiferente* pacotes amarrados em lenços, que deixava deslizar por um alçapão cuja existência Raoul ignorava.

De noite, após conseguir abrir o alçapão, Raoul foi ver os pacotes. Continham admiráveis rendas e casulas preciosas.

Dois dias depois, nova expedição. Resultado: uma magnífica tapeçaria do século XVI.

Naqueles dias, Raoul ficava fortemente entediado. Assim, em Mantes, encontrando-se de novo sozinho, alugou uma bicicleta e andou durante algum tempo no campo. Depois de ter almoçado, avistou, ao sair de uma pequena cidade, uma grande casa cujo jardim estava repleto de gente. Aproximou-se. Estavam leiloando belos móveis e peças de prataria.

Desocupado, deu a volta na casa. Um dos frontões se erguia em uma parte deserta do jardim e acima de um arvoredo frondoso. Sem saber direito a qual impulso estava obedecendo, Raoul, vendo uma escada, ergueu-a, subiu e pulou o parapeito de uma janela aberta.

Um leve grito soou lá dentro. Raoul viu Joséphine Balsamo, que logo se recompôs e lhe disse com um tom bastante natural:

– Veja só, é o senhor, Raoul? Estou admirando uma coleção de pequenos livros em capa dura... Umas maravilhas! E de uma raridade!

Isso foi tudo. Raoul examinou os livros e embolsou três, bem antigos, enquanto a condessa, sem que Raoul percebesse, surrupiava algumas medalhas de uma vitrine.

Desceram a escada. No tumulto da multidão, ninguém reparou que estavam indo embora.

A trezentos metros de distância, o carro aguardava.

Desde então, em Pontoise, em Saint-Germain, em Paris, *A Indiferente*, amarrada bem de frente à delegacia de polícia, continuava a lhes servir de abrigo, eles "operavam" juntos.

Se por um lado o caráter fechado e a alma enigmática da Cagliostro não se desmentiam na realização dessas tarefas, por outro, a natureza espontânea de Raoul pouco a pouco recuperava o controle da situação, e a toda vez a operação terminava em gargalhadas.

– Já que dei as costas ao caminho da virtude – disse ele –, enquanto estivermos fazendo isso, vamos levar a vida alegremente e não de modo fúnebre… Como você faz, minha Josine.

A cada desafio, ele descobria talentos imprevistos em si mesmo e recursos que ignorava. Às vezes, numa loja, quando fazia compras, no teatro, sua companheira ouvia um alegre estalido de língua, e então via nas mãos do amado um relógio, na gravata um novo alfinete. E sempre com o mesmo sangue frio, sempre a serenidade inocente que nenhum perigo ameaça.

O que não o impedia de obedecer às múltiplas precauções exigidas por Joséphine Balsamo. Apenas saíam da lancha vestidos como gente do povo. Em uma rua próxima, a velha carruagem os buscava, com um único cavalo atrelado. Mudavam ali de roupas. Cagliostro não tirava nunca uma renda com grandes flores bordadas que lhe servia de véu.

Todos aqueles detalhes, e tantos outros, mantinham Raoul informado sobre a real vida de sua amante. Agora, ele não tinha dúvidas de que ela era a chefe de uma quadrilha organizada de cúmplices com quem se correspondia por intermédio de Léonard, e tampouco duvidava que estivesse seguindo o caso do candelabro de sete braços, e que vigiava as manobras de Beaumagnan e seus amigos.

Existência dupla, que, com frequência, indispunha Raoul contra Joséphine Balsamo, assim como ela mesma o tinha previsto. Esquecendo-se de seus próprios atos, ele se ressentia por fazer coisas que não estavam de acordo com as ideias que, apesar de tudo, ainda mantinha sobre honestidade. Uma amante ladra e chefe de quadrilha, isso o irritava. Havia atritos entre eles a propósito de questões insignificantes. Suas personalidades, tão fortes e tão marcantes, chocavam-se.

Assim, quando um incidente os jogou de repente em plena batalha, embora voltados contra inimigos comuns, aprenderam tudo o que um amor como o deles pode, em alguns minutos, conter de rancor, de orgulho e de hostilidade.

Aquele incidente, que colocou fim ao que Raoul chamava de "as delícias de Capoue"[14], se devia ao encontro imprevisto que tiveram uma noite com Beaumagnan, com o barão D'Étigues e com Bennetot. Os três amigos entravam no teatro de Variedades[15].

– Vamos segui-los – disse Raoul.

A condessa hesitou. Ele insistiu.

– Como assim? Uma ocasião como essa oferece-se para nós e não vamos aproveitá-la?

Ambos entraram e instalaram-se em um camarote escuro. Naquele momento, no fundo de um outro camarote situado perto do palco, tiveram tempo de perceber, antes de a camareira abrir as portas, a silhueta de Beaumagnan e de seus dois acólitos.

Um problema apresentava-se. Por que Beaumagnan, homem de igreja e de hábitos aparentemente rígidos, perdia-se em um teatro de boulevard[16], onde encenavam justamente uma sátira muito descarada e sem o menor interesse para ele?

Raoul fez essa pergunta à Joséphine Balsamo, que não respondeu, e aquela indiferença afetada mostrou direitinho a Raoul que a jovem mantinha-se distante em relação ao assunto e que decididamente não queria sua colaboração em tudo aquilo que dizia respeito àquele inexplicável caso.

---

[14] Expressão que significa tanto "prazeres facilmente esquecidos" quanto "tempo precioso perdido em banalidades". Sua origem remonta à Roma Antiga, quando, em 215 a.C., as tropas de Aníbal, vindas de Cartago, no norte da África, invadiram a península italiana e dominaram a cidade de Capoue, conhecida por sua vida luxuosa e voltada aos prazeres. Ali, as tropas acomodaram-se e entregaram-se a tudo aquilo que Capoue tinha a oferecer, acostumando-se à vida fácil, o que acabou por lhes custar a guerra. (N.T.)

[15] Tradicional teatro parisiense na região norte da cidade, fundado em 1807 e ainda em atividade. (N.T.)

[16] Isto é, um teatro popular, cujas atrações, muitas vezes melodramáticas e/ou bastante violentas, por vezes, chocavam a noção de "bom gosto" e as "sensibilidades" da alta sociedade daquela época. (N.T.)

– Que seja – disse ele, em um tom claro, em que se notava desafio. – Que seja. Será cada um em seu canto e cada um por si. Vamos ver quem vai ganhar na loteria.

No palco, fileiras de mulheres levantavam a perna cadenciadamente, enquanto desfilavam as últimas tendências. A fofoqueira, uma bela filha pouco vestida, que representava "A Sineira", justificava sua alcunha pelas toneladas de falsas joias, que tilintavam ao seu redor. Uma faixa de pedras multicoloridas cingia-lhe a testa. Lâmpadas elétricas iluminavam-se em seus cabelos.

Dois atos foram encenados. O camarote do proscênio mantinha suas cortinas hermeticamente fechadas, de modo que não se poderia cogitar a presença dos três amigos. Mas, no último intervalo, Raoul, passando do lado daquele camarote, constatou que a porta estava ligeiramente entreaberta. Ele olhou. Ninguém. Informando-se, descobriu que os três senhores tinham deixado o teatro havia já uma meia hora!

– Não há nada a fazer aqui – disse, reunindo-se à condessa. – Eles se foram.

Naquele momento, a cortina levantou-se outra vez. A fofoqueira apareceu de novo em cena. Seu penteado menos carregado permitia ver melhor a faixa que usava na testa desde o começo. Era uma fita de tecido de ouro onde grandes cabochões, de cores bem diferentes, encontravam-se incrustrados. Havia sete ali.

"Sete!", pensou Raoul. "Aí está algo que explica a vinda de Beaumagnan."

Enquanto Joséphine Balsamo aprontava-se, soube por uma funcionária que a fofoqueira da sátira, Brigitte Rousselin, morava em uma antiga casa em Montmartre, de onde todos os dias ela saía para assistir aos ensaios da próxima peça, junto de uma velha criada muito dedicada.

No dia seguinte, às onze horas da manhã, Raoul emergia d'*A Indiferente*. Almoçou em um restaurante de Montmartre e, ao meio-dia, seguindo por uma rua escarpada e tortuosa, passou diante de uma pequena casa estreita, precedida por um pátio que acabava em um muro e apoiava-se em um prédio de apartamentos, cujo último andar – as janelas sem cortinas bastavam para o indicar – não tinha locatário.

Raoul logo elaborou, com sua habitual rapidez de pensamento, um daqueles planos que executava em seguida quase mecanicamente. Ficou andando de um lado para o outro, como um homem que espera alguém para um encontro. De repente, vendo que a concierge do prédio varria a calçada, ele deslizou por trás da mulher, subiu os andares, arrombou a porta do apartamento vazio, abriu para o lado uma das janelas que davam para o teto da casa vizinha, assegurou-se de que ninguém o podia ver, e saltou.

Bem perto, uma claraboia rangeu. Ele se deixou cair em um sótão coberto de objetos fora de uso, e de onde só era possível descer por um alçapão que funcionava mal e cuja porta mal se abria para passar a cabeça. De lá, via-se o patamar do segundo andar e, em parte, a escadaria. Mas não havia escada para sair dali.

Abaixo, isto é, no primeiro antar, duas vozes femininas trocavam algumas palavras. Inclinando-se o máximo possível, Raoul escutou e se deu conta, depois de alguns comentários, que a jovem fofoqueira da sátira estava almoçando em sua sala, e que sua companheira, única empregada da casa, arrumava o quarto e o lavabo, enquanto a servia.

– Acabou – exclamou Brigitte Rousselin, voltando para seu quarto. – Ah, minha querida Valentine, que alegria! Nada de ensaios hoje! Vou deitar mais um pouco até a hora de sair...

Aquele dia de descanso atrapalhava um pouco os cálculos de Raoul, que esperava, com a ausência de Brigitte Rousselin, efetuar tranquilamente uma visita domiciliar. Ainda assim, foi paciente, contando com o acaso.

Alguns minutos se passaram. Brigitte cantarolava as árias da sátira quando um toque de campainha ressoou no pátio.

– Curioso. – disse ela. – Não estou esperando ninguém hoje. Mas vá lá ver, Valentine.

A criada desceu as escadas. Escuta-se o bater da porta fechando-se outra vez, e ela sobe dizendo:

– É do teatro... Um secretário do diretor trouxe uma carta.

– Dê-me. Você o convidou a esperar na sala?

– Sim.

Raoul vislumbrava no primeiro andar a saia da jovem atriz. A criada entregou-lhe o envelope que logo foi rasgado, e Brigitte leu a meia-voz:

"Minha querida Rousselin, entregue, portanto, a meu secretário a faixa de pedras que a senhora usa na cabeça. Preciso dele para tirar o modelo. É urgente. A senhora o reencontrará essa noite, no teatro."

Escutando aquelas poucas palavras, Raoul sobressaltou-se:

"Ora, ora, a faixa de pedras", pensou. Os sete cabochões. Será que o diretor também está seguindo a pista? E Brigitte Rousselin vai obedecê-lo?

·Ele foi tranquilizado. A moça murmurava:

– Não é possível. Já prometi essas pedras.

– Que problema – objetou a criada. – O diretor não ficará contente.

– O que você quer que eu faça? Eu prometi e devem me pagar bem caro por elas.

– Então o que respondemos?

– Vou escrever a ele – decidiu Brigitte Rousselin.

Ela retornou para sua sala e, um instante depois, devolvia um envelope à criada.

– Você conhece esse secretário? Já o viu no teatro?

– Juro que não, é alguém novo.

– Peço que ele diga ao diretor que lamento e que lhe explicarei tudo esta noite pessoalmente.

Valentine saiu outra vez. De novo, passou um tempo bastante longo. Brigitte se sentara ao piano e fazia exercícios de canto, que sem dúvida abafaram o barulho da porta principal, pois Raoul não o escutou.

Em seu canto, sentia certo incômodo, perturbado pelo incidente que não lhe parecia muito claro. Aquele secretário que ninguém conhecia, pedindo as joias, tudo aquilo cheirava a uma armadilha e a um plano desonesto.

Ainda assim, ele se tranquilizou. Uma sombra passou pela porta, dirigindo-se até a salinha.

ARSÈNE LUPIN E A CONDESSA DE CAGLIOSTRO

– Deve ser Valentine voltando – disse Raoul a si mesmo. – Minha impressão estava errada. O homem se foi.

Mas, de repente, no meio de um estribilho, o piano silenciou do nada, o banquinho sobre o qual a cantora estava sentada foi arrastado bruscamente e caiu, e ela articulou com uma certa preocupação:

– Quem é o senhor...? Ah, o secretário, não é? O novo secretário... Mas afinal o que o quer, meu senhor...?

– O senhor diretor ordenou que eu levasse as joias. Então, preciso insistir... – disse a voz do homem.

– Mas eu lhe respondi... – balbuciou Brigitte, cada vez mais ansiosa...

– A criada deve ter lhe entregado a carta... Por que ela não subiu com o senhor? Valentine!

Ela chamou várias vezes, com um tom aflitivo.

– Valentine...! Ah, o senhor está me assustando... Seus olhos...

A porta foi brutalmente fechada. Raoul entreouviu um ruído de cadeiras, o estrondo de luta, depois um alto grito:

– Socorro!

Isso foi tudo. Aliás, no exato segundo em que ele pressentiu o perigo que Brigitte Rousselin estava correndo, ele tentou levantar o alçapão um pouco mais para se espremer pela passagem. Para tanto, foi-lhe preciso perder um tempo precioso. Depois do qual se deixou cair, despencando no segundo andar, e se viu diante de três portas fechadas.

Ao acaso, lançou-se em direção a uma delas e adentrou um cômodo na mais completa desordem. Não vendo ninguém ali, correu através do aposento até o banheiro, depois até o quarto onde acreditava que a luta tinha continuado.

Logo, de fato, avistou na semiescuridão, pois as cortinas da janela estavam quase fechadas, um homem de joelhos e, jazendo sobre o tapete, uma mulher que este homem estrangulava com as duas mãos. Gemidos de dor se misturaram a abomináveis blasfêmias.

– Meu Deus do céu, você vai calar essa boca. Ah, caramba, você não vai entregar as joias, né? Então, minha querida...

O ataque de Raoul, que se atirou sobre ele com uma violência esmagadora, fez com que soltasse a presa. Os dois saíram rolando até a lareira, onde Raoul bateu a testa com força o bastante para ficar alguns segundos desacordado.

Além disso, o assassino era mais pesado do que ele, e o duelo não podia ir muito longe entre o adolescente esguio e aquele homem, que se revelava encorpado e com poderosa musculatura. De fato, ao fim de um instante, um dos dois se levantou, enquanto o outro permaneceu estendido, dando fracos suspiros. Mas aquele que estava de pé não era outro senão Raoul.

– Um belo golpe, hein, meu senhor? – zombou ele. – Recebi instruções póstumas de um certo senhor Théophraste Lupin, mestre em artes japonesas. Isso o envia durante uns bons minutos para um mundo melhor e o torna inofensivo como um carneirinho.

Ele se inclinou sobre a jovem atriz e, tomando-a em seus braços, deitou-a na cama. Ele logo viu que o terrível aperto do assassino não teria consequências para se temer. Brigitte Rousselin respirava à vontade. Nenhum ferimento era visível. Mas todos os membros dela tremiam e ela olhava com olhos de louca.

– A senhorita está sentindo dor? – perguntou ele docemente. – Não, certo? Não vai ser nada. E não precisa ter medo. A senhorita não precisa temer mais nada dele, e, para deixá-la mais segura...

Agilmente, puxou as cortinas, arrancou os cordões usados para abri-las e amarrou os pulsos inertes do homem. Com um pouco de luz penetrando no cômodo, ele virou o assassino até a janela antes de examinar seu rosto.

Um grito lhe escapou. Estava confuso. E murmurou estupefato:

– Léonard... Léonard...

Nunca tivera a ocasião de ver bem de frente aquele homem, geralmente curvado no assento da carruagem, enfiando sua cabeça entre os ombros, e dissimulando sua altura a tal ponto que Raoul achava que era quase corcunda e doentio. Mas ele conhecia seu perfil ossudo alongado por uma barba grisalha, e não teve a menor dúvida: era Léonard, o faz-tudo e o braço direito de Joséphine Balsamo.

Acabou de amarrá-lo, amordaçou-o solidamente, envolveu sua cabeça em um lenço, e o arrastou em seguida até a saleta, onde o prendeu aos pés de um pesado divã. Depois voltou até a jovem que continuava a gemer.

– Acabou – disse ele. – A senhorita não o verá mais. Descanse. Já *eu* vou me ocupar de sua criada e descobrir o que foi feito dela.

Quanto a isso, não estava preocupado, e, como supunha, descobriu Valentine no andar térreo, em um canto do salão, exatamente no mesmo estado em que ele acabava de deixar Léonard, isto é, reduzida à impotência e ao silêncio. Era uma mulher e tanto. Uma vez liberta, e sabendo que seu agressor não era mais capaz de lhe fazer mal, não se desesperou e conformou-se às ordens de Raoul, que lhe dizia:

– Sou um agente da polícia secreta. Salvei a sua patroa. Vá se juntar a ela e cuide dela. Quanto a *mim*, vou interrogar aquele homem e descobrir se ele não tem cúmplices.

Raoul a levou até a escada, com pressa para ficar sozinho e refletir sobre as ideias confusas que o assediavam. Ideias tão penosas que, por um momento, quase tentou eliminá-las, e se tivesse escutado seu instinto, deixando ao acaso o cuidado de remediar a situação, teria abandonado o campo de batalha e fugido para a casa vizinha.

Mas uma visão nítida das coisas que precisava fazer se estabelecia em sua mente de forma nítida demais para que que conseguisse não a obedecer. Toda sua vontade crescente de líder, que sabe se virar e manter o autocontrole nas circunstâncias mais trágicas, obrigava-o à ação. Atravessou o pátio e, com um gesto muito lento, girou a maçaneta da porta principal que assim entreabriu-se ligeiramente.

Pela venda, ariscou uma olhadela: do outro lado da rua, um pouco mais abaixo, a velha carruagem estava estacionada.

No assento, um criado bem jovem, que vira várias vezes com Léonard e que se chamava Dominique, vigiava o cavalo.

Mas dentro do veículo haveria algum outro cúmplice? E quem seria tal cúmplice?

Raoul não fechou a porta de novo. Suas suspeitas confirmavam-se, e agora nada no mundo o impedia de ir até o fim. Portanto, subiu outra vez ao primeiro andar e se inclinou sobre o prisioneiro.

Um detalhe chamou-lhe a atenção durante a luta: um grande apito de madeira mantido no lugar por uma corrente escapara de um dos bolsos de Léonard, e este, apesar do perigo, pegara-o de volta com um movimento mecânico, como se temesse perder tal instrumento. E a questão colocava-se assim na mente de Raoul: o apito devia servir em caso de perigo para mandar o cúmplice embora? Ou então, bem ao contrário, era um sinal para chamar o cúmplice quando a tarefa toda estivesse cumprida?

Raoul adotou essa hipótese, mais talvez por intuição do que por reflexão. Então abriu a janela apenas pelo tempo necessário para dar uma apitada.

E, posicionado atrás das cortinas de tule, esperou.

Seu coração saltava em seu peito. Nunca antes sentira esse sofrimento amargo e terrível. No fundo, não tinha dúvidas de quem estava quase para chegar e conhecia a silhueta que ia aparecer no vão da porta. Mas, mesmo assim, contra todas as evidências, queria ter esperança. Não admitia, não consentia em admitir que, naquele caso tenebroso, o assassino Léonard tinha como cúmplice...

A pesada porta foi empurrada.

– Ah! – exclamou Raoul, desesperado.

Joséphine Balsamo acabava de entrar.

Ela entrou calmamente, com tanta desenvoltura quanto teria se estivesse visitando uma amiga. No instante em que Léonard apitara, a via estava livre, e ela nada mais tivera de fazer senão se apresentar. Envolvida em seu véu, atravessou rapidamente o pátio e penetrou na casa.

De pronto, Raoul reconquistava toda sua calma. Seu coração se tranquilizou. Estava prestes a enfrentar aquela segunda adversária, como havia combatido o primeiro, com armas diferentes, mas igualmente eficazes. Chamou Valentine a meia-voz e lhe disse:

– Não importa o que acontecer, não diga uma palavra. Há contra Brigitte Rousselin um complô que quero combater. Aqui está um dos cúmplices. Silêncio absoluto, certo?

A criada propôs:

– Eu posso ajudá-lo, meu senhor... Vou correndo até o comissário...

– De modo algum. Se o caso vier a público, corre-se o risco de que tudo corra mal para sua patroa. Eu respondo por tudo, mas com a condição de que nenhum ruído venha daquele quarto, nenhum!

– Está certo, meu senhor.

Raoul fechou as duas portas de comunicação. Assim, o cômodo onde Brigitte Rousselin encontrava-se e aquele onde a partida iria ser jogada entre Josine e ele estavam claramente separadas. Como ele desejava, nenhum ruído podia passar de um cômodo a outro.

Naquele momento, Joséphine Balsamo saiu do *hall* de entrada. Ela o viu.

E ela reconheceu pelas roupas o corpo amarrado de Léonard.

Raoul teve imediatamente a noção exata de como Joséphine Balsamo poderia, em certos momentos sérios, ter pleno controle de si mesma. Longe de se amedrontar ao constatar a presença inesperada de Raoul e a desordem de um recinto onde Léonard estava preso, começou por refletir, dominando seus nervos de mulher e a agitação que a sacudia, e era fácil compreender o que ela estava se perguntando:

– O que isso quer dizer? O que Raoul está fazendo aqui? Quem afinal amarrou Léonard?

Por fim, retirando seu véu, perguntou simplesmente, pois era aquilo, com toda certeza, o que mais a atormentava:

– Por que está me olhando assim, Raoul?

Ele levou um certo tempo para lhe responder. As palavras que ia pronunciar eram aterradoras, e ele a observava para não perder um único estremecimento de seus músculos, ou tampouco um piscar de olhos que fosse. Murmurou:

– Brigitte Rousselin foi assassinada.

– Brigitte Rousselin?

– Sim, a atriz de ontem à noite, aquela da faixa de pedrarias, e você não ousará dizer que não sabe quem é essa mulher, já que está aqui, na casa dela, e já que encarregou Léonard de avisá-la, assim que a tarefa estivesse realizada.

Ela pareceu transtornada.

– Léonard? É mesmo Léonard?

– Sim – afirmou. – Foi ele quem matou Brigitte. Eu o surpreendi segurando-a pelo pescoço com as duas mãos.

Ele a viu tremendo, e ela caiu sentada, balbuciando:

– Ah, aquele miserável… Aquele miserável… Será possível que ele tenha feito isso?

E ainda mais baixo, com um assombro que crescia a cada palavra:

– Ele matou… Ele matou… Será possível? No entanto, havia me jurado que nunca mataria… Ele me havia jurado… Oh, não consigo acreditar…

Ela estava sendo sincera ou encenando uma peça? Léonard havia agido por impulso de uma loucura súbita ou segundo as instruções que lhe ordenavam o crime quando o truque fracassasse? Perguntas temíveis que Raoul se fazia sem conseguir respondê-las.

Joséphine Balsamo levantou outra vez a cabeça, observou Raoul com seus olhos cheios de lágrimas, depois, bruscamente, lançou-se sobre ele, com as mãos unidas.

– Raoul… Raoul… Por que você está me olhando assim? Não… Não… certo? Você não está me acusando, não é? Ah, isso seria terrível… Você poderia acreditar que eu sabia…? Que eu mandei ou permiti esse crime abominável…? Não… Jure-me que você não acredita nisso. Oh! Raoul… meu Raoul…

Com certa rispidez, ele a forçou a se sentar. Em seguida, empurrou Léonard para um canto escuro. E, após dar alguns passos andando de um lado para o outro, voltou até a Cagliostro e a pegou pelos ombros.

– Escute-me, Josine – declarou lentamente, com uma voz que era aquela de um acusador, e até mesmo a de um adversário, muito mais do que a de

Arsène Lupin e a condessa de Cagliostro

um amante. – Escute-me. Se, em meia hora, você não tiver lançado todas as luzes sobre este caso, e sobre as maquinações secretas que o complicam, passarei a agir contra você como agiria contra uma inimiga mortal; por bem ou por mal, vou afastá-la dessa casa, e sem a menor hesitação vou denunciar na delegacia de polícia mais próxima o crime que seu cúmplice Léonard acaba de cometer contra a pessoa de Brigitte Rousselin... Depois disso, você que se vire. Quer falar agora?

DUAS VONTADES

A guerra estava declarada, e se dera no momento escolhido por Raoul, uma vez que tinha toda a sorte a seu favor, e que Joséphine Balsamo, pega desprevenida, enfraquecia-se sob um ataque que ela nunca poderia ter suposto, tão violento quanto implacável.

É claro que uma mulher de seu temperamento não poderia consentir com a derrota. Ela queria resistir. Não admitia que o terno e maravilhoso amante que era Raoul d'Andrésy pudesse assim, com o primeiro golpe, levantar-se como senhor e lhe impor o forte aperto de sua vontade. Recorreu às carícias, aos choros, às promessas, a todos os artifícios femininos. Raoul mostrou-se impiedoso.

– Você vai falar! Já estou farto de ficar nas trevas. Você pode reverenciá-las, eu não. Preciso de profunda claridade.

– Mas em relação a quê? – gritou ela, exasperada. – Sobre minha vida?

– Sua vida pertence a você – disse Raoul. – Esconda seu passado se tem medo de desvelá-lo ante meus olhos. Bem sei que você sempre será um enigma para mim e para todo mundo, e que nunca seu belo rosto me informará sobre aquilo que se agita no fundo de sua alma. Mas o que eu quero saber é o lado da sua vida que toca a minha. Temos um objetivo compartilhado. Mostre para mim o caminho que você está trilhando. Do contrário, corro o risco de me deparar com o crime, e eu não quero isso!

Deu um soco no ar.

– Está escutando, Josine? Não quero matar! Roubar, sim. Invadir, que seja! Mas matar, não, mil vezes não!

– Eu também não quero – disse ela.

– Talvez, mas você manda que matem.

– Mentira!

– Então, fale. Explique-se.

Ela torcia as mãos. Protestou e gemeu:

– Não posso... Não posso...

– Por quê? O que a impede de me contar o que você sabe sobre o caso, tudo aquilo que Beaumagnan revelou para você?

– Eu preferiria não envolver você em tudo isso – murmurou ela. – Não colocá-lo contra aquele homem.

Ele gargalhou.

– Você tem medo por mim, talvez? Ah, que bom pretexto! Fique tranquila, Josine. Não tenho medo de Beaumagnan. Há outro adversário que temo bem mais do que ele.

– Quem?

– Você, Josine.

Ele repetiu mais duramente:

– Você, Josine. E é por isso que eu quero a luz. Assim, quando eu a olhar bem de frente, não terei mais medo. Você já se decidiu?

Ela balançou a cabeça.

– Não – disse ela. – Não.

Raoul perdeu a calma.

– Isso quer dizer que você não confia em mim. Que beleza de caso! E você quer guardá-lo inteirinho. Que seja. Vamos embora. Lá fora você julgará melhor a situação.

Ele a pegou em seus braços e a jogou sobre seu ombro, como havia feito na primeira noite, aos pés da falésia. E assim carregando-a, dirigiu-se até a porta.

– Pare – disse ela.

Aquela demonstração de força, exibida com incrível facilidade, acabou por dobrá-la. Ela sentia que não devia provocá-lo mais.

– O que você quer saber? – perguntou, uma vez que ele a sentou de novo.

– Tudo – replicou ele. – E, primeiro, o motivo da sua presença aqui e a razão pela qual aquele miserável matou Brigitte Rousselin.

Ela declarou:

– A faixa de pedras...

– Elas não têm valor! São pedras quaisquer, falsas granadas, falsos topázios, berilos, opalas...

– Sim, mas há sete delas.

– E depois? Ele a devia matar? Era tão simples esperar e vasculhar os aposentos na primeira oportunidade.

– Evidentemente, mas parecia que outros estavam seguindo também a mesma pista.

– Outros?

– Sim, esta manhã, logo cedo, sob minhas ordens, Léonard informou-se sobre essa Brigitte Rousselin, cujo diadema eu notei ontem à noite, e ele veio me dizer que algumas pessoas estavam rodeando essa casa.

– Pessoas? Quem será?

– Emissários da Belmonte.

– Aquela mulher que está envolvida no caso?

– Sim, nós a encontramos em toda parte.

– E depois? – repetiu Raoul. – Isso era lá motivo para matar?

– Ele deve ter perdido a cabeça. Errei em lhe dizer: "Eu preciso daquela faixa custe o que custar."

– Está vendo, está vendo? – gritou Raoul. – Estamos à mercê de um selvagem que perde a cabeça e que mata de maneira idiota, estúpida. Vamos, é preciso acabar com isso. Estou pensando aliás que as pessoas que estavam por aqui esta manhã foram enviadas por Beaumagnan. Ora, você não é páreo para medir forças com Beaumagnan. Deixe-me escolher o caminho. Se você quer ter sucesso, será por minha causa, unicamente por minha causa que o terá.

Josine se encolhia. Raoul afirmava sua superioridade em um tom que demonstrava tal convicção que ela a sentia na pele, por assim dizer. Ela o viu mais alto do que era e mais poderoso, mais hábil do que todos os homens que já havia conhecido, armado de uma mente mais sutil, de um olhar mais agudo, de meios de ação mais diversificados. Inclinou-se diante daquela vontade implacável e diante daquela energia que nenhuma consideração poderia envergar.

– Que seja – declarou. – Vou falar. Mas por que conversar aqui?

– Aqui e em nenhum outro lugar – articulou Raoul, bem sabendo que, se Cagliostro se recompusesse, ele nada obteria.

– Que seja – disse ela de novo, prostrada. – Que seja, eu cedo, já que nosso amor está em jogo e você parece fazer tão pouco caso disso.

Raoul experimentou um sentimento profundo de orgulho. Pela primeira vez, tomou consciência do domínio que exercia sobre os outros e da potência realmente extraordinária com a qual impunha suas decisões.

Claro, a Cagliostro não dispunha ali de todos os seus recursos. A suposta morte de Brigitte Rousselin tinha de alguma maneira despedaçado seu poder de resistência, e o espetáculo de Léonard amarrado intensificava sua crise nervosa. Mas *ele* tinha agarrado rapidamente a ocasião que se apresentava e aproveitado todas as suas vantagens para estabelecer, pela ameaça e pelo medo, pela força e pela astúcia, sua vitória definitiva!

Agora, era senhor da situação. Obrigara Joséphine Balsamo a se render, e disciplinara ao mesmo tempo seu próprio amor. Beijos, carícias, manobras de sedução, feitiço da paixão, encantamento do desejo, não temia mais nada, já que fora até o próprio limite do rompimento.

Retirou a toalha que recobria a mesinha de centro e a atirou sobre Léonard, depois voltou e tomou lugar ao lado de Josine.

– Estou escutando.

Ela lhe lançou um olhar que revelava rancor e raiva impotente e então murmurou:

– Você está errado. Você está aproveitando de uma fraqueza passageira para exigir de mim um relato que eu lhe teria feito mais cedo ou mais tarde de bom grado. É uma humilhação inútil, Raoul.

Ele repetiu duramente:

– Estou escutando.

Então, ela disse:

– Foi você quem pediu. Acabemos com isso e o mais rápido possível. Vou poupá-lo de todos os detalhes para ir direto ao ponto. Não vai levar muito tempo, nem será complicado. Um simples relatório. Então, há vinte e quatro anos, durante os meses que precederam a guerra de 1870 entre a França e a Prússia, o cardeal de Bonnechose, arcebispo de Ruão e senador, em uma viagem para realização de crismas no País de Caux, foi surpreendido por uma tempestade terrível e precisou refugiar-se no castelo de Gueures, onde então morava seu último proprietário, o Cavaleiro des Aubes. Lá ele jantou. De noite, quando o cardeal se retirava para o quarto que lhe haviam preparado, o Cavaleiro des Aubes, um velhinho de quase noventa anos, bem encarquilhado, mas ainda tendo a cabeça boa, solicitou dele uma conversa particular, que foi imediatamente combinada e que durou bastante tempo. Eis o resumo das estranhas revelações que então escutou o cardeal de Bonnechose, resumo que escreveu mais tarde e do qual não mudarei nem uma única palavra. É o seguinte. Eu o sei de cor:

Meu senhor, eu não o surpreenderei se lhe disser que meus primeiros anos se passaram no meio da grande tormenta revolucionária", começou o velho cavaleiro. "Na época do Terror, eu tinha doze anos, era órfão e acompanhava todos os dias minha tia do lado des Aubes à prisão vizinha, onde distribuía refeições e cuidava dos doentes. Tinham prendido ali toda sorte de pessoas pobres que julgavam e condenavam ao bel-prazer e foi assim, no que me concerne, que tive a ocasião de conhecer um bravo homem do qual ninguém sabia o nome e tampouco sabiam o porquê nem por qual

ARSÈNE LUPIN E A CONDESSA DE CAGLIOSTRO

denúncia havia sido preso. As cortesias que lhe dirigi e minha piedade lhe inspiraram confiança. Ganhando sua afeição, e na noite do dia em que fora julgado por sua vez, e condenado, ele me disse:

Minha criança, amanhã, ao nascer do sol, os guardas me conduzirão ao cadafalso e morrerei sem que se saiba quem eu fui. Eu quis que fosse assim. Mesmo a você, não contarei quem sou. Mas os acontecimentos exigem que eu faça algumas confidências, e que eu lhe peça para escutá-las como um homem e, mais tarde, para levá-las em conta com a lealdade e o sangue-frio de um homem. A missão da qual lhe encarrego é de uma importância considerável. Estou convencido, minha criança, que você saberá se portar à altura de tamanha tarefa, e guardar, não importa o que aconteça, um segredo do qual dependem os mais sérios interesses.

"Contou-me em seguida", continuou o Cavaleiro des Aubes, "que era padre e, como tal, depositário de riquezas incalculáveis transformadas em pedras preciosas de tamanha pureza que o máximo valor fora atingido, para cada uma delas, sob o volume mais reduzido. Conforme era feita aquela aquisição, essas pedras haviam sido colocadas de lado no fundo do esconderijo mais original que há. Em um canto do País de Caux, em um espaço livre, onde todo mundo podia passear, erguia-se uma dessas enormes pedras que serviam e que servem ainda para marcar o limite de algumas propriedades, campos, hortas, pradarias, bosques, etc. Esse limite de granito enfiado quase inteiramente no solo, e cercado de moitas, era traspassado em sua extremidade superior por duas ou três aberturas naturais, tampadas com terra, onde cresciam plantinhas miúdas e flores selvagens.

"Era ali, por qualquer uma daquelas aberturas das quais retirava-se a porção de terra, logo recolocada cuidadosamente no lugar; era ali, naquele cofrinho a céu aberto, que escondiam as magníficas pedras preciosas. Atualmente, como as cavidades estavam cheias e nenhum outro esconderijo havia sido escolhido, guardavam já há alguns anos as pedras recém-adquiridas em um baú de madeira da Ilhas, que o próprio padre havia enterrado ao pé do marco, alguns dias antes de sua prisão.

"Ele me indicou com muita precisão o endereço e me comunicou uma fórmula composta de uma única palavra, que, em caso de esquecimento, designava o local de uma maneira rigorosa.

"Tive então de lhe prometer que, tão logo os dias ficassem mais tranquilos, isto é, em uma data que estimou muito justamente ser distante dos vinte anos, eu iria, primeiro, assegurar-me de que tudo estava no lugar certo, e que a partir dessa data assistiria todos os anos à grande missa celebrada no domingo de Páscoa na igreja da aldeia de Gueures.

"Um domingo de Páscoa, de fato, eu perceberia ao lado da fonte de água benta um homem vestido de preto. Assim que eu dissesse meu nome àquele homem, ele deveria conduzir-me até um castiçal de cobre de sete braços não longe dali, que somente era aceso em dias de festa. Já *eu* deveria responder logo ao seu gesto, confiando-lhe a fórmula da localização.

"Entre nós, aqueles eram os dois sinais de reconhecimento. Depois do que eu o guiaria até o marco de granito.

"Eu prometi em nome de minha salvação eterna que me submeteria cegamente às instruções dadas! No dia seguinte, o digno padre subia no cadafalso.

"Meu senhor, ainda que muito jovem, mantive religiosamente meu juramento de discrição. Quando minha tia do lado dos Des Aubes morreu, fui alistado como soldado aprendiz e participei, em seguida, em todas as guerras do Diretório e do Império. Com a queda de Napoleão, estando então com trinta e três anos, destituído de minha patente de coronel, primeiro, dirigi-me ao esconderijo, onde facilmente avistei o marco de granito; depois, no domingo de Páscoa de 1816, fui até a igreja de Gueures e vi, sobre o altar, o candelabro de cobre. Naquele domingo, o homem vestido de preto não estava diante da fonte de água benta.

"Fui outra vez até lá no domingo de Páscoa seguinte, e cada domingo do resto do ano, pois, nesse meio-tempo, havia comprado o castelo de Gueures que se encontrava à venda e, por sorte, como um soldado escrupuloso, eu montava guarda junto ao posto que me haviam designado. E esperava.

Arsène Lupin e a condessa de Cagliostro

"Meu senhor, eis que faz cinquenta e cinco anos que espero. Ninguém veio, e nunca ouvi falar do que quer que seja que tenha a menor relação com essa história. O marco não saiu do lugar. O candelabro é aceso nos dias prescritos pelo sacristão de Gueures. Mas o homem vestido de preto não veio ao encontro.

"O que devo fazer? A quem devo me dirigir? Tentar uma apelação junto à autoridade eclesiástica? Pedir uma audiência com o rei da França? Não, minha missão era estritamente definida. Não tinha o direito de interpretá--la à minha maneira.

"Eu me calei. Mas que debate de consciência! Que escrúpulos dolorosos! Que angústia ante a ideia de que eu poderia morrer e levar comigo para o túmulo um segredo tão formidável!

"Meu senhor, desta noite em diante, todas as minhas dúvidas e todos os meus escrúpulos estão dissipados. Sua vinda fortuita para esse castelo me parece uma manifestação inegável da vontade divina. O senhor retém, ao mesmo tempo, o poder religioso e o poder temporal. Como arcebispo, representa a Igreja. Como senador, representa a França. Não corro o risco de me enganar ao lhe fazer tais revelações que interessam tanto a uma quanto à outra. De agora em diante, cabe ao senhor escolher, meu senhor! Aja. Negocie. E quando o senhor tiver me dito nas mãos de quem deve ser devolvido o sagrado tesouro, eu lhe darei todas as indicações necessárias.

"O cardeal de Bonnechose havia escutado sem interromper. Não pode se conter e confessou ao Cavaleiro des Aubes que a história o deixava um pouco incrédulo. Diante disso, o cavaleiro saiu e voltou ao fim de um instante com um pequeno baú em madeira das Ilhas.

Aqui está o baú do qual me foi falado e que encontrei no local indicado. Pareceu-me mais sábio mantê-lo em minha casa. Leve-o, meu senhor, e mande avaliar as quase cem pedras preciosas guardadas aí. O senhor acredita agora que minha história é verídica e que o digno padre não estava errado em aludir a riquezas incalculáveis já que o marco de granito continha, segundo ele afirmou, dez mil pedras tão belas quanto estas aqui.

"A insistência do cavaleiro e as provas que apresentava bastaram para o cardeal que se engajaria desde então a perseguir o caso e a chamar o velhinho para perto de si tão logo uma solução pudesse ser implementada.

"A conversa acabou com aquela promessa, que o arcebispo tinha o firme propósito de manter, mas cuja execução foi atrasada pelos acontecimentos subsequentes. Esses acontecimentos você já conhece. Primeiro, houve a declaração de guerra entre a França e a Prússia e os desastres que se seguiram. Os pesados encargos de sua função o absorviam. O Império desmoronou. A França foi invadida. E os meses passaram.

"Quando Ruão foi ameaçada, o cardeal, desejando enviar para a Inglaterra alguns documentos aos quais atribuía importância, teve a ideia de acrescentar ao pacote o baú do cavaleiro. No dia 4 de dezembro, véspera do dia em que os alemães iam entrar na cidade, um criado de confiança, o Sr. Jaubert, conduziu ele mesmo um cabriolé que seguiu pela estrada do Havre onde Jaubert devia embarcar.

"Dois dias mais tarde, o cardeal ficava sabendo que o cadáver de Jaubert tinha sido encontrado em uma ravina da floresta de Rouvray, a dez quilômetros de Ruão. Entregaram ao cardeal a mala de documentos. Quanto ao cabriolé e ao cavalo, desapareceram, assim como o baú de madeira das Ilhas. As informações recolhidas estabeleciam que o desafortunado criado devia ter caído nas mãos de uma patrulha de reconhecimento da cavalaria alemã, que tinha se aventurado para além de Ruão para pilhar os carros dos ricos burgueses em fuga para o Havre.

"O azar continuou. No começo de janeiro, o cardeal recebeu um emissário do Cavaleiro des Aubes. O idoso não conseguira sobreviver à derrota de seu país. Antes de morrer, havia rabiscado as seguintes frases, quase ilegíveis:

A palavra da fórmula que designa a localização do marco está gravada no fundo do baú... Escondi o candelabro de cobre em meu jardim.

"Assim, nada mais restava da aventura. Como o baú fora roubado, nenhuma prova permitia afirmar que a narrativa do Cavaleiro des Aubes

ARSÈNE LUPIN E A CONDESSA DE CAGLIOSTRO

continha a menor parcela de verdade. Ninguém sequer tinha visto as pedras. Eram elas verdadeiras? Melhor do que isso: existiam mesmo para além da imaginação do cavaleiro? E o baú não servia simplesmente de caixa para algumas joias de teatro e algumas pedras coloridas?

"A dúvida invadiu pouco a pouco o espírito do cardeal, uma dúvida bastante tenaz para que se decidisse, no fim das contas, em se manter em silêncio. O relato do Cavaleiro des Aubes devia ser considerado como uma divagação de ancião. Teria sido perigoso espalhar tais tolices. Portanto, ele se calou. Mas..."

– Mas? – repetiu Raoul d'Andrésy, para quem tais tolices pareciam interessar prodigiosamente.

– Mas, antes de tomar uma resolução definitiva – respondeu Joséphine Balsamo –, ele havia escrito essas páginas, essas confissões relativas à conversa que tivera no castelo de Gueures e aos incidentes que se seguiram, confissões que se esqueceu de queimar ou que se perderam e que, depois de sua morte, foram encontradas em um de seus livros de teologia, quando venderam sua biblioteca em um leilão.

– Encontradas por quem?

– Por Beaumagnan.

Joséphine Balsamo tinha contado aquela história mantendo a cabeça baixa, e com uma voz um pouco monótona, como se estivesse recitando uma lição. Levantando os olhos, ficou chocada pela expressão de Raoul.

– O que é que você tem? – perguntou.

– Isso me encanta. Pense, então, Josine, pense então que, de amigo em amigo, por confidências de três anciãos que passaram a tocha, voltamos a mais de um século atrás e que, de lá, nós nos atemos a uma lenda, a um segredo formidável que data da Idade Média, eu diria. A corrente não se rompeu. Todos os elos estão no lugar. E, como último anel dessa corrente, eis que aparece Beaumagnan. O que fez então Beaumagnan? Ele deve ser declarado digno de seu papel ou deve ser despojado dele? Devo associar--me a ele ou lhe arrancar a tocha?

A exaltação de Raoul convenceu Cagliostro de que ele não lhe permitiria interromper. Ainda assim, ela hesitava, pois as palavras mais importantes, talvez, em todo caso as mais sérias, já que se tratava de seu próprio papel, não haviam sido ditas. Mas ele lhe disse:

– Continue, Josine. Estamos em uma estrada magnífica. Caminhemos juntos, e alcançaremos juntos a recompensa que está ao alcance de nossas mãos.

Ela continuou:

– Beaumagnan pode ser explicado em uma palavra: é um ambicioso. Desde o começo, colocou sua vocação religiosa, que é real, ao serviço de sua ambição, que é desmesurada, e tanto uma quanto outra o conduziram a se infiltrar na Companhia de Jesus onde ocupa um cargo considerável. A descoberta da confissão subiu-lhe à cabeça. Vastos horizontes se abriram à sua frente. Ele chegou a convencer alguns de seus superiores, incitou-os em prol da conquista das riquezas e conseguiu que fizessem jogar a favor de sua empreitada todas as influências das quais dispõem os jesuítas.

"Logo agrupou em torno de si uma dúzia de nobres do campo mais ou menos honrados e mais ou menos endividados, aos quais não desvelou nada além de uma parte do caso, e os quais organizou em uma verdadeira associação de conspiradores prontos a todas as tarefas. Cada um tinha seu campo de ação, para cada um, uma esfera de investigações. Beaumagnan os mantinha pelo dinheiro, que esbanjava.

"Dois anos de pesquisas minuciosas culminaram em resultados que não são desprezíveis. Primeiro de tudo, soube-se que o padre decapitado se chamava frei Nicolas, tesoureiro da abadia de Fécamp. Em seguida, como fuçavam os arquivos secretos e os velhos cartulários, descobriu-se algumas correspondências curiosas outrora trocadas entre todos os monastérios da França, e pareceu estabelecido que, desde um tempo muito antigo, havia uma circulação de dinheiro que era como um dízimo pago benevolamente por todas as instituições religiosas e recolhido apenas pelos monastérios do País de Caux. Parecia constituir um tesouro comum, uma reserva

Arsène Lupin e a condessa de Cagliostro

inesgotável para apoiar possíveis combates ou para empreender cruzadas. Um conselho de tesouraria, composto de sete membros, gerenciava essas riquezas, mas só um deles conhecia a localização.

"A Revolução tinha destruído todos aqueles monastérios. Mas as riquezas existiam. O frei Nicolas fora delas o último guardião."

Um grande silêncio prolongou as palavras de Joséphine Balsamo. A curiosidade de Raoul não decepcionara, e ele experimentava uma viva emoção. Murmurou com um entusiasmo contido:

– Como tudo isso é lindo! Que magnífica aventura! Sempre tive a certeza de que o passado havia legado ao presente esses tesouros fabulosos, cuja busca toma inevitavelmente a forma de um insolúvel problema. Como poderia ser de outra forma? Nossos ancestrais não dispunham como nós de caixas-fortes e de porões no Banco da França. Eram obrigados a escolher esconderijos naturais onde amontoavam o ouro e as joias, e cujo segredo transmitiam por alguma fórmula mnemotécnica que era como o segredo da fechadura. Quando um cataclismo sucedeu, o segredo foi perdido, e perdido o tesouro tão sofridamente acumulado.

Sua efervescência crescia e declamava alegremente:

– Mas não será o caso deste aí, Joséphine Balsamo, e é um dos mais fantásticos. Se o frei Nicolas disse a verdade, e tudo o atesta, se as dez mil pedras preciosas foram guardadas no estranho cofrinho, isso dará algo próximo a um bilhão de francos, que será preciso avaliar. Esses bens legados pela Idade Média[17], todo esse esforço de milhões e milhões de monges, essa gigantesca oferenda de todos os povos cristãos e das grandes épocas do fanatismo, tudo isso que está nas entranhas do marco de granito, no meio de um pomar normando! Não é incrível?

Ele se sentou outra vez bruscamente ao lado da jovem como se quisesse cortar de uma vez suas próprias declamações, e a interrogou com uma voz autoritária:

---

[17] Não há qualquer dúvida de que a famosa lenda do Bilhão das Congregações encontra aqui sua origem. (N.A.)

– E seu papel na aventura, Joséphine Balsamo? Com o que você contribuiu então? Tinha alguma indicação especial de Cagliostro?

– Somente algumas palavras – respondeu ela. – Na lista que possuo dos quatro enigmas revelados por ele, Cagliostro escreveu diante deste e de "A fortuna dos reis de França"[18] a seguinte nota: *"Entre Ruão, o Havre e Dieppe. (Confissão de Maria Antonieta)."*

– Sim, sim – retomou Raoul, surdamente –, o País de Caux... O estuário do velho rio à margem do qual prosperaram os reis da França e os monges... É bem ali que estão escondidas as economias de dez séculos de religião... Os dois cofres estão lá, não longe um do outro, naturalmente, e é lá que eu os encontrarei.

Depois, virando-se para Josine:

– Então você estava procurando também?

– Sim, mas sem dados precisos...

– E outra mulher estava procurando como você? – perguntou, observando o fundo de seus olhos. – Aquela que matou os dois amigos de Beaumagnan?

– Sim – disse ela. – A marquesa de Belmonte que é, eu suponho, uma descendente de Cagliostro.

– E você não descobriu nada?

– Nada até o dia em que encontrei Beaumagnan.

– Quando queria vingar a morte de seus amigos?

– Sim – respondeu ela.

– E Beaumagnan, pouco a pouco, confiou a você o que ele sabia?

– Sim.

– De si mesmo?

– De si mesmo...

– Isso quer dizer que adivinhou que ele perseguia o mesmo objetivo que você e então aproveitou do amor que você lhe inspirava para conduzi-lo a fazer confidências.

---

[18] Ver *Arsène Lupin e a Agulha Oca.* (N.A.)

ARSÈNE LUPIN E A CONDESSA DE CAGLIOSTRO

– Sim – disse ela francamente.

– Foi uma aposta alta.

– Foi apostar minha vida. Ao decidir me matar, ele quis com certeza se emancipar do amor do qual sofria, já que eu não lhe correspondia, mas também, e sobretudo, teve medo das revelações que me havia feito. De repente, me tornei a inimiga que podia atingir o objetivo antes dele. No dia em que se deu conta do erro cometido, fui condenada.

– Ainda assim, suas descobertas se reduziam a alguns dados históricos, bastante vagos, no fim das contas, não é?

– Somente a isso.

– E o braço do candelabro que saquei da pilastra foi o primeiro elemento de positiva verdade.

– O primeiro.

– Ao menos, eu suponho. Pois, desde a ruptura de vocês, nada garante que *ele* não tenha avançado alguns passos.

– Alguns passos?

– Sim, um passo, ao menos. Ontem à noite, Beaumagnan foi ao teatro. Por quê? Só pode ser pelo fato de que Brigitte Rousselin usava uma faixa composta de sete pedras. Quis ter certeza do que isso significava, e, sem dúvida, foi ele que, essa manhã, mandou vigiarem a casa de Brigitte.

– Admitindo que seja assim, não podemos saber de nada.

– Podemos saber, sim, Josine.

– Como? Por quem?

– Por Brigitte Rousselin.

Ela estremeceu.

– Brigitte Rousselin?

– Claro – disse ele tranquilamente –, basta interrogá-la.

– Interrogar essa mulher?

– Estou falando dela e não de outra.

– Mas então… Mas então… Ela está viva?

– Minha nossa! – disse ele.

Levantou-se de novo e girou duas ou três vezes em seus calcanhares, um pequeno giro ao qual se seguiu de uma espécie de dança que tinha algo de cancã e de jiga.

– Eu suplico, condessa de Cagliostro, não me lance olhares furiosos. Se eu não tivesse provocado em você uma crise nervosa forte o bastante para demolir sua resistência, você não deixaria escapar uma palavra da aventura, e então onde nós estaríamos? Mais dia, menos dia, Beaumagnan surrupiaria o bilhão, e Joséphine ficaria chorando pelo leite derramado. Então, dê um belo sorriso no lugar desse olho carregado de raiva.

Ela sussurrou:

– Você teve a audácia...! Você ousou...! E todas aquelas ameaças, toda aquela chantagem para me compelir a falar, era um teatrinho? Ah! Raoul, nunca o perdoarei.

– Vai, sim, vai, sim – disse ele em um tom jocoso. – Você vai me perdoar. Um simples machucadinho no amor próprio, que nada tem a ver com nosso amor, minha querida! Entre pessoas que se amam como nós isso não existe. Um dia é um que arranha; no dia seguinte, é o outro... Até o instante em que o acordo está perfeito em todos os sentidos.

– A menos que termine antes – disse ela entredentes.

– Terminar? Só porque a aliviei de algumas confidências? Terminar...

Mas Joséphine mantinha um ar tão desconcertado que, de repente, tomado de um riso louco, Raoul precisou interromper suas explicações. Ele saltava de um pé para outro e, pavoneando-se todo, gemia:

– Deus! Como isso é engraçado! A senhora está bravinha...! Então, e daí? Não tem mais como ficar fazendo seus joguinhos...? Sem motivo, a senhora perdeu a cabeça...! Ah, minha querida Joséphine, como você me fez rir!

Ela não o escutava mais. Sem se preocupar com ele, retirou o lenço que encapuzava Léonard e cortou as amarras.

Léonard saltou para cima de Raoul, furioso, aparentando estar completamente descontrolado.

– Não encoste nele! – ordenou ela.

Ele parou na hora, os punhos estendidos contra o rosto de Raoul, que murmurou com lágrimas nos olhos:

– Ora bem, aí está o lacaio... Um diabo que sai de sua caixa...

Fora de si, o homem tremia:

– A gente vai se ver outra vez, meu senhorzinho... A gente vai se ver outra vez... Senhorzinho... nem que seja em cem anos...

– *Você* também conta em séculos...! – zombou Raoul. – Igualzinho sua patroa...

– Vá embora – exigiu Joséphine, empurrando Léonard até a porta... – Vá embora... Pode levar o carro...

Trocaram algumas palavras rápidas em uma língua que Raoul não compreendia. Depois, quando ela ficou sozinha com o rapaz, aproximou-se e lhe disse com uma voz áspera:

– E agora?

– Agora?

– Sim, suas intenções?

– São totalmente puras, Joséphine, intenções angelicais.

– Chega de piadas. O que você quer fazer? Como espera agir?

Ficando sério, ele respondeu:

– Agirei de forma diferente da sua, Josine, que sempre desconfia de tudo. Serei o que você não foi, um amigo leal que coraria se a prejudicasse.

– Ou seja..?

– Ou seja, que farei a Brigitte Rousselin algumas perguntas indispensáveis, e farei de maneira que você escute. De acordo?

– Sim – respondeu, ainda irritada.

– Nesse caso, fique aqui. Não vai demorar. O tempo urge.

– O tempo urge?

– Sim, você vai entender, Josine. Não se mexa.

Logo Raoul abriu as duas portas de comunicação e as deixou entreabertas, a fim de que qualquer palavra fosse percebida por ela, e se dirigiu até o leito onde Brigitte Rousselin descansava sob a guarda de Valentine.

A jovem atriz lhe deu um sorriso. Apesar de todo seu pavor, e ainda que não compreendesse nada daquilo que estava acontecendo, ao ver seu salvador, tinha uma impressão de segurança e de confiança que a relaxava.

– Eu não vou cansá-la – disse ele. – Só um minuto ou dois. A senhora está em condições de me responder?

– Ah, claro.

– Que bom! Vamos lá. A senhora foi vítima de um tipo louco que a polícia vigiava e que vamos internar. Logo, não há mais o menor perigo. Mas gostaria de esclarecer um ponto.

– Pergunte.

– O que vem a ser essa faixa de pedrarias? Como a senhora as conseguiu?

Raoul sentiu que ela hesitava. No entanto, confessou:

– São pedras... Que achei em um velho baú.

– Um velho baú de madeira?

– Sim, todo rachado e que sequer estava trancado. Estava escondido debaixo da palha, no sótão da pequena casa que minha mãe habitava no campo.

– Onde?

– Em Lillebonne, entre Ruão e o Havre.

– Sei. E esse baú era originário de...?

– Não tenho ideia. Não cheguei a perguntar à minha mãe.

– A senhora encontrou as pedras tal como elas o são agora?

– Não, elas estavam incrustradas em anéis, grandes anéis de prata.

– E os anéis?

– Eu ainda os guardava em minha caixa de maquiagem no teatro, até ontem.

– Então, a senhora não os tem mais?

– Não, eu os cedi a um senhor que veio me parabenizar em meu camarote e que os viu por acaso.

– Ele estava sozinho?

– Com dois senhores. Era um colecionador. Eu prometi entregar-lhe as sete pedras hoje às três horas a fim de que ele possa reconstituir os anéis. Deve comprá-las de mim por um bom preço.

ARSÈNE LUPIN E A CONDESSA DE CAGLIOSTRO

– Esses anéis tinham inscrições do lado de dentro?

– Sim... Palavras em caracteres antigos, aos quais não dei atenção.

Raoul refletiu e concluiu com uma voz um pouco séria:

– Eu a aconselho que guarde o mais absoluto segredo sobre todos esses acontecimentos. Do contrário, o caso poderá ter consequências desagradáveis, não para a senhorita, mas para sua mãe. É bastante espantoso que ela tenha guardado em sua casa anéis, sem valor evidentemente, mas com grande interesse histórico.

Brigitte Rousselin se assustou:

– Estou pronta para os devolver.

– Inútil. Guarde as pedras. *Eu* vou exigir em seu nome a restituição dos anéis. Onde mora esse senhor?

– Rua de Vaugirard.

– Como se chama?

– Beaumagnan.

– Certo. Um último conselho, senhorita. Deixe esta casa. Ela é isolada demais. E durante algum tempo, digamos um mês, vá viver em um hotel com sua dama de companhia. Não receba ninguém enquanto estiver lá. Combinado?

– Sim, meu senhor.

Do lado de fora, Joséphine Balsamo se agarrou no braço de Raoul d'Andrésy. Parecia muito agitada e bem longe de qualquer ideia de vingança e rancor. Por fim, ela lhe disse:

– Eu entendi certo, não é? Você vai até a casa dele?

– Na casa de Beaumagnan.

– Seria loucura.

– Por quê?

– Ir à casa de Beaumagnan! E em uma hora em que você sabe que ele estará lá, com outras duas pessoas.

– Dois mais um igual a três.

– Não vá até lá, eu lhe peço.

– E então? Você acha que eles vão me devorar?

129

– Beaumagnan é capaz de tudo.

– Então ele é um antropófago?

– Oh, não ria, Raoul!

– Não chore, Josine.

Raoul sentiu que ela estava sendo sincera e que, recuperando seu carinho feminino, esquecera a desavença e temia por ele.

– Não vá até lá, Raoul – repetiu ela. – Conheço o covil de Beaumagnan. Os três bandidos saltariam sobre você e ninguém poderia socorrê-lo.

– Tanto melhor – disse ele –, pois assim ninguém poderia socorrer a *eles* também.

– Raoul, Raoul, você fica brincando, e, no entanto...

Ele a apertou contra si.

– Escute, Josine, eu cheguei bem por último no meio de um caso colossal no qual me encontro na presença de duas organizações poderosas, a sua e a de Beaumagnan, ambas, naturalmente, recusando-se a me acolher, eu, o terceiro ladrão... De modo que se eu não me valer de todos os meios, corro o risco de voltar à estaca zero. Deixe-me então me resolver com nosso inimigo, Beaumagnan, da mesma maneira que me arranjei com minha amiga Joséphine Balsamo. Não me saí mal demais, não é mesmo? E não pode negar que tenho algumas cordas no meu arco, não é...?

Isso a feriu de novo. Ela soltou seu braço, e caminharam um ao lado do outro, em silêncio.

Em seu íntimo, Raoul perguntava-se se seu adversário mais implacável não seria aquela mulher de rosto doce que ele amava tão ardentemente e por quem era tão ardentemente amado.

A ROCHA TARPEIA[19]

– Aqui é a casa do Sr. Beaumagnan?

Lá dentro, a trava de uma portinhola havia sido retirada, e o rosto de um velho criado colou-se na grade.

– É aqui. Mas o patrão não está recebendo ninguém.

– Vá lhe dizer que é da parte da Srta. Brigitte Rousselin.

A residência de Be, que ocupava o andar térreo, formava um grande edifício com o primeiro andar. Nada de concierge. Nada de campainha. Só uma aldrava de ferro que se batia contra uma porta maciça munida de uma janelinha de prisão.

Raoul esperou mais de cinco minutos. A visita de um rapaz, enquanto estava prevista a da jovem atriz, devia intrigar os três personagens.

– Estão pedindo ao senhor para me dar seu cartão de visita – veio dizer o criado.

Raoul deu seu cartão.

---

[19] "Rocha Tarpeia" é o nome dado a uma colina na atual capital italiana, de onde eram atirados os condenados pelo Império Romano, notadamente os criminosos acusados de traição ou falso testemunho. (N.T.)

Nova espera. Depois um barulho de ferrolhos sendo abertos e de correntes sendo soltas, Raoul foi conduzido através de um largo vestíbulo bem encerado, parecido com o átrio de um convento, cujas paredes ressoavam.

Passaram diante de várias portas. A última era forrada de um painel de couro em *capitonné*.

O velho criado abriu e fechou atrás do jovem rapaz, que se encontrou só diante de seus três inimigos, pois podia ele chamar de outra forma aqueles três homens dos quais ao menos dois observavam-no entrar, esperando de pé em uma postura de boxeadores que vão dar início ao seu ataque?

– É ele! É mesmo ele! – gritou Godefroy d'Étigues, tomado de raiva. – Beaumagnan, é ele, é o nosso homem de Gueures, aquele que roubou o braço do candelabro. Ah, ele tem colhões! O que o senhor veio fazer aqui hoje? Se for pela mão de minha filha...

Raoul respondeu, rindo:

– Mas afinal, meu senhor, não pensa então em outra coisa além disso? Sinto pela senhorita Clarisse os mesmos sentimentos profundos, guardo em meu íntimo a mesma esperança respeitosa. Mas hoje, assim como não era o caso aquele dia em Gueures, o objetivo de minha visita não é matrimonial.

– Então, qual é o seu objetivo...? – disse o barão, entredentes.

– Naquele dia em Gueures era prendê-los em um porão. Hoje...

Beaumagnan precisou intervir, sem o que Godefroy d'Étigues teria se atirado sobre o intruso.

– Vamos ficar aí, Godefroy. Sente-se, e peço que o senhor tenha a bondade de nos contar a razão de sua visita.

Ele mesmo sentou-se diante de sua escrivaninha. Raoul se instalou.

Antes de falar, teve tempo de examinar seus interlocutores cujos rostos lhe pareciam mudados desde a reunião em Haie d'Étigues. O barão, em particular, havia envelhecido. Suas bochechas estavam encovadas e a expressão de seus olhos mostravam-se, em alguns momentos, um tanto quanto abatidos, o que chocou o jovem. A ideia fixa e o remorso davam aquela febre e aquela inquietação que Raoul acreditou discernir igualmente no rosto atormentado de Beaumagnan.

Ainda assim, este último se mantinha mais senhor de si. Se a lembrança de Josine morta o assombrava, isso devia ser mais ao modo de uma crise de consciência na qual julgamos os próprios atos e na qual confirmamos que estamos certos. Um drama bem interior que não afetava a própria aparência do homem e não podia comprometer seu equilíbrio senão de forma intermitente e em minutos de crise.

– Nessas horas – disse Raoul para si mesmo –, cabe a mim evocar essas lembranças se quiser ter sucesso. Será ele ou eu, é preciso que um dos dois vacile.

Então, Beaumagnan retomou a palavra:

– O que o senhor deseja? O nome da senhorita Rousselin lhe serviu para entrar em minha casa. Com qual intenção?

Ele respondeu ousadamente:

– Na intenção, meu senhor, de continuar a conversa que o senhor começou ontem à noite com ela no teatro de Variedades.

O ataque foi direto. Mas Beaumagnan não recuou.

– Estimo que aquela conversa não poderia continuar se não com ela e era apenas a ela que estava esperando.

– Uma questão séria reteve a Srta. Rousselin – disse Raoul.

– Uma questão muito séria?

– Sim. Ela foi vítima de uma tentativa de assassinato.

– Como? O que o senhor está dizendo? Tentaram matá-la? Por quê?

– Para pegar dela as sete pedras, da mesma forma que o senhor e seus amigos lhe tomaram os sete anéis.

Godefroy e Oscar de Bennetot agitaram-se em suas poltronas. Beaumagnan conteve-se, mas observava com assombro aquele rapazinho de nada, cuja intervenção inexplicável ganhava ares de desafio e arrogância. Em todo caso, o adversário lhe parecia um pouco magro, e sentia-se sua impressão no tom negligente de sua resposta:

– Agora já são duas vezes, meu senhor, que se mete naquilo que não lhe diz respeito e de uma maneira que sem dúvida nos obrigará a lhe dar a lição que o senhor está merecendo. Uma primeira vez, em Gueures, depois de ter atirado meus amigos em uma emboscada, o senhor apoderou-se de um objeto que nos pertencia, o que, em linguagem ordinária, chama-se simplesmente de roubo qualificado. Hoje, sua agressão é ainda mais chocante, já que o senhor veio insultar-nos na cara, sem qualquer pretexto, mesmo sabendo muito bem que nós não roubamos os anéis, mas sim que eles nos foram cedidos. O senhor poderia nos dizer os motivos dessa conduta?

– O senhor também sabe muito bem que não há de meu lado, nem roubo nem agressão, mas simplesmente o esforço de alguém que persegue o mesmo objetivo que os senhores – respondeu Raoul.

– Ah, o senhor busca o mesmo objetivo que nós? – interrogou Beaumagnan com alguma zombaria. – E qual seria esse objetivo, por favor?

– Descobrir as dez mil pedras preciosas escondidas no interior de um marco de granito.

De repente, Beaumagnan desmontou, e, por sua atitude e seu silêncio ofendido, deixou bem clara toda a sua falta de jeito. Vendo isso, Raoul reforçou seu ataque:

– Pois então, não é? Como buscamos ambos o tesouro fabuloso dos antigos monastérios, acontece de cruzarmos nossos caminhos, o que produz um choque entre nós. A questão toda está aí.

O tesouro dos monastérios! O marco de granito! As dez mil pedras preciosas! Cada uma daquelas palavras batia em Beaumagnan como uma maça. Assim, portanto, deviam ainda contar com aquele rival! Com Cagliostro desaparecendo, surgia um outro competidor na corrida pelos milhões!

Godefroy d'Étigues e Bennetot lançavam olhares ferozes e projetavam seus bustos de atletas prontos para a luta. Quanto a Beaumagnan, ele se se enrijecia para recuperar o autocontrole, do qual sentia uma necessidade imperiosa.

– Lendas! – disse, tentando controlar sua voz e reencontrar o fio da meada. – Fofocas de senhoras! Conversa de salão! E é com isso que o senhor está perdendo seu tempo?

– Não o perco mais do que vocês – replicou Raoul, que não queria que Beaumagnan voltasse à defensiva e não podia perder uma ocasião para o atordoar. – Não mais do que os senhores, cujos atos giram em torno desse tesouro. Não mais do que perdeu o cardeal de Bonnechose, cuja relação com isso tudo, no entanto, não era uma fofoca de senhoras. Não mais do que a dúzia de amigos dos quais o senhor é o líder e o motivador.

– Senhor Deus – falou Beaumagnan com afetada ironia –, como o senhor está bem informado!

– Muito melhor do que o senhor poderia acreditar.

– E com quem o senhor conseguiu essas informações?

– Com uma dama.

– Uma dama?

– Joséphine Balsamo, a condessa de Cagliostro.

– A condessa de Cagliostro! – gritou Beaumagnan, transtornado. – Então o senhor a conheceu!

De súbito, o plano de Raoul se concretizou. Havia lhe bastado lançar no debate o nome de Cagliostro para deixar o adversário fora de si, e essa perturbação era tamanha que Beaumagnan, com imprudência inexplicável, fala de Cagliostro como de uma pessoa que não estava mais viva.

– O senhor a conheceu? Onde? Quando? O que ela lhe disse?

– Eu a conheci no começo do último inverno, como vocês, meu senhor – respondeu Raoul, agravando sua ofensiva. – E, durante todo o inverno, até o momento em que tive a alegria de encontrar a filha do barão d'Étigues, eu a vi praticamente todos os dias.

– O senhor está mentindo – proferiu Beaumagnan. – Ela não pode tê-lo visto todos os dias. Ela teria dito seu nome diante de mim! Éramos amigos o suficiente para que ela não guardasse um segredo desse gênero!

– Ela guardava este aqui.

– Infâmia! O senhor quer me fazer crer que havia entre ela e o senhor uma intimidade impossível! É mentira, meu senhor. Podemos repreender Joséphine Balsamo por muitas coisas: sua sedução, sua malícia, mas não isso, não um ato de devassidão.

– O amor não é devassidão – falou Raoul, tranquilamente.

– O que o senhor está dizendo? Amor? Joséphine Balsamo o amava?

– Sim, senhor.

Beaumagnan estava fora de si. Ele brandia seu punho diante do rosto de Raoul. Por sua vez, foi preciso acalmá-lo, mas ele tremia de fúria e o suor escorria-lhe da testa.

"Peguei você", pensou Raoul todo contente. "Quanto à questão do crime e dos remorsos, ele não vacilou. Mas ainda está corroído de amor e vou conduzi-lo até onde eu quiser."

Um ou dois minutos passaram-se. Beaumagnan enxugou o rosto. Engoliu um copo d'água, e, dando-se conta que o inimigo, por mais magrinho que fosse, não era daqueles de quem se pode livrar com um peteleco, retomou a palavra:

– Estamos perdendo o foco, meu senhor. Seus sentimentos pessoais pela condessa de Cagliostro não têm nada a ver com o nosso assunto de hoje. Então, volto à minha primeira questão: o que o senhor veio fazer aqui?

– Nada mais simples. e uma breve explicação bastará. – respondeu Raoul. – Vim para falar a respeito das riquezas religiosas da Idade Média, riquezas que, pessoalmente, os senhores querem incorporar aos cofres da Sociedade de Jesus, eis onde nós estamos. Essas oferendas, canalizadas através de todas as províncias, eram enviadas às sete principais abadias de Caux e constituíam uma massa comum gerada por aqueles que se poderia chamar de sete administradores delegados, dos quais apenas um conhecia a localização do cofre-forte e o segredo da fechadura. Cada abadia possuía um anel episcopal ou pastoral que era transmitido, de geração em geração, ao seu próprio delegado. Como símbolo de sua missão, o comitê dos sete era representado por um candelabro de sete braços, do qual cada braço trazia, conforme a tradição da liturgia hebraica e do templo de Moisés, uma pedra da mesma cor e do mesmo material que o anel ao qual correspondia. Assim, o braço que encontrei em Gueures traz uma pedra vermelha, uma falsa granada, que era a pedra representativa daquela abadia, e, por outro lado, sabemos que o frei Nicolas, último administrador-chefe dos monastérios de Caux, era um monge da abadia de Fécamp. Estamos de acordo?

– Sim.

ARSÈNE LUPIN E A CONDESSA DE CAGLIOSTRO

– Logo, basta descobrir o nome das sete abadias para conhecer as sete localizações. Ora, sete nomes estão inscritos no interior dos sete anéis que Brigitte Rousselin cedeu-lhes ontem à noite no teatro. São esses sete anéis que estou lhes pedindo para examinar.

– Quer dizer – declarou Beaumagnan pausadamente – que nós buscamos durante anos e anos e que o senhor, logo de pronto, pretende chegar ao mesmo objetivo que nós?

– É exatamente isso.

– E se eu recusar?

– Perdão, o senhor recusar? Só responderei diante de uma resposta formal.

– Evidentemente, eu recuso. Seu pedido é absolutamente sem sentido e, da maneira mais categórica possível, eu recuso.

– Então, vou denunciá-lo.

Beaumagnan pareceu bestificado. Observou Raoul como se estivesse lidando com um louco.

– O senhor me denunciar... O que é essa nova história?

– Eu vou denunciar vocês três.

– Nós três? – zombou ele. – Mas por qual motivo, meu bom rapazinho?

– Eu vou denunciar os três como os assassinos de Joséphine Balsamo, a condessa de Cagliostro.

Não houve o menor protesto. Nem um gesto de revolta. Godefroy d'Étigues e seu primo Bennetot se afundaram um pouco mais em suas cadeiras. Beaumagnan ficou lívido e sua zombaria se acabou em uma careta atroz.

Ele se levantou, deu uma volta de chave na fechadura e colocou a chave em seu bolso, o que teve o efeito de devolver a seus dois acólitos a capacidade de movimento. O golpe de misericórdia que o ato de seu chefe parecia anunciar os reanimou.

Raoul teve a audácia de fazer piada:

– Meu senhor, quando um recruta chega ao regimento, ele é logo colocado sobre um cavalo sem estribos, até criar colhões.

– Isso significa...?

– Significa que jurei a mim mesmo nunca carregar comigo um revólver, enquanto conseguisse enfrentar todas as situações apenas recorrendo a meu cérebro. Logo, eu os advirto: não tenho estribos... Ou melhor, não tenho um revólver. Vocês são três, os três estão armados, e eu estou sozinho. Logo...

– Logo, chega de papo furado – declarou Beaumagnan, com uma voz ameaçadora. – Vamos aos fatos. O senhor acusa-nos de ter assassinado Cagliostro?

– Sim.

– O senhor tem provas para sustentar essa acusação incompreensível?

– Eu tenho.

– Estou escutando.

– Vamos lá. Há algumas semanas, eu vagava em torno da propriedade de Haie d'Étigues, esperando que o acaso me permitisse ver a Srta. d'Étigues, quando percebi um carro conduzido por um de seus amigos. Esse carro entrou na propriedade. Eu fiz o mesmo. Uma mulher, Joséphine Balsamo, foi transportada para a sala da antiga torre, onde os senhores estavam todos reunidos num autointitulado tribunal. Seu processo foi instruído da maneira mais desleal e mais pérfida possível. O senhor fazia as vezes de promotor público, meu senhor, e fez uso de engodos e da vaidade até fazer entender que aquela mulher havia sido sua amante. Quanto a esses dois senhores, fizeram o papel de carrascos.

– A prova? Onde está a prova? – rugiu Beaumagnan, cujo rosto se tornava irreconhecível.

– Eu estava lá, deitado na fenda de uma antiga janela, logo acima de sua cabeça, meu senhor.

– Impossível! – balbuciou Beaumagnan. – Se fosse verdade, o senhor teria tentado intervir e salvá-la.

– Salvá-la de quê? – perguntou Raoul, que justamente não queria revelar nada do salvamento de Cagliostro. – Acreditei, assim como seus outros amigos, que os senhores a condenariam ao confinamento em uma casa de loucos inglesa. Portanto, fui embora ao mesmo tempo que os demais. Corri até Étretat. Aluguei um barco e, naquela noite, remei até a frente desse navio inglês do qual o senhor havia falado e cujo capitão tinha a intenção de assustar. Estratégia errada, e que custou a vida da infeliz. Só muito mais tarde que entendi seu ardil ignóbil e que pude reconstituir seu crime em todo o seu horror: a descida de seus dois cúmplices pela Escadaria do Padre, o barco furado e o afogamento.

Enquanto o escutavam com um pavor visível, os três homens tinham aproximado suas poltronas pouco a pouco. Bennetot empurrou a mesa que parecia ser uma espécie de amurada para a frente do rapaz. Raoul percebeu a feição atroz de Godefroy d'Étigues e a careta contorcida que lhe torcia a boca.

Um gesto de Beaumagnan, e o barão sacaria um revólver e queimaria o cérebro do imprudente.

E talvez tenha sido precisamente essa imprudência inexplicável o que retardava a ordem de Beaumagnan. Com um ar amedrontador, disse em voz baixa:

– Vou lhe repetir: o senhor não tinha o direito de agir como o fez e se intrometer em assuntos que não lhe dizem respeito, meu senhor. Mas me recuso a mentir e a negar o que se passou. Só que... Só que eu fico me perguntando, já que o senhor surpreendeu um tal segredo, como pode ousar estar aqui e nos provocar? É loucura!

– Por que o seria, meu senhor? – perguntou Raoul com candura.

– Porque sua existência está em nossas mãos.

Ele deu de ombros.

– Minha existência está ao abrigo de qualquer perigo.

– Ainda assim, nós somos três e de humor pouco confortável em um ponto que toca tão de perto nossa segurança.

– Não corro mais riscos estando entre vocês três do que se fossem meus defensores – afirmou Raoul.

– O senhor está absolutamente certo disso?

– Sim, posto que os senhores ainda não me mataram mesmo depois de tudo o que eu disse.

– E se eu decidir agir?

– Daqui uma hora, vocês três seriam todos presos.

– Ora, vamos!

– Tenho a honra de lhes contar. São quatro horas e cinco minutos. Um de meus amigos está passando nos arredores da delegacia de polícia. Se, às quatro horas e quarenta e cinco minutos, eu não tiver me juntado a ele, o chefe da Segurança será avisado.

– Bobagem! Absurdo! – gritou Beaumagnan, que parecia recuperar a esperança. – Sou conhecido. Assim que ele pronunciar meu nome, vão rir da cara de seu amigo.

– Vão escutá-lo.

– Enquanto isso... – murmurou entre os dentes Beaumagnan, que se virou para Godefroy d'Étigues.

A sentença de morte ia ser proferida, Raoul sentiu a volúpia do perigo. Mais alguns segundos, e o gesto cuja execução havia atrasado por seu extraordinário sangue-frio seria concretizado.

– Só mais uma palavra – disse ele.

– Diga – resmungou Beaumagnan –, mas com a condição de que essa palavra seja uma prova contra nós. Não quero mais acusações. Disso e do que a justiça pode vir a pensar, deixe que eu me encarrego. Mas quero uma prova que me mostre que não estou perdendo meu tempo discutindo com o senhor. Uma prova imediata, se não...

Ele tinha se levantado de novo. Raoul ergueu-se diante dele e, olhos nos olhos, tenaz, autoritário, articulou:

– Uma prova... Do contrário, é a morte, não é?

– Sim.

– Eis minha resposta. Quero os sete anéis agora mesmo. Sem os quais...

– Sem os quais o quê?

– Meu amigo entregará à polícia a carta que o senhor escreveu ao barão d'Étigues para lhe indicar o meio de se apoderar de Joséphine Balsamo e obrigá-lo a cometer o assassinato.

Beaumagnan demonstrou surpresa.

– Uma carta? Aconselhando o assassinato?

– Sim... uma carta de certa forma disfarçada, da qual bastava ignorar as frases inúteis – especificou Raoul.

Beaumagnan caiu na gargalhada.

– Ah, sim! Sei o que é… Estou me lembrando… Um rabisco…

– Um rabisco que constitui contra o senhor a prova irrecusável que estava solicitando.

– De fato, de fato… Eu confesso – disse Beaumagnan, sempre irônico. – Só que não sou um estudante primário e tomei minhas precauções. Ora, essa letra me foi devolvida pelo barão d'Étigues assim que começou a reunião.

– A cópia lhe foi devolvida, mas guardei o original que encontrei em um vão da escrivaninha com tampo da qual o barão se servira. É este original que meu amigo entregará à polícia.

O círculo formado ao redor de Raoul se afrouxou. Os rostos ferozes dos dois primos não tinham mais outra expressão além do medo e da angústia. Raoul pensou que o duelo tinha acabado, e acabado sem que houvesse realmente um combate. Alguns floreios de espada, algumas fintas. Nada de corpo a corpo. O caso tinha sido bem conduzido, ele havia por meio de hábeis manobras encurralado Beaumagnan tão bem em uma situação tão trágica que, no estado de espírito em que se encontrava, Beaumagnan não podia mais julgar de modo são as coisas e discernir os pontos fracos do adversário.

Pois, afinal, Raoul afirmava que possuía o original daquela carta. Mas sobre o que se apoiava para afirmar aquilo? Em nada. De modo que Beaumagnan, que exigia uma prova irrefutável e palpável antes de acreditar, de repente, por uma anomalia singular, mas à qual as manobras de Raoul haviam conduzido, contentava-se apesar da afirmação de Raoul.

De fato, ele recuou bruscamente, sem barganhar e sem qualquer hesitação. Abriu a gaveta, pegou os sete anéis, e disse simplesmente:

– O que me assegura que o senhor não vai mais se servir daquela carta contra nós?

– Dou minha palavra, meu senhor, e, além disso, cá entre nós, as circunstâncias não se apresentam nunca do mesmo modo. Na próxima vez, o senhor saberá tomar a vantagem.

– Não duvide disso, meu senhor – disse Beaumagnan, com uma raiva contida.

Raoul pegou os anéis com uma mão febril. Cada um deles, de fato, trazia no interior um nome. Em um pedaço de papel, ele escreveu rapidamente os nomes das sete abadias:

- ❯ Fécamp
- ❯ Saint-Wandrille
- ❯ Jumièges
- ❯ Valmont
- ❯ Cruchet-le-Valasse
- ❯ Montivilliers
- ❯ Saint-Georges-de-Boscherville

Beaumagnan havia tocado o sino, mas reteve o criado no corredor e disse, aproximando-se de Raoul:

– Em todo caso, uma proposta... O senhor conhece nossos esforços. Sabe exatamente onde estamos e que, definitivamente, o objetivo não está longe.

– É o que penso – disse Raoul.

– Pois bem, o senhor estaria disposto, e falo sem segundas intenções, a tomar um lugar no meio de nós?

– Nas mesmas condições que seus amigos?

– Não. Nas mesmas condições que eu.

A oferta era honesta, Raoul o sentia e ficou lisonjeado pela homenagem que lhe prestavam. Talvez tivesse aceitado se Joséphine Balsamo não existisse. Mas qualquer acordo entre ela e Beaumagnan era impossível.

– Eu lhe agradeço – disse Raoul –, mas, por razões particulares, sou obrigado a recusar.

– Então, inimigos?

– Não, meu senhor, concorrentes.

– Inimigos – insistiu Beaumagnan. – E como tal, exposto ao risco...

– ... de ser tratado como a condessa de Cagliostro – interrompeu Raoul.

– O senhor mesmo está dizendo, meu senhor. O senhor sabe que a grandeza de nosso objetivo perdoa os meios os quais somos por vezes obrigados a adotar. Se esses meios se voltarem um dia ou outro contra o senhor, foi o senhor quem quis assim.

ARSÈNE LUPIN E A CONDESSA DE CAGLIOSTRO

– Eu que quis assim.

Beaumagnan chamou de volta o criado.

– Conduza o senhor.

Raoul fez três saudações profundas e foi-se embora pelo longo corredor até a porta com a janelinha que foi aberta. Ali, disse ao velho criado:

– Um segundo, meu amigo, tenha a gentileza de me esperar.

Voltou então rapidamente até o escritório onde os três homens confabulavam e, plantando-se na soleira da porta, com a maçaneta na mão e sua retirada assegurada, lançou-lhes com uma voz amável:

– A propósito daquela famosa carta tão comprometedora, devo fazer-lhes uma confissão que lhes dará toda tranquilidade. É que nunca fiz uma cópia dela, e, por consequência, meu amigo não tem como possuir o original. De resto, os senhores não acham que toda aquela história de um amigo que fica zanzando nos arredores da delegacia e que está de olho em quando o relógio vai dar quarenta e cinco minutos é bem inverossímil? Durmam em paz, meus senhores, e estou ansioso para revê-los.

Fechou a porta no nariz de Beaumagnan e ganhou a saída antes que este tivesse o tempo de advertir seu criado.

A segunda batalha estava ganha.

Ao fim da rua, Joséphine Balsamo, que o havia conduzido até a residência de Beaumagnan, esperava com a cabeça inclinada para fora da janelinha da carruagem.

– Cocheiro – disse Raoul –, para a estação Saint-Lazare, no embarque das linhas intermunicipais.

Saltou para dentro do carro e logo gritou, estremecendo-se todo de alegria, com entonação vitoriosa:

– Veja, querida, eis os sete nomes indispensáveis. Aqui está a lista. Pegue-a.

– E agora? – perguntou ela.

– Agora é isso aí. Segunda vitória em um dia, e que vitória esta! Meu Deus! Como é fácil enrolar as pessoas! Um pouco de audácia, de ideias claras, de lógica, de vontade absoluta de se enfiar como uma flecha até o fim. E os obstáculos se rompem por conta própria. Beaumagnan é um malandro, não é? Pois bem, ele vacilou como você, minha querida Josine. Hein? Seu aluno lhe dá orgulho? Dois mestres de primeira classe, Beaumagnan e a filha de Cagliostro, esmagados, pulverizados por um colegial! O que você diz disso, Joséphine?

Ele se interrompeu:

– Querida, você não está brava comigo por eu falar assim?

– Não, não estou – respondeu ela, sorrindo.

– Não está mais irritada pela história de agora há pouco?

– Ah, também não exagere! – disse ela. – Veja, não é preciso ferir meu orgulho. Eu sou bem orgulhosa e rancorosa. Mas, com você, não há como ficar brava por muito tempo. Você tem alguma coisa de especial que desarma.

– Beaumagnan não ficou desarmado. Nossa, ele não ficou!

– Beaumagnan é um homem.

– Que seja! Vou declarar guerra aos homens! E creio de verdade que fui feito para isso, Josine! Sim, para a aventura, para a conquista, para o extraordinário e o fabuloso. Sinto que não existe nenhuma situação de onde eu não possa sair em vantagem. Mas então, Josine, é tentador lutar quando se está certo de que vai vencer, não é?

Pelas ruas estreitas da margem esquerda, o carro corria a alta velocidade. Atravessaram o Sena.

– E, a partir de hoje, Josine, vencerei. Tenho todas as cartas na mão. Em algumas horas, desembarco em Lillebonne. Vou enxotar a viúva Rousselin, e quer ela queira, quer não, vou examinar o baú de madeira das Ilhas, no qual está gravada a senha do enigma. E daí pronto! Com essa senha, e com o nome das sete abadias, só o diabo para me impedir de ganhar na loteria.

Josine ria de seu entusiasmo. Ele estava exultante. Contava seu duelo com Beaumagnan. Beijava a jovem dama, zombava com a cara dos pedestres, abria a janelinha, insultava o cocheiro cujo cavalo trotava "como uma lesma".

– É para galopar, meu velho! Como assim? Você tem a honra de conduzir em seu carro o deus da Fortuna e a rainha da Beleza, e seu corcel não galopa!

O carro seguia pela Avenida da Ópera. Cortou pela Rua dos Petits-
-Champs e pela Rua dos Capucines. Na Rua Caumartin, o cavalo começou
a galopar.

– Perfeito! – gritou Raoul. – Quatro horas e quarenta e oito minutos.
Chegaremos. Claro que você me acompanhará a Lillebonne, não?

– Por quê? É inútil. Um de nós dois indo já é o suficiente.

– Até que enfim você está confiando em mim – disse Raoul. – E sabe
que eu não a trairei, e que tudo está acertado entre nós. A vitória de um é
a vitória do outro.

Mas quando se aproximava da Rua Auber, uma porta se abriu bruscamente à esquerda, o carro virou sem que a velocidade tivesse diminuído,
e penetrou em um pátio.

Três homens se apresentaram de cada lado, Raoul foi arrancado brutalmente e levado embora antes mesmo de esboçar um gesto de resistência.

Ele teve apenas o tempo de distinguir a voz de Joséphine Balsamo que,
ficando na carruagem, comandava:

– Estação Saint-Lazare, e rápido!

Os homens já o precipitavam para o interior de uma casa e o atiravam
em um cômodo meio obscuro, cuja pesada porta fora bloqueada atrás dele.

A alegria que borbulhava em Raoul era tão forte que não baixou logo.
Ele continuou a rir e a brincar, mas com uma raiva crescente que alterava
o timbre de sua voz.

– Foi a minha vez! Parabéns, Joséphine. Ah, que golpe de mestre! Aí está
quem foi deixado para trás! Bem no alvo…! E, de verdade, não esperava
por isso. Não, mas devia ser isso que a divertia, meus cantos de triunfo:
"Sou feito para a conquista! Para o extraordinário e para o fabuloso!". Aff,
que idiota! Quando a gente é capaz de dizer tamanhas idiotices, melhor
calar a boca. Que tombo!

Ele se jogou contra a porta. Nossa, para que isso? Uma porta de prisão. Tentou escalar até um pequeno vitral que deixava uma luz amarela
se infiltrar. Mas como alcançá-lo? Além disso, um ligeiro ruído atraiu sua
atenção, e, na penumbra, percebeu que uma das paredes, bem no canto

do teto, era perfurada por uma espécie de seteira de onde se sobressaía o cano de um fuzil mirado bem sobre ele, que se movia e parava, em sintonia com todos os seus movimentos.

Toda sua raiva voltou-se para o atirador invisível em quem descarregou generosamente suas invectivas:

– Canalha! Miserável! Saia daí do seu buraco para ver com quem está lidando. Que trabalho o seu! E, depois, vá dizer a sua patroa que ela não o levará para o paraíso e que em pouco tempo...

De repente, ele se conteve. Toda aquela verborragia lhe parecia estúpida e, passando da cólera a uma resignação súbita, estendeu-se sobre a cama de ferro colocada na alcova, que formava também um banheiro.

– Depois de tudo isso, mate-me se quiser, mas me deixe dormir...

Dormir, Raoul nem pensava nisso. Tratava-se antes de encarar a situação e de tirar as conclusões desagradáveis que nela estavam inclusas. E isso era algo fácil, que se resumia em uma frase: Joséphine Balsamo tomara o seu lugar para recolher os frutos da vitória que ele havia preparado.

Mas quais meios de ação ela precisaria ter à sua disposição para ter obtido sucesso em tão pouco tempo! Raoul não tinha dúvidas de que Léonard, acompanhado de um outro cúmplice e de um outro carro os tinha seguido até a casa de Beaumagnan e logo armara tudo com ela. Depois disso, Léonard foi preparar a armadilha na Rua Caumartin, em um espaço especialmente destinado para esse fim, enquanto Joséphine Balsamo esperava.

O que ele poderia fazer agora, sozinho e com a sua idade, contra tais inimigos? De um lado, Beaumagnan com todo um mundo de correspondentes e capangas consigo. Por outro, Joséphine Balsamo e todo seu bando tão poderosamente organizado!

Raoul tomou uma resolução:

– Quer eu pegue mais tarde o bom caminho, como espero – disse a si mesmo –, quer me engaje definitivamente na trilha das aventuras, o que é mais provável, juro que também terei à minha disposição os meios de ação indispensáveis. Coitado de quem ficar sozinho! Apenas os líderes conseguem atingir seus objetivos. Venci Joséphine e, no entanto, será ela quem, esta noite, colocará as mãos no preciso baú, enquanto Raoul fica gemendo na palha úmida.

Chegava a esse ponto em suas reflexões, quando se sentiu invadido por um inexplicável torpor que vinha acompanhado por um mal-estar geral. Lutou contra aquele sono insólito. Mas, muito rapidamente, seu cérebro se preencheu de brumas. Ao mesmo tempo, teve náuseas e a sensação de ter um peso no estômago.

Espantando sua fraqueza, conseguiu caminhar.

Isso durou pouco, a dormência crescente, e, de uma vez, ele capotou sobre seu colchão, assolado por um pensamento aterrador: ele se lembrava que, na carruagem, Joséphine Balsamo havia tirado de seu bolso uma pequena caixinha de balas de ouro das quais se servia habitualmente, e, enquanto pegava duas ou três pastilhas que logo engoliu, oferecera-lhe uma, com um gesto mecânico.

– Ah, ela me envenenou... – murmurou, todo coberto de suor. – As pastilhas que sobraram continham veneno...

Aquele era um pensamento que ele não teve tempo de verificar. Tomado de vertigem, parecia-lhe estar girando acima de um grande buraco no qual acabou por cair soluçando.

A ideia da morte invadiu Raoul bastante profundamente para que ele não tivesse muita certeza de estar vivo quando reabriu os olhos. Com dificuldade, fez alguns exercícios de respiração, beliscou-se, falou em voz alta. Estava vivo! Os ruídos longínquos da rua acabaram por confirmar.

– Decididamente, não estou morto. Mas que bela opinião eu tenho da mulher que eu amo! Por um pobre narcótico que ela me administrou, como era seu direito, eu logo a fui acusando de ser uma envenenadora.

Não poderia dizer exatamente quanto tempo tinha dormido. Um dia? Dois dias? Ainda mais? Sua cabeça estava pesada, seus pensamentos vacilavam e uma dormência infinita lhe prendia os membros.

Rente à parede, avistou uma cesta de provisões que devia ter descido pela seteira. Nenhum fuzil aparecia ali em cima.

Estava com fome e sede. Comeu e bebeu. Sua lassidão era tal que não reagia mais ante à ideia das consequências que aquela refeição poderia desencadear. Narcóticos? Veneno? Que importava! Sono passageiro, sono eterno, tudo lhe era indiferente. Deitou-se de novo e, de novo, dormiu por horas, por noites e por dias...

Ao fim, por mais avassalador que fosse seu sono, Raoul d'Andrésy conseguiu tomar consciência de algumas sensações, do mesmo modo que se adivinha o fim de um túnel pelos lampejos de luz que iluminam as paredes escuras. Sensações até que agradáveis. Eram, sem dúvida alguma, sonhos, sonhos de um embalar muito suave, que ritmava um mesmo ruído contínuo. Chegou a levantar suas pálpebras e então percebeu a moldura retangular de um quadro, cuja tela pintada se mexia e se desdobrava em paisagens constantemente renovadas, brilhantes ou escuras, inundadas de sol ou flutuando em um crepúsculo dourado.

Agora, não precisava fazer mais nada além de estender o braço para pegar os alimentos. Provava-os pouco a pouco e degustava o sabor. Um vinho perfumado os acompanhava. Parecia-lhe, ao bebê-lo, que alguma energia corria nele. Seus olhos se encheram de claridade. A moldura do quadro se tornou o batente de uma janela aberta que deixava ver uma sucessão de colinas, de pradarias e de relógios de aldeias.

Encontrava-se em um outro cômodo, bem pequeno, que reconheceu por já tê-lo habitado. Em que época? Havia ali suas vestes, suas roupas sujas e seus livros.

Uma escada de mão se erguia ali. Por que não subiria, já que estava com forças? Bastava-lhe querer. Quis e subiu. Sua cabeça levantou um alçapão e surgiu no espaço infinito. Um rio à direita e à esquerda. Murmurou: "O convés de *A Indiferente*... O Sena... A costa dos Dois-Amantes..."

Avançou alguns passos.

Josine estava ali, sentada em uma cadeira de vime.

Não houve realmente transição entre os sentimentos de rancor combativo e de revolta que experimentava contra ela e o sobressalto de amor e de desejo que o sacudiu dos pés à cabeça. Aliás, ele havia mesmo sentido

Arsène Lupin e a condessa de Cagliostro

algum rancor e alguma revolta? Tudo se confundia em uma imensa necessidade de apertá-la em seus braços.

Inimiga? Ladra? Criminosa, talvez? Não. Somente mulher, mulher antes de tudo. E que mulher!

Vestida muito simplesmente como de hábito, trajava aquele véu impalpável que filtrava os reflexos de seus cabelos e lhe conferia uma semelhança imensa com a Virgem de Bernardino Luini. O pescoço estava nu, com uma tonalidade quente e tépida. Suas mãos finas se estendiam uma ao lado da outra sobre seus joelhos. Ela contemplava a encosta abrupta dos Dois-Amantes. E nada poderia parecer mais doce e mais puro do que aquele rosto marcado pelo imóvel sorriso que era a própria expressão profunda e misteriosa.

Raoul quase a tocava, no momento em que ela o notou. Josine corou um pouco e baixou as pálpebras, deixando filtrar entre seus longos cílios castanhos um olhar que não ousava se fixar. Nunca uma adolescente demonstrou mais pudor e ingênuo temor; nunca se mostrou menos afetação e menos malícia.

Ele ficou todo emocionado. Josine temia aquele primeiro contato entre eles. Raoul não iria ultrajá-la? Lançar-se sobre ela, bater-lhe, dizer-lhe coisas abomináveis? Ou então fugir com aquele desprezo que é ainda pior que tudo? Raoul tremia como uma criança. Nada contava para ele, naquele exato minuto, senão aquilo que conta eternamente para os amantes, o beijo, a união das mãos e das respirações, a loucura dos olhares que se entrelaçam e dos lábios que desfalecem de volúpia.

Raoul caiu de joelhos diante dela.

A MÃO MUTILADA

O custo de tais amores é o silêncio ao qual estão condenados. Então, mesmo que as bocas falem, o ruído das palavras trocadas não anima o morno silêncio dos pensamentos solitários. Cada um persiste em sua própria meditação, sem nunca penetrar de fato na vida do outro. Diálogo desesperador pelo qual Raoul, sempre pronto para a abrir seu coração, sofria cada vez mais.

Também Josine devia sofrer por isso, a julgar por alguns momentos de lassidão extrema nos quais parecia quase no limite daquelas confidências que aproximam os amantes mais até do que as carícias. Uma vez ela começou a chorar entre os braços de Raoul, com tanta angústia que ele esperava a crise do abandono. Mas logo ela se recompôs e ele a sentiu mais distante do que nunca.

"Ela não consegue confiar", pensou ele. "Ela é um desses seres que vivem à parte, em uma solidão sem fim. Prisioneira do tipo de imagem que quer dar a si mesma, prisioneira do enigma que elaborou e que a mantém em suas redes invisíveis. Como filha de Cagliostro, habituou-se às trevas, às complicações, às tramas, às intrigas, aos trabalhos subterrâneos. Contar a alguém uma dessas maquinações seria o mesmo que lhe entregar o fio que o guiaria pelo labirinto. E ela tem medo e se volta para si mesma."

Como consequência, Raoul se calava igualmente e se privava de fazer alusão à aventura em que estavam engajados e ao problema cuja solução buscavam. Tinha ela se apoderado do baú? Conhecia as letras que abririam a fechadura? Tinha mergulhado sua mão no vão do marco lendário e extraído diretamente as milhares e milhares de pedras preciosas?

Sobre isso, sobre tudo, só silêncio.

Além disso, desde que tinham passado Ruão, a intimidade diminuiu. Léonard, ainda que evitando Raoul, reapareceu. Os conciliábulos recomeçaram. A carruagem e os pequenos cavalos infatigáveis levavam Joséphine Balsamo todos os dias. Para onde? Para que fizesse o quê? Raoul notou que três das abadias se encontravam nas proximidades do rio: Saint-Georges- -de-Boscherville, Jumièges, Saint-Wandrille. Mas então, se ela pedia informações sobre esse assunto, era porque nada ainda estava resolvido, e simplesmente falhara?

Aquela ideia o impulsionava bruscamente para a ação. Da pousada onde ele a havia deixado perto de Haie d'Étigues, fez vir sua bicicleta e impulsionou-se até os arredores de Lillebonne onde a mãe de Brigitte habitava. Ali, soube que doze dias antes – o que correspondia à viagem de Joséphine Balsamo – a viúva Rousselin tinha fechado sua casa para se juntar, dizia ela, à sua filha em Paris. Na noite precedente, segundo afirmavam os vizinhos, uma dama tinha entrado em sua casa.

Somente às dez horas da noite, Raoul voltou até a lancha que estava estacionada a sudoeste da primeira curva após Ruão. Ora, um pouco antes de chegar, ele ultrapassou a carruagem de Josine, que os pequenos cavalos de Léonard puxavam penosamente, como animais extenuados. À beira do rio, Léonard saltou, abriu a portinhola, inclinou-se e voltou com o corpo inerte de Josine, carregando-o sobre seu ombro. Raoul acudiu. Em dois, instalaram a jovem em sua cabine onde o casal de barqueiros se juntou a eles.

– Cuidem dela – falou o homem, rudemente. – Ela só desmaiou. Mas "a coisa está pegando fogo". Não é para ninguém sair daqui!

Ele voltou para o carro e partiu.

Durante toda a noite, Joséphine Balsamo delirou, sem que Raoul pudesse captar nenhuma das palavras incoerentes que deixava escapar. No dia seguinte, a indisposição tinha acabado. Mas, à noite, Raoul, tendo passado na aldeia vizinha, arranjou um jornal de Ruão. Em meio às fofocas da região, leu:

"Ontem à tarde, a delegacia de polícia de Caudebec, informada que um açougueiro tinha escutado gritos de mulher pedindo socorro e que saíam de um antigo forno de sal situado no limite da floresta de Maulévrier, mandou ao local um cabo e um guarda. Quando esses dois representantes da autoridade aproximavam-se do pomar onde se encontrava o forno de cal, perceberam, por cima de uma elevação, dois homens que arrastavam uma mulher até uma carruagem fechada perto da qual se encontrava, de pé, uma outra mulher.

"Obrigados a contornar a elevação, os guardas apenas chegaram à entrada do pomar depois da partida do carro. Logo, a perseguição começou, perseguição que deveria ter terminado pela vitória fácil da força da ordem. Mas a carruagem estava atrelada a dois cavalos tão rápidos, e o condutor devia conhecer tão bem a região, que teve sucesso em escapar pelo emaranhado de estradas acumuladas que subiam para o norte, entre Caudebec e Motteville. Além disso, caía a noite e ainda não se conseguiu estabelecer por onde escaparam todas aquelas belas pessoas."

– E nem saberão – disse Raoul a si mesmo, com toda certeza. – Ninguém além de mim poderá reconstituir os fatos, já que somente eu conheço o ponto de partida e o ponto de chegada.

E, após refletir, Raoul formulou suas conclusões:

– Dentro do antigo forno de cal, um fato inegável: a viúva Rousselin está ali, sob a vigilância de um cúmplice. Joséphine Balsamo e Léonard, que a atraíram para fora de Lillebonne e a prenderam, vão vê-la todos os dias e tentam lhe arrancar a informação definitiva. Ontem, sem dúvida, o interrogatório foi um pouco violento. A viúva Rousselin gritou. Os guardas chegaram. Fuga desesperada. Conseguiram escapar. Ao longo da estrada, deixaram a cativa em uma outra prisão preparada com antecedência e mais uma vez salvaram-se. Mas todas essas emoções provocaram em

Joséphine Balsamo uma daquelas crises nervosas que lhe são costumeiras. Ela desmaiou.

Raoul desdobrou um mapa topográfico. Da floresta de Maulévrier até *A Indiferente*, o caminho media em linha reta uns trinta quilômetros. Foi nos arredores desse caminho, mais ou menos à direita, mais ou menos à esquerda, que a viúva Rousselin fora aprisionada.

– Vamos, o campo de batalha está traçado – disse Raoul a si mesmo –, e a hora de entrar em cena não vai demorar para mim.

No dia seguinte, ele colocou mãos à obra, flanando sobre as estradas normandas, interrogando e tratando de levantar os pontos de passagem e os pontos de parada de "uma velha carruagem atrelada a dois pequenos cavalos". Lógica e fatalmente, a pesquisa deveria dar certo.

Tais dias foram talvez aqueles em que o amor de Joséphine Balsamo e de Raoul adquiriu seu caráter mais áspero e mais apaixonado. A jovem mulher que se sabia procurada pela polícia, e que não tinha esquecido os incidentes da pousada Vasseur, em Doudeville, não ousava deixar *A Indiferente* e cruzar o País de Caux. Raoul então a encontrava entre cada uma de suas expedições e eles se jogavam nos braços um do outro com o desejo exasperado de saborear as alegrias das quais pressentiam o fim próximo.

Alegrias dolorosas, como as que o poderiam ter dois amantes que o destino separou. Alegrias suspeitas que a dúvida envenenava. Tanto um quanto outro adivinhavam seus desígnios secretos e, quando seus lábios estavam unidos, ambos sabiam que o outro, embora amando, agia como se odiasse.

– Eu amo você, eu amo você – repetia Raoul, perdidamente apaixonado, enquanto no fundo de si buscava os meios de arrancar a mãe de Brigitte Rousselin das garras da Cagliostro.

Às vezes, eles se apertavam um contra o outro com a violência de dois adversários que se confrontam. Havia brutalidade em suas carícias, ameaça em seus olhares, raiva em seus pensamentos, desespero em sua ternura. Parecia até que se vigiavam como que para encontrar o ponto fraco onde a ferida seria mais decisiva.

Uma noite, Raoul despertou com uma sensação de desconforto, Josine tinha vindo até seu leito e o olhava sob a luz de uma luminária. Ele estremeceu. Não que o charmoso rosto de Josine tivesse qualquer outra expressão além de seu sorriso habitual. Mas por que aquele sorriso parecia a Raoul tão maldoso e tão cruel?

– O que há com você? – perguntou. – E o que você quer de mim?

– Nada… nada… – falou ela com um tom distraído, se afastando.

Mas ela voltou a Raoul e lhe mostrou uma fotografia.

– Encontrei isso em sua carteira. É inacreditável que você guarde consigo o retrato de uma mulher. Quem é ela?

Ele tinha reconhecido Clarisse d'Étigues e respondeu, hesitando:

– Não sei… Um acaso…

– Vamos, não minta – disse ela, bruscamente. – É Clarisse d'Étigues. Você acha que eu nunca a vi e que ignoro a ligação entre vocês? Ela era sua amante, não é?

– Não, não, jamais – respondeu, rapidamente.

– Ela era a sua amante – repetiu ela –, tenho convicção disso, e ela o ama, e nada está acabado entre vocês.

Ele deu de ombros, mas como queria defender a jovem garota, Josine o interrompeu.

– Chega de falar disso, Raoul. Você está avisado, é melhor assim. Não tentarei nada para encontrá-la, mas se por acaso as circunstâncias colocarem-na em meu caminho, pior para ela.

– E pior para você, Josine, se tocar em um único dos cabelos dela – gritou Raoul, imprudentemente.

Ela empalideceu. Seu queixo tremeu ligeiramente, e, colocando sua mão no pescoço de Raoul, balbuciou:

– Como assim, você ousa tomar partido contra mim…? Contra mim…!

A mão dela se crispava, bem fria. Raoul teve a impressão de que ela ia estrangulá-lo e se levantou, de um salto, para fora da cama. Por sua vez, ela se assustou, acreditando que seria atacada, e sacou de seu corpete um estilete cuja lâmina brilhou.

Eles se contemplaram assim, um diante do outro, naquela postura agressiva, e foi tão penoso que Raoul murmurou:

– Oh! Josine, que tristeza! Dá para imaginar que chegamos a este ponto?

Igualmente bem emocionada, ela caiu sentada, enquanto ele se precipitava a seus pés.

– Beije-me, Raoul... Beije-me... e não vamos pensar em mais nada.

Eles se abraçaram apaixonadamente, mas ele notou que ela não tinha largado o punhal e que um simples gesto teria bastado para que o enfiasse em sua nuca.

Naquele mesmo dia, às oito horas da manhã, Raoul deixou *A Indiferente*.

"Não devo esperar nada dela", disse a si mesmo. "Amor, sim, ela me ama, e sinceramente, e queria como eu que esse amor se desse sem reservas. Mas isso não pode ser. Ela tem uma alma de inimiga. Desconfia de tudo e de todos e de mim em primeiro lugar."

No fundo, permanecia impenetrável para ele. A despeito de todas as suspeitas e de todas as provas, e ainda que o espírito do mal estivesse nela, Raoul se recusava a admitir que ela poderia chegar a cometer um crime. A ideia de assassinato não podia se aliar àquele doce rosto que a raiva ou a cólera não conseguia tornar menos doce. Não, as mãos de Josine estavam puras de qualquer sangue.

Mas ele pensava em Léonard e não duvidava que aquele ali fosse capaz de submeter a mãe Rousselin às mais atrozes torturas.

De Ruão a Duclair, e mais adiante desta localidade, a estrada corria entre os jardins que ladeavam o Sena e a branca falésia que domina o rio. Buracos eram cavados no próprio calcário e serviam para camponeses ou trabalhadores guardarem seus instrumentos, às vezes para eles mesmos se alojarem. Foi assim que Raoul finalmente notou que uma dessas cavernas era ocupada por três homens que teciam cestos com o junco das margens vizinhas. Um pedaço de jardim aberto de hortaliças ficava na frente.

Uma vigilância atenta e alguns detalhes suspeitos permitiram a Raoul supor que o pai Corbut e seus dois filhos, três conhecidos caçadores furtivos, saqueadores de reputação detestável, estavam entre os afiliados que

Joséphine Balsamo empregava em toda parte, e também a supor que a caverna deles era um daqueles refúgios, pousadas, galpões, fornos de cal, etc., com os quais Joséphine Balsamo tinha marcado a região.

Suspeitas que era preciso transformar em certezas e sem despertar atenção. Buscou então mudar a posição do inimigo e, escalando a falésia, voltou-se para o Sena por um caminho na floresta que terminava em uma ligeira depressão. Ali, ele se deixou deslizar, no meio de moitas e espinheiros, até o fundo da depressão, em um lugar que se sobrepunha à gruta uns quatro ou cinco metros.

Ali passou dois dias e duas noites, alimentando-se de provisões que tinha levado, e dormindo ao ar livre. Invisível em meio à vegetação cerrada de plantas altas, assistia à vida dos três homens. No segundo dia, uma conversa que escutou o informou: os Corbut tinham, de fato, a guarda da viúva Rousselin que, desde o alerta de Maulévrier, era mantida cativa no fundo de seu covil.

Como libertá-la? Ou como, ao menos, chegar perto dela para obter da infeliz as indicações que sem dúvida havia recusado à Joséphine Balsamo? Adequando-se aos hábitos dos Corbut, Raoul elaborou e colocou de lado vários planos. Mas, na manhã do terceiro dia, percebeu, de seu observatório, *A Indiferente* descendo o Sena e vindo atracar a um quilômetro acima das grutas.

De noite, às cinco horas, duas pessoas atravessaram a passarela e percorreram o caminho ao longo do rio. Pelo modo de andar, e apesar de suas vestimentas de mulher do povo, ele reconheceu Joséphine Balsamo. Léonard a acompanhava.

Detiveram-se diante da gruta dos Corbut e confabularam com eles como o teriam feito com pessoas que encontramos por acaso. Depois, como a estrada estava deserta, entraram rapidamente no pequeno quintal. Léonard desapareceu; sem dúvida, entrou na gruta. Joséphine Balsamo permaneceu do lado de fora, sentada em uma velha cadeira de balanço e protegida por uma cortina de arbustos.

O velho Corbut cuidava de seu jardim. Os filhos trançavam seus juncos, ao pé de uma árvore.

ARSÈNE LUPIN E A CONDESSA DE CAGLIOSTRO

"O interrogatório está começando de novo", pensou Raoul d'Andrésy. "Que pena não poder assisti-lo!"

Observava Josine, cujo rosto estava quase inteiramente escondido pelas abas de um grande chapéu de palha vulgar, como aqueles usados pelas camponesas nos dias de calor.

Ela não se mexia, um pouco curvada, com os cotovelos sobre os joelhos.

Algum tempo se passou, e Raoul perguntava-se o que poderia ser feito, quando lhe pareceu escutar a seu lado um gemido, ao qual se sucederam gritos abafados. Sim, estava vindo bem do seu lado. Aquilo reverberava em meio aos tufos de grama que o cercavam. Como seria possível?

Rastejou até o ponto exato onde o ruído parecia mais forte, e não teve necessidade de fazer longas buscas para entender. A saliência de falésia onde acabava a depressão estava obstruída por pedras de algum desmoronamento, e em meio àquelas pedras, havia um pequeno monte de tijolos que mal se distinguia sob a camada uniforme de terra e raízes. Eram os destroços de uma chaminé.

Assim, o fenômeno explicava-se. A gruta dos Corbut devia acabar em um beco sem saída bastante profundo na rocha e um duto escavado devia ter servido outrora de chaminé. Pelo duto e através de deslizamentos, o sol era filtrado até lá em cima.

Houve mais dois gritos dilacerantes. Raoul pensou em Joséphine Balsamo. Voltando-se, conseguiu distingui-la na ponta do pequeno jardim. Ainda sentada, inclinada, o busto imóvel, arrancava distraidamente as pétalas de uma capuchinha. Raoul supunha, queria supor que ela não tinha escutado. Talvez ela sequer soubesse...

Apesar de tudo, Raoul estremeceu de indignação. Quer ela assistisse ou não ao aterrador interrogatório que a infeliz enfrentava, ela não estava sendo também uma criminosa? E as dúvidas teimosas das quais ela se beneficiara até aqui, na mente de Raoul, não deveriam ceder diante da implacável realidade? Tudo o que ele pressentia contra Joséphine, tudo o que não queria saber, era verdade, já que comandava, definitivamente, a tarefa da qual Léonard se encarregava e da qual ela não teria conseguido suportar o atroz espetáculo.

Com precaução, Raoul retirou os tijolos e demoliu o montinho de terra. Quando terminou, os lamentos haviam cessado, mas ruídos de falas subiam, apenas um pouco mais distinguíveis do que cochichos. Foi-lhe preciso, portanto, retomar seu trabalho e desobstruir o orifício superior do duto. Então, inclinando-se, a cabeça para baixo, agarrando-se como conseguia às rugosidades da superfície, escutou.

Duas vozes se misturavam, a de Léonard e uma voz de mulher, a da viúva Rousselin, sem nenhuma dúvida. A infeliz parecia extenuada, vítima de um pavor indizível.

– Sim... sim... – ela sussurrou. – Vou continuar, já que prometi, mas estou tão cansada...! É preciso me desculpar, meu bom senhor... Além disso, são acontecimentos tão antigos... Vinte e quatro anos se passaram desde então...

– Chega de conversa fiada – resmungou Léonard.

– Sim... – retomou ela. – Vamos lá... Era então na época da guerra com a Prússia, há vinte e quatro anos... E como os prussianos aproximavam-se de Ruão, onde morávamos, meu pobre marido, que era caminhoneiro, recebeu a visita de dois senhores... Dois senhores que nunca havíamos visto. Queriam fugir para o campo, com suas bagagens, como tantos outros naquela época, certo? Então, demos o preço e, sem mais demora, pois estavam apressados, meu marido partiu com eles em um caminhão. Por infortúnio, por conta da requisição do exército, não tínhamos mais do que um cavalo, e um não muito forte. Além disso, nevava aos montes... A dez quilômetros de Ruão, ele caiu para não mais se levantar... Os senhores tiritavam de medo, pois os prussianos poderiam chegar... Foi então que um tipo de Ruão que meu marido conhecia bem, o criado de confiança do cardeal de Bonnechose, um certo Sr. Jaubert, passou com seu carro... Veja só o senhor... Conversaram... Os dois senhores ofereceram uma grande soma para comprar o cavalo dele. Jaubert recusa. Eles suplicam, ameaçam... E, depois, eis que se atiram sobre ele, como loucos, e o nocauteiam, apesar das súplicas do meu marido... Depois disso, entram no cabriolé, acham ali um baú que pegam para si, atrelam no caminhão o cavalo de Jaubert e vão-se embora, deixando-o meio morto.

– Morto, de fato – especificou Léonard.

– Sim, meu marido o soube meses mais tarde, quando conseguiu voltar a Ruão.

– E, nesse momento, ele não os denunciou?

– Sim... sem dúvida... Ele deveria ter feito, talvez... – falou a viúva Rousselin com embaraço. – Só que...

– Só que eles compraram seu silêncio, não é? – zombou Léonard. – O baú, aberto diante dele, continha joias... Deram a seu marido sua parte do espólio...

– Sim... sim... – disse ela. – Os anéis... Os sete anéis... Mas não foi por isso que ele manteve o silêncio... O pobre homem estava doente... Morreu quase assim que voltou.

– E o baú?

– Ficou no caminhão vazio. De modo que meu marido o trouxe junto com os anéis. *Eu* me mantive calada, como ele. Já era uma história velha, e, depois, tinha medo do escândalo... Poderiam ter acusado meu marido. Melhor se calar. Mudei-me para Lillebonne com minha filha e foi somente quando Brigitte me deixou para ir ao teatro que ela pegou os anéis... Nos quais, eu mesma, nunca quis encostar... Aí está todo o caso, meu bom senhor, não me peça mais.

Léonard zombou de novo:

– Como assim? O caso todo...

– Eu não sei mais nada disso – disse a viúva Rousselin, com medo...

– Mas essa sua história não me interessa. Se nós estamos batalhando aqui os dois é por outra coisa... A senhora sabe muito bem, caramba...!

– O quê?

– As letras gravadas dentro do baú, debaixo da tampa, tudo está ali...

– Letras meio apagadas, eu lhe juro, meu bom senhor, e que eu nunca sequer pensei em ler.

– Que seja, eu quero acreditar nisso. Mas então nós sempre voltamos no mesmo ponto: esse baú, o que foi feito dele?

– Eu lhe disse: pegaram o baú de minha casa, na véspera mesmo da noite em que o senhor foi a Lillebonne com uma senhora... Aquela senhora com uma grande violeta.

– Pegaram o baú... Quem?

– Uma pessoa...

– Uma pessoa que o procurava?

– Não, ela o viu por acaso em um canto do sótão. Gostou dele, como uma antiguidade.

– Qual o nome dessa pessoa? Já perguntei isso a senhora cem vezes.

– Eu não posso contar. É alguém que me fez muito bem na vida, e falar seu nome seria lhe fazer mal, muito mal, eu não falarei...

– Essa pessoa seria a primeira a lhe dizer para falar...

– Talvez... Talvez... Mas como saber? Eu não tenho como saber, tenho? Não posso escrever para ela... De tempo em tempo, nos vemos... Veja, devemos nos ver na próxima quinta-feira... Às três horas...

– Onde?

– Não é possível... Não tenho o direito...

– O quê? Vamos precisar recomeçar? – murmurou Léonard, impaciente.

A viúva Rousselin apavorou-se.

– Não! Não! Ah, meu bom senhor, não! Eu lhe suplico.

Ela deu um grito de dor.

– Ah, seu bandido...! O que você fez comigo...? Ah, minha pobre mão...

– Agora, fale, inferno!

– Sim, sim... Eu prometo...

Mas a voz da infeliz extinguiu-se. Ela chegava ao fim de suas forças. Ainda assim, Léonard insistiu e Raoul percebeu algumas palavras gaguejadas em meio à angústia... "Sim... Aqui está... Vamos nos encontrar quinta-feira... No velho farol... Mas, não... Não tenho o direito... Eu prefiro morrer... Faça o que o senhor quiser... Verdade... Eu prefiro morrer..."

Ela se calou. Léonard rosnou:

ARSÈNE LUPIN E A CONDESSA DE CAGLIOSTRO

– Mas então, o quê? O que ela tem, essa velha turrona? Não está morta, eu espero... Ah, sua mula, você vai falar...! Eu lhe dou dez minutos para terminar de contar...!

A porta foi aberta, depois fechada outra vez. Sem dúvida, ele fora colocar a Cagliostro a par das confissões obtidas e pedir instruções sobre a sequência que se devia dar ao interrogatório. De fato, quando Raoul levantou-se outra vez, viu os dois abaixo de si, sentados um ao lado do outro. Léonard expressava-se com agitação. Josine escutava.

Que miseráveis! Raoul execrava ambos, tanto um quanto o outro. Os gemidos da viúva Rousselin tinham-no perturbado e ele estava tremendo todo de raiva e de uma vontade agressiva. Nada no mundo poderia impedi--lo de salvar aquela mulher.

Seguindo seu hábito, entrou em ação no exato instante em que a visão das coisas que precisaria executar desenrolou-se diante de si em sua ordem lógica. Em tais casos, a hesitação arrisca comprometer tudo. O sucesso depende da audácia com a qual nos precipitamos através dos obstáculos que sequer conhecemos.

Olhou para seus adversários. Os cinco encontravam-se afastados da gruta. Rapidamente, penetrou na chaminé, mantendo-se de pé desta vez. Sua intenção era criar tão discretamente quanto possível uma passagem em meio aos escombros, mas, quase na mesma hora, foi carregado por uma avalanche, subitamente provocada por todos os detritos em equilíbrio e de uma só vez caiu, com um estrondo de pedras e tijolos.

"Maldição", disse-se ele, "contanto que eles não tenham escutado nada lá fora!".

Aguçou o ouvido. Ninguém estava vindo.

A escuridão era tão grande que ele ainda acreditava estar no vão da chaminé. Mas, ao estender o braço, constatou que o duto terminava diretamente na gruta, ou melhor, em uma espécie de trincheira escavada no fundo da gruta e tão estreita que, logo em seguida, sua mão encontrou uma outra mão que lhe pareceu estar queimando. Quando seus olhos se acostumaram com as trevas, Raoul viu as pupilas cintilantes que se fixavam sobre ele, uma figura pálida e oca que o medo convulsionava.

Sem amarras, sem mordaças. Para quê? A fraqueza e o pavor da cativa tornavam qualquer fuga impossível.

Ele se inclinou e lhe disse:

– Não precisa ter nenhum medo. Salvei da morte sua filha Brigitte, também vítima dessas pessoas que as estão perseguindo por causa do baú e dos anéis. Segui seus rastros desde sua partida de Lillebonne e vim salvar a senhora também, mas com a condição de que nunca dirá nada sobre tudo o que se passou aqui.

Mas por que ficar dando explicações que a infeliz era incapaz de compreender? Sem mais se demorar, ele a pegou em seus braços e a carregou sobre o ombro. Depois, atravessando a gruta, empurrou delicadamente a porta, que não estava fechada, como ele supunha.

Um pouco mais longe, Léonard e Josine continuavam a conversar. Atrás deles, abaixo do pomar, a estrada branca alongava-se até o grande burgo de Duclair e, naquela estrada, havia charretes de camponeses que estavam vindo ou que estavam indo embora.

Então, quando julgou o instante propício, abriu a porta de repente, desembestou pelo declive do jardim e deixou a viúva Rousselin ao lado da colina. Logo em seguida, ouviu clamores ao seu redor. Os Corbut lançavam-se para a frente assim como Léonard, os quatro em um impulso irrefletido que os conduzia à batalha. Mas o que eles poderiam fazer? Um carro aproximava-se, em uma das vias. Um outro no sentido inverso. Atacar Raoul na presença de todas aquelas testemunhas e pegar de volta em meio à luta a viúva Rousselin era entregar-se e atrair para si o inevitável inquérito e as represálias da justiça. Eles não se moveram. Foi como Raoul tinha previsto.

O mais tranquilamente possível, interpelou duas freiras com grandes cornetes, uma das quais dirigia um pequeno carro puxado por um velho cavalo, e pediu-lhes que socorressem uma pobre mulher que encontrara na beira da estrada, inconsciente, com os dedos esmagados por um carro.

As boas irmãs, que dirigiam em Duclair um asilo e uma enfermaria, apressaram-se em ajudar. Instalaram a viúva Rousselin no carro e a cobriram com xales. Ela não havia retomado a consciência e delirava, agitando

ARSÈNE LUPIN E A CONDESSA DE CAGLIOSTRO

sua mão mutilada da qual o polegar e o indicador estavam inchados e sangrando.

E o carro partiu em trote leve.

Raoul permaneceu imóvel, diante da atroz visão daquela mão torturada, e sua agitação era tal que não notou os movimentos de Léonard e dos três Corbut que começavam a girar ao seu redor e a se lançar contra ele. Quando percebeu, os quatro homens cercavam-no e tentavam conduzi-lo até a horta... Nenhum camponês podia ser visto, a situação parecia tão favorável a Léonard que ele sacou sua faca.

– Guarde isso e nos deixe sozinhos – disse Josine. – Vocês também, Corbut. Não façam besteiras, hein?

Ela não tinha deixado sua cadeira durante toda a cena e agora surgia em meio aos arbustos.

Léonard protestou:

– Não façam besteiras? A besteira é deixá-lo livre. Ao menos dessa vez, vamos pegá-lo!

– Vá embora! – exigiu ela.

– Mas aquela mulher... Aquela mulher vai nos denunciar!

– Não. A viúva Rousselin não tem interesse em falar. Ao contrário.

Léonard distanciou-se; ela veio bem para o lado de Raoul.

Ele a olhou longamente e com um olhar maldoso que pareceu constranger a tal ponto que Josine tentou brincar para interromper o silêncio.

– Cada um tem sua vez, não é, Raoul? Entre você e eu, o sucesso fica passando de um para o outro. Hoje, a vantagem é sua. Amanhã... Mas o que há agora? Você está com um ar bem engraçado! E os olhos tão duros...

Ele disse claramente:

– Adeus, Josine.

Ela empalideceu um pouco.

– Adeus? – falou ela. – Você quer dizer "até mais ver".

– Não, adeus.

– Então... Então... Isso significa que você não quer mais me ver?

– Eu não quero mais vê-la.

Ela baixou os olhos. Um estremecimento entrecortado agitava suas pálpebras. Seus lábios estavam sorridentes e, ao mesmo tempo, infinitamente dolorosos.

Por fim, ela cochichou:

– Por que, Raoul?

– Porque eu vi uma coisa que não posso... Pela qual nunca poderei perdoá-la.

– Qual coisa?

– A mão daquela mulher.

Ela pareceu perder as forças e murmurou:

– Ah, compreendo... Léonard a machucou... Eu lhe havia proibido, mesmo assim... E eu achando que ela tinha cedido com simples ameaças.

– Você está mentindo, Josine. Você estava escutando os gritos daquela mulher assim como estava escutando na floresta de Maulévrier. Léonard executa, mas a vontade de fazer o mal, a intenção de matar, está em você, Josine. É você quem dirigiu seu cúmplice até a casinha em Montmartre, com a ordem de matar Brigitte Rousselin se ela resistisse. Foi você que não faz muito tempo mistura veneno aos remédios que Beaumagnan devia engolir. Foi você que, nos anos precedentes, suprimiu os dois amigos de Beaumagnan, Denis Saint-Hébert e Georges d'Isneauval.

Ela se revoltou.

– Não, não, eu não permito isso... Não é verdade e você bem sabe, Raoul.

Ele deu de ombros.

– Sim, a lenda de outra mulher, criada pelas necessidades da causa... Uma outra mulher que se parece com você e que comete crimes, enquanto você, Joséphine Balsamo, você se contenta com aventuras menos brutais! Eu acreditei nessa legenda. Eu me deixei enganar por todas essas histórias de mulheres idênticas, filha, neta, bisneta de Cagliostro. Mas acabou, Josine. Se meus olhos se fechavam voluntariamente para não ver o que me assombrava, o espetáculo daquela mão torturada abriu-os definitivamente sobre a verdade.

– Sobre mentiras, Raoul! Sobre interpretações falsas. Eu não conheci os dois homens sobre quem você está falando.

Ele disse com lassidão:

– Pode até ser. Não é totalmente impossível que eu esteja enganado, mas é totalmente impossível que eu a veja daqui para a frente através daquela bruma de mistério que a escondia. Você não é mais misteriosa para mim, Josine. Você aparece para mim tal como você é, isto é, como uma criminosa.

Ele acrescentou mais baixo:

– Como uma doente, inclusive. Se há uma mentira em algum lugar é esta da sua beleza.

Ela se calou. A sombra de seu chapéu de palha suavizava ainda seu doce rosto. As injúrias de seu amante não a abalavam. Josine era toda sedução e toda encantamento.

Raoul ficou perturbado até o fundo de seu ser. Jamais ela lhe havia parecido assim tão bela e tão desejável e ele se perguntava se não era uma loucura retomar uma liberdade que amaldiçoaria já no dia seguinte. Ela afirmou:

– Minha beleza não é uma mentira, Raoul, e você voltará até mim, pois é por sua causa que sou bela.

– Eu não voltarei.

– Sim, você não pode mais viver sem mim, *A Indiferente* está perto. Vou esperá-lo lá amanhã...

– Eu não voltarei – disse ele, pronto, mais uma vez, a ficar de joelhos.

– Nesse caso, por que você está tremendo? Por que está tão pálido?

Raoul compreendeu que sua saúde dependia de seu silêncio, que era preciso fugir sem responder e sem virar a cabeça para trás.

Ele repeliu as mãos de Josine, que se agarravam a ele, e partiu.

O VELHO FAROL

Durante toda a noite, pegando os caminhos que se apresentavam a ele, Raoul pedalava, tanto para despistar as buscas quanto para se infligir uma fadiga salutar. De manhã, extenuado, desabou em um hotel de Lillebonne.

Ele proibiu que lhe despertassem, fechou sua porta com duas voltas e atirou a chave pela janela. Dormiu mais de vinte e quatro horas.

Quando estava vestido e restaurado, não pensava em mais nada além de subir em sua bicicleta e voltar para *A Indiferente*. A luta contra o amor começava.

Estava muito infeliz e como nunca antes sofria. Sempre havia obedecido a seus mínimos caprichos, irritava-se contra um desespero ao qual lhe teria sido tão fácil colocar um fim.

– Por que não ceder? – dizia a si mesmo. – Em duas horas, estou lá. E o que me impede então de partir outra vez alguns dias mais tarde, quando estarei melhor preparado para a ruptura?

Mas ele não podia. A visão daquela mão mutilada o obcecava e comandava toda sua conduta, obrigando-o a evocar todas as outras ações bárbaras e odiosas que aquela ação inconcebível deixava supor.

Josine havia feito *aquilo*; logo, Josine havia matado; logo, Josine não recuava diante do ato de matar e achava simples e natural matar e matar outra vez, quando o crime favorecia seus planos. Ora, Raoul tinha medo do crime. Era uma repulsa física, uma revolta de todo o seu instinto. A simples ideia de que ele podia ser conduzido, em um acesso absurdo, a derramar sangue causava-lhe horror. E eis que, diante desse horror, a mais trágica das realidades associava-se indissoluvelmente à própria imagem da mulher que ele amava.

Portanto, ali ficou, mas a custo de que esforços! Quantos soluços reprimiu! Com que gemidos exalou sua revolta impotente! Josine estendia-lhe seus belos braços e lhe oferecia o beijo de sua boca. Como resistir ao apelo da voluptuosa criatura?

Tocado na parte mais profunda de seu egoísmo, pela primeira vez teve consciência do sofrimento infinito que havia infligido a Clarisse d'Étigues. Adivinhou seus choros. Imaginou a amargura aflitiva daquela vida decepcionada. Remexido de remorso, dirigiu-lhe discursos cheios de ternura e nos quais se lembrava das horas tocantes do amor dos dois.

Fez mais do que isso. Sabendo que a jovem garota recebia diretamente suas cartas, ousou lhe escrever.

Perdoe-me, cara Clarisse. Agi com a senhorita como um miserável. Esperemos um futuro melhor e pense em mim com toda a indulgência de seu coração generoso. Desculpe-me, cara Clarisse, e desculpe-me outra vez.

Raoul

– Ah, ao lado dela como esqueceria rápido todas essas coisas horríveis! – dizia a si mesmo. – O essencial não é ter olhos puros e lábios doces, mas uma alma leal e austera como a de Clarisse!

Só que eram os olhos e o sorriso ambíguo de Josine que ele adorava, e quando divagava sobre as carícias da jovem, preocupava-se pouco que ela tivesse uma alma que não fosse leal nem austera.

Naquele ínterim, ocupava-se em buscar aquele velho farol ao qual a viúva Rousselin havia feito alusão. Diante do fato de que ela habitava em Lillebonne, ele não tinha dúvidas de que o endereço se situaria nos arredores e foi essa direção que tomou desde a primeira noite.

Não estava enganado. Bastou-lhe informar-se para saber, primeiro, que havia um antigo farol desativado nos bosques que cingiam o castelo de Tancarville e, depois, que o proprietário daquele farol havia confiado suas chaves à viúva Rousselin que, a cada semana, e justamente às quintas-feiras, ia até ali colocar um pouco de ordem. Em uma simples expedição noturna, ele conseguiu apoderar-se daquelas chaves.

Dois dias o separavam agora da data à qual, com toda certeza, a pessoa desconhecida que possuía o baú devia encontrar a viúva Rousselin e, como aquela, cativa ou doente, não devia ter conseguido cancelar o encontro marcado, tudo se ajeitava para que Raoul aproveitasse uma conversa que julgava tão importante. Aquela perspectiva o apaziguou. Ele fora outra vez levado ao problema que, havia semanas, impunha-se a ele e cuja solução parecia bem próxima de se revelar.

Para nada deixar ao acaso, na véspera visitou o lugar do encontro e, na quinta-feira, quando atravessou, com uma hora de antecedência em um passo alerta, os bosques de Tancarville, o sucesso parecia-lhe inevitável e, por isso, já saboreava bastante a alegria e o orgulho.

Uma parte daqueles bosques, independente do parque, estende-se até o Sena e cobre as falésias. Caminhos propagam-se de uma rotatória central e um deles conduz, por meio de gargantas e elevações bruscas, até um promontório abrupto, onde se ergue, semivisível, o farol abandonado. Durante a semana, o lugar fica absolutamente deserto. No domingo, por vezes, passam pedestres.

Se a gente sobe até o mirante, tem-se a vista mais grandiosa sobre o canal de Tancarville e sobre o estuário do rio. Mas, na parte de baixo, ficava-se, naquela época, enfiado no mato.

ARSÈNE LUPIN E A CONDESSA DE CAGLIOSTRO

Um único cômodo, bastante grande, vazado por duas janelas e mobiliado por duas cadeiras, compunha o térreo e abria-se, do lado da terra, para um pátio de urtigas e plantas selvagens.

Conforme se aproximava, Raoul diminuiu o passo. Tinha a impressão, aliás totalmente justificada, de que acontecimentos importantes preparavam-se, que não seria somente o encontro de uma pessoa e a conquista definitiva de um segredo formidável, mas que, no fim das contas, a batalha suprema continuava, na qual o inimigo seria definitivamente vencido.

E esse inimigo era a Cagliostro – a Cagliostro que conhecia como ele as confissões arrancadas da viúva Rousselin e que, incapaz de se resignar com o fracasso, e dispondo de meios de investigação ilimitados, devia ter encontrado facilmente aquele velho farol onde parecia que o último ato do drama teria de ser encenado.

– E não somente – disse a meia voz, zombando de si mesmo – me pergunto se ela não assistirá ao encontro, como na verdade, bem espero que ela esteja lá e que eu a reveja, e que, ambos vencedores, acabemos por cair um nos braços do outro.

Por uma cerca, selada o melhor que conseguiram com pedras de um pequeno muro baixo encimado por pontiagudos cacos de garrafas, Raoul penetrou no recinto. No meio das plantas selvagens, nenhum vestígio. Mas poderiam ter ultrapassado o muro em outro ponto e pulado uma das janelas laterais.

Seu coração palpitava. Serrou os punhos, pronto para a retaliação caso o tivessem atraído para uma armadilha.

"Como eu sou idiota!", pensou. "Por que uma armadilha?"

Fez girar a fechadura de uma porta enferrujada e entrou.

A sensação foi imediata. Alguém se dissimulava em um nicho, logo atrás da porta. Não teve tempo de se virar contra o agressor. Mal se dando conta, mais por instinto do que por seus olhos, ele teve seu pescoço amarrado com uma corda que o puxou para trás, enquanto um joelho batia brutalmente em seus rins.

Sufocado, dobrado em dois, teve de se submeter à vontade adversa. Perdeu o equilíbrio e foi derrubado.

– Boa jogada, Léonard! – balbuciou ele. – Que bela revanche!

Ele estava enganado. Não era Léonard. O homem apareceu-lhe de perfil, reconheceu Beaumagnan. Então, enquanto Beaumagnan atava-lhe as mãos, retificou seu erro e confessou sua surpresa por estas simples palavras:

– Ora, ora, o padreco!

A corda que o prendia estava amarrada a um anel preso na parede oposta e logo acima de uma janela. Beaumagnan, que agia com gestos espasmódicos e uma espécie de perplexidade, abriu aquela janela e entreabriu as persianas apodrecidas. Depois, usando o aro de polia, puxou a corda e obrigou Raoul a caminhar. Raoul percebeu pela fenda entreaberta o espaço vazio que, do alto da rocha vertical onde o farol estava empoleirado, caía entre os deslizamentos de pedras e grandes troncos de árvores, cujas copas frondosas bloqueavam o horizonte.

Beaumagnan o girou, empurrou-lhe de costas contra as persianas e atou-lhe os punhos e as canelas.

Portanto, as coisas se apresentavam assim: caso Raoul tentasse ir para a frente, a corta apertada em um nó corrediço o estrangularia. Por outro lado, se Beaumagnan tivesse o desvario de se livrar de sua vítima, bastaria empurrá-la bruscamente, as persianas quebrariam e Raoul, balanço no abismo, seria enforcado.

– Excelente posição para uma entrevista séria – zombou ele.

Aliás, ele estava decidido. Se a intenção de Beaumagnan consistia em lhe dar a escolha entre a morte ou a divulgação dos sucessos que ele, Raoul, havia conseguido obter na busca pelo grande segredo, sem a menor hesitação, ele falaria.

– Às suas ordens – disse ele. – Interrogue-me.

– Cale-se – ordenou o outro, ainda furioso.

E Beaumagnan enfiou-lhe um pedaço de algodão na boca, o qual prendeu com um lenço, passando-o atrás do pescoço.

– Um só gemido – disse ele –, um único gesto e com um soco envio você para o vazio.

Ele o olhou por um segundo, como um homem que se pergunta se não devia cumprir imediatamente o ato projetado. Mas de repente afastou-se, com o passo pesado e sinuoso, atravessou o cômodo batendo o pé no ladrilho e se agachou na soleira da porta, de maneira que lhe era possível ver o lado de fora pelo vão entreaberto.

– Isso não cheira bem – pensou Raoul, bastante inquieto. – Isso cheira tão mal que não estou entendendo nada. Como ele está aqui? Devo supor que era ele o benfeitor da viúva Rousselin, aquele a quem ela não queria comprometer?

Mas aquela hipótese não o satisfazia.

– Não, não é isso. Fui pego no pulo, mas de outra maneira, por imprudência e ingenuidade. É evidente que um tipo como Beaumagnan conhece todo esse caso Rousselin, que ele conhece os encontros e a hora desses encontros, e, então, sabendo que a viúva foi raptada, ele vigia ou manda vigiar os arredores de Lillebonne e de Tancarville... E então, notam minha presença, minhas idas e vindas... E então, armadilha... e então...

Dessa vez, a convicção de Raoul era total. Vencera Beaumagnan em Paris, mas acabava de perder a segunda rodada. Vitorioso dessa vez, Beaumagnan o estendera sobre uma persiana como um morcego que a gente prega na parede e agora aguardava a outra pessoa, a fim de se apoderar dela e de lhe arrancar seu segredo.

Um ponto, no entanto, permanecia obscuro. Por que aquela atitude de besta-fera, pronta a saltar sobre uma presa? Isso não combinava com o encontro provavelmente bem pacífico que se anunciava entre ele e aquela pessoa. Beaumagnan só precisava sair, esperá-la simplesmente lá fora, e lhe dizer: *A Sra. Rousselin está doente e me enviou em seu lugar. Ela gostaria de saber a inscrição gravada na tampa do baú.*

"A menos que...", pensou Raoul. "A menos que Beaumagnan tivesse motivos para prever a chegada de uma terceira pessoa... E que ele desconfiasse... E que preparasse um ataque..."

Bastava que tal questão se colocasse a Raoul para que ele logo se desse conta da exata solução. Supor que Beaumagnan lhe havia preparado uma armadilha, a ele, Raoul, não era nada além da metade da realidade. A emboscada era dupla, o que, então, Beaumagnan poderia estar espiando com aquela febre exasperada? Quem senão Joséphine Balsamo?

– É isso! É isso! – disse Raoul a si mesmo, iluminado por um raio de verdade. – É isso! Ele adivinhou que ela está viva. Sim, no outro dia em Paris, diante de mim, ele deve ter sentido aquela coisa terrível e foi outra vez um passo em falso que eu dei... Uma falta de experiência. Vejamos! Teria eu falado assim, teria eu agido daquele modo, se Joséphine Balsamo não tivesse sobrevivido? Como? Acabo de dizer a este homem que eu tinha lido entre as linhas de sua carta ao barão Godefroy e que assisti à famosa sessão em Haie d'Étigues e eu não teria entendido o que isso significava para a Cagliostro? E um garoto como eu, que não tem frieza nos olhos, teria abandonado aquela mulher? Ora, vamos! Se eu estava na reunião, estava também na escadaria da falésia! E estava na praia quando eles embarcaram! E salvei Joséphine Balsamo! E nos apaixonamos... Não um amor datado do inverno anterior, como eu anunciara, mas um amor posterior à suposta morte de Josine. Eis o que Beaumagnan disse a si mesmo.

As próprias se somam às provas. Os acontecimentos se ligavam uns aos outros como os elos de uma corrente.

Enredada no caso Rousselin e, por consequência, procurada por Beaumagnan, também Josine não tinha deixado de rondar pelos arredores do velho farol. Logo que percebeu isso, Beaumagnan armou sua emboscada. Raoul caíra nela. Agora era a vez de Josine...

Parecia até que o destino queria dar uma confirmação à sequência de pensamentos que se sucediam na mente de Raoul. No exato segundo em que ele a concluía, o ruído de um carro subiu da estrada que ladeava o canal, abaixo das falésias, e, instantaneamente, Raoul reconheceu o passo precipitado dos pequenos cavalos de Léonard.

Beaumagnan, por sua vez, devia saber em que prestar atenção, pois ele se levantou outra vez e apurou os ouvidos.

O ruído dos cascos parou, depois foi retomado, com menos velocidade. A carruagem subia um caminho escarpado e rochoso que se erguia em direção ao planalto, de onde se destaca o caminho florestal, que atravessa as escarpas do antigo farol, intransitável para veículos.

Em cinco minutos, mais ou menos, Joséphine Balsamo apareceria.

Cada segundo de cada um dos minutos solenes aguçavam a agitação e o delírio de Beaumagnan. Ele balbuciava sílabas incoerentes. Sua máscara de ator romântico deformava-se até dar uma impressão de feiura bestial. O instinto, a vontade de matar retorcia seus traços, e, de repente, ficou visível que aquela vontade, que aquele instinto selvagem voltava-se contra Raoul, contra o amante de Joséphine Balsamo.

De novo, as pernas moviam-se mecanicamente, pisoteando o ladrilho. Caminhava sem se dar conta e ia matar sem se dar conta, como um homem ébrio. Seus braços enrijeciam-se. Seus punhos crispados avançavam com uma força lenta, contínua, irresistível, como se empurrasse dois bodes até o peito do jovem homem.

Mais alguns passos, e Raoul ficaria balançando no vazio.

Raoul fechou os olhos. No entanto, não se resignou e buscava conservar alguma esperança.

"A corda vai arrebentar", pensava ele, "e haverá musgo sobre as pedras que me receberão. Na verdade, o destino do Senhor Arsène Lupin d'Andrésy não é ser enforcado. Se, em minha idade, eu não tenho a chance de me safar de aventuras desse tipo, é porque os deuses, até aqui favoráveis, não têm mais intenção de cuidarem de mim! Nesse caso, nenhum arrependimento!"

Pensou em seu pai e nas lições de ginástica e de acrobacias que tivera com Théophraste Lupin... Murmurou o nome de Clarisse...

No entanto, o choque não aconteceu. Ainda que ele sentisse contra si a própria presença de Beaumagnan, parecia que o impulso do adversário fora detido.

Raoul abriu as pálpebras outra vez. Beaumagnan, bem erguido, dominava-o com sua alta estatura. Mas ele não se mexia, seus braços estavam dobrados e, sobre seu rosto, onde o pensamento de matar imprimia uma careta abominável, a decisão parecia ter sido suspensa.

Raoul escutava e não ouvia nada. Mas talvez Beaumagnan, cujos sentidos estavam superexcitados, ouvisse a aproximação de Joséphine Balsamo? De fato, ele recuava passo a passo, e, de súbito, precipitando-se, retomou seu posto no nicho, à direita da porta.

Raoul o via bem de frente. Ele era hediondo. Um caçador de tocaia que coloca seu fuzil no ombro e recomeça várias vezes aquele gesto para estar pronto para executá-lo no momento preciso. Assim, em Beaumagnan, as mãos se aprontavam convulsivamente para o crime. Elas se abriram para estrangular, colocavam-se à distância conveniente uma da outra, crispavam seus dedos recurvados como garras.

Raoul ficou apavorado. Sua impotência era uma coisa terrível, com a qual sofria até o martírio.

Embora soubesse a inutilidade de qualquer esforço, debatia-se para romper as amarras. Ah, se pudesse gritar! Mas a mordaça abafava seus gritos e as amarras lhe cortavam a carne.

Lá fora, no imenso silêncio, um ruído de passo. A cerca rangeu. Uma saia roçou nas folhas. Pedras foram remexidas.

Beaumagnan, colado à parede, levantou os cotovelos. Suas mãos, que tremiam como as mãos de um esqueleto que o vento agita, pareciam já estar se fechando em torno de um pescoço e segurá-lo, bem vivo, palpitando.

Raoul urrou atrás de sua mordaça.

E então a porta foi empurrada e o drama começou.

Aconteceu exatamente da maneira que Beaumagnan havia planejado e que Raoul tinha imaginado. Uma silhueta de mulher, que era a de Joséphine Balsamo, apareceu e na mesma hora foi esmagada pela investida de Beaumagnan. Um fraco lamento, se muito, foi exalado, abafado por uma espécie de latido furioso que arquejava na garganta do assassino.

Raoul esperneava: nunca tinha amado tanto Josine quanto no minuto em que a imaginou agonizando. Seus erros, seus crimes? Que importavam! Ela era a mais bela criatura que havia no mundo e toda aquela beleza, aquele sorriso adorável, aquele corpo encantador feito para ser acariciado, iam ser aniquilados. Nenhum socorro era possível. Nenhuma força havia contra a força irrefreável daquele bruto.

O que salvou Joséphine Balsamo foi o próprio excesso de um amor que apenas a morte podia saciar e que, no último segundo, não pôde concluir a sinistra tarefa. Findada a energia, arrasado por um desespero que tomava de súbito ares de loucura, Beaumagnan rolou pelo chão arrancando os próprios cabelos e batendo a cabeça no ladrilho.

Raoul enfim respirou. Quaisquer que fossem as aparências, e embora Joséphine Balsamo não se movesse, era certo que estava viva. De fato, lentamente, saindo do horrível pesadelo, ela se levantou, com intermitências de fraqueza que pareciam quebrá-la, e, enfim, ergueu-se, bem reta e calma.

Ela estava vestindo um casado de peregrino que a envolvia e na cabeça trazia uma touca de onde pendia um véu com grandes flores bordadas. Deixou cair seu casaco, descobrindo assim seus ombros, os quais saíam pela abertura do corselete que a luta havia rasgado.

Quanto à touca e ao véu, amassando-os, também os jogou no chão e sua cabeleira livre abriu-se em cada lado da testa em cachos pesados e regulares, nos quais raiavam reflexos fulvos. Suas bochechas estavam mais rosadas, seus olhos mais brilhantes.

Um longo momento de silêncio se seguiu. Os dois homens a contemplavam loucamente, não mais como se ela fosse uma inimiga, ou uma amante, ou uma vítima, mas simplesmente como uma mulher radiante ante a qual enfrentavam o fascínio e o encanto. Raoul bem emocionado, Beaumagnan imóvel e prostrado, ambos a admiravam com o mesmo fervor.

Ela primeiro levou à boca um pequeno apito de metal que Raoul bem conhecia, Léonard devia estar vigiando a alguma distância e logo atenderia a seu chamado. Mas ela pensou melhor. Por que chamá-lo enquanto ela permanecia senhora absoluta da situação?

Dirigiu-se até Raoul, desamarrou o lenço que o amordaçava e lhe disse:

– Você não apareceu, Raoul, como achei que faria. Você virá comigo?

Se ele tivesse sido solto, tê-la-ia apertado ardentemente contra si. Mas por que ela não cortava suas amarras? Qual pensamento secreto a impedia disso?

Afirmou:

– Não... Acabou.

Ela se ergueu um pouco sobre as pontas dos pés e colou seus lábios aos dele, murmurando:

– Acabou tudo entre nós dois? Você está louco, meu Raoul!

Beaumagnan tinha reagido e avançava, fora de si, diante daquela carícia inesperada. Como tentava segurar seus braços, ela se virou e, de repente, a calma que havia conservado até ali cedeu espaço para sentimentos reais que a transtornavam, sentimentos de execração e de rancor feroz contra Beaumagnan.

Ela reagiu, com uma veemência da qual Raoul não a julgava capaz.

– Não me toque, miserável. E nem pense que tenho medo de você. Você está sozinho hoje e há pouco tive a prova de que você nunca ousaria me matar. Você não é nada além de um covarde. Suas mãos estavam tremendo. Minhas mãos não tremerão, Beaumagnan, quando a hora chegar.

Ele recuava diante de suas imprecações e ameaças, e Joséphine Balsamo continuava a falar, tomada pela raiva:

– Mas sua hora não chegou. Você não sofreu o bastante... Você nem sequer sofreu, já que acreditava que eu estava morta. Seu suplício agora será saber que eu estou viva e que estou apaixonada. Sim, você entendeu, estou apaixonada por Raoul. Primeiro, eu o amei para me vingar de você e para lhe contar mais tarde, e o amo hoje sem motivo, porque ele é quem é e eu não consigo mais esquecê-lo. Se é que ao menos ele sabe; se ao menos eu mesma o soubesse. Mas já faz alguns dias, como ele estava fugindo de mim, senti que ele era tudo na minha vida. Eu não sabia o que é o amor e o amor é isso, este frenesi que me agita.

Josine estava tomada pelo delírio, como aquele que ela torturava. Seus gritos de apaixonada pareciam lhe fazer tanto mal quanto a Beaumagnan. Ao vê-la assim, Raoul sentia mais distanciamento do que alegria. A chama

ARSÈNE LUPIN E A CONDESSA DE CAGLIOSTRO

do desejo, da admiração e do amor que havia se acendido outra vez no momento de perigo, apagou-se definitivamente. A beleza e a sedução de Josine se desfaziam como miragens e, em seu rosto, que, apesar de tudo, não havia mudado, ele não podia mais discernir nada além do vil reflexo de uma alma cruel e doente.

Ela continuava seu ataque furioso contra Beaumagnan, que reagia com sobressaltos de cólera ciumenta. E era realmente uma coisa desconcertante de ver aqueles dois seres que, no exato momento em que as circunstâncias iam fornecer-lhes o segredo do formidável enigma pelo qual buscavam havia tanto tempo, esqueciam tudo no arroubo de sua paixão. O grande segredo dos séculos precedentes, a descoberta das pedras preciosas, o marco lendário, o baú e a inscrição, a viúva Rousselin, a pessoa que caminha na direção deles e que lhes daria a verdade... Tantas tolices com as quais tanto um quanto o outro preocupavam-se tão pouco. O amor conduzia tudo como uma torrente tumultuosa. Raiva e paixão entregavam-se ao eterno combate que dilacera os amantes.

Os dedos de Beaumagnan novamente dobravam-se como garras e suas mãos trêmulas posicionavam-se para estrangular. Josine persistia, ainda assim, cega e desalinhada, e lhe despejava a injúria de seu amor!

– Eu amo Raoul, Beaumagnan. O fogo que lhe queima e também me devora é um amor como o seu, onde se mistura a ideia de assassinato e de morte. Sim, eu o mataria antes de saber que ele está com outra, ou de saber que ele não me ama mais. Mas ele me ama, Beaumagnan, ele me ama, está escutando, ele me ama!

Um riso inesperado saiu da boca convulsionada de Beaumagnan. Sua cólera findava-se em um acesso de hilaridade sardônica.

– Ama, Joséphine Balsamo? Tem razão, ele ama você! Ele ama você como ama a todas as mulheres. Você é bela, e ele a deseja. Uma outra passa, e ele a quer também. E você também, Joséphine Balsamo, está sofrendo o inferno. Confesse, vamos!

– O inferno, sim – disse ela. – Seria o inferno se eu acreditasse na traição dele. Mas isso não aconteceu e você tenta estupidamente...

Ela se deteve. Beaumagnan zombava com tanta alegria e maldade que ela sentiu medo. Muito baixo, em um tom de angústia, retomou a palavra:

– Uma prova…? Dê-me uma única prova… Nem isso… Um indício… Alguma coisa que me obrigue a duvidar… E eu o abato como a um cão.

Ela tinha tirado de seu corselete um pequeno cassetete feito com um cabo de osso de baleia e uma bola de chumbo. Seu olhar enrijeceu-se.

Beaumagnan replicou:

– Eu não lhe digo algo de que duvidar, mas algo certo.

– Diga… Cite um nome.

– Clarisse d'Étigues – disse ele.

Ela deu de ombros.

– Eu sei… Um casinho sem importância.

– Bastante importante para ele, já que a pediu em casamento ao pai.

– Ele a pediu em casamento! Isso não, veja, é impossível… Eu me informei… Eles se encontraram duas ou três vezes no interior, não mais do que isso.

– Melhor do que isso, no quarto da pequena.

– Você está mentindo! Você está mentindo! – gritou ela.

– Diga então que é o pai dela que está mentindo, pois a coisa me foi confiada, antes de ontem à noite, por Godefroy d'Étigues.

– E ele? Quem lhe contou isso?

– A própria Clarisse.

– Mas é um absurdo. Uma filha não faria tal confissão.

Beaumagnan ironizou:

– Há casos em que uma filha se vê obrigada a fazer.

– Como? O quê? O que você ousa dizer?

– Estou dizendo o que aconteceu… Não é a amante quem confessou, foi a mãe… A mãe que quer assegurar um nome à criança que ela carrega dentro de si, a mãe que exige o casamento.

Joséphine Balsamo parecia sufocada, desamparada.

– O casamento! O casamento com Raoul! O barão d'Étigues aceitaria…?

– Óbvio!

Arsène Lupin e a condessa de Cagliostro

– Mentiras! – exclamou ela. – Fofocas de tia velha, ou melhor, não, é uma invenção sua. Não há uma palavra verdadeira em tudo isso. Eles nunca se viram outra vez.

– Eles se escrevem.

– A prova, Beaumagnan! A prova agora mesmo!

– Uma carta bastaria a você?

– Uma carta?

– Escrita por ele a Clarisse.

– Escrita há quatro meses?

– Há quatro dias.

– Você está com ela?

– Aqui.

Raoul, que escutava ansiosamente, estremeceu. Reconhecia o envelope e o papel da carta que havia enviado de Lillebonne a Clarisse d'Étigues.

Josine pegou o documento e leu baixinho, articulando cada sílaba:

Perdoe-me, cara Clarisse. Agi com a senhorita como um miserável. Esperemos um futuro melhor e pense em mim com toda a indulgência de seu coração generoso. Desculpe-me, cara Clarisse, e desculpe-me outra vez.

Raoul

Ela mal teve forças para acabar a leitura daquela carta que a renegava e a feria no ponto mais sensível de seu amor próprio. Ela cambaleava. Seus olhos buscavam os de Raoul. Ele compreendeu que Clarisse estava condenada à morte, e, em seu íntimo, soube que não sentiria nada além de ódio contra Joséphine Balsamo.

Beaumagnan explicou:

– Foi Godefroy quem interceptou essa carta e quem a entregou para mim pedindo-me conselho. Como o envelope trazia o timbre de Lillebonne, foi assim que encontrei os rastros de vocês dois.

Cagliostro calou-se. Seu rosto marcava um sofrimento tão profundo que teria sido possível comover-se com ele e também sentir piedade das lentas lágrimas que escorriam sobre suas maçãs, se sua dor não tivesse sido visivelmente dominada por uma súbita determinação de vingança. Ela fazia planos. Estabelecia emboscadas.

Assentindo, ela disse a Raoul:

– Eu o preveni, Raoul.

– Um homem prevenido vale por dois – disse ele, em um tom sarcástico.

– Não brinque com isso! – gritou ela, impaciente. – Você sabe o que eu lhe disse e que era melhor nunca colocá-la no caminho do nosso amor.

– E você também sabe o que *eu* mesmo lhe disse – retrucou Raoul, com seu mesmo ar provocador. – Se um dia você tocar um só de seus cabelos...

Ela estremeceu.

– Ah, como você pode zombar assim de meu sofrimento e tomar o partido de uma outra mulher contra mim...? Contra mim! Ah! Raoul, tanto pior para ela!

– Você não me assusta – disse ele. – Ela está em segurança, já que eu a protejo.

Beaumagnan os observava, feliz por sua discórdia e por toda aquela raiva que fervia neles. Mas Joséphine Balsamo conteve-se, julgando sem dúvida que era perda de tempo falar de uma vingança que viria na sua hora. No momento, outras preocupações a ocupavam e ela murmurou, confessando seus pensamentos íntimos e escutando com atenção:

– Apitaram, não foi, Beaumagnan? Foi um de meus homens que estão vigiando as trilhas por onde é possível chegar aqui para me prevenir... A pessoa que nós esperamos deve ter sido vista... Pois suponho que também *você* esteja aqui por causa dela, não?

De fato, a presença de Beaumagnan e seus desígnios secretos não eram muito claros. Como ele teria conseguido saber o dia e a hora do encontro? Quais informações especiais relativas ao caso Rousselin ele possuía?

Ela deu uma olhada em Raoul. Aquele ali, bem amarrado, não podia incomodá-la em seus planos e tampouco participaria da última batalha. Mas

ARSÈNE LUPIN E A CONDESSA DE CAGLIOSTRO

Beaumagnan parecia preocupá-la e ela o conduzia em direção à porta como se quisesse ir ao encontro da pessoa esperada, quando, no exato momento em que estava saindo, ouviram-se passos. Logo ela voltou atrás, com um gesto que repeliu Beaumagnan e deixou a passagem livre para Léonard.

Este examinou rapidamente os dois homens, depois puxou Cagliostro de lado e lhe disse algumas palavras ao ouvido.

Ela parecia atordoada e murmurou:

– O que você está dizendo...? O que você está dizendo...?

Ela virou a cabeça para que não pudessem saber o sentimento que estava experimentando, mas Raoul teve a impressão de ser uma grande alegria.

– Ninguém se mexe... – disse ela. – Alguém está vindo... Léonard, pegue seu revólver. Quando chegarem na soleira da porta, mire.

Ela interpelou Beaumagnan que tentava abrir a porta.

– Mas o senhor está louco? Que é isso? É para ficar aí.

Como Beaumagnan insistia, ela se irritou.

– Por que o senhor quer sair daqui? Por quais motivos? Quer dizer que o senhor conhece essa pessoa e quer impedi-la de vir aqui... Ou então quer levá-la consigo, é isso? É isso...? Não vai responder...?

Beaumagnan não largava a maçaneta, enquanto Josine tentava contê--lo. Vendo que ela não conseguiria, voltou-se a Léonard e, com sua mão livre, mostrou-lhe o ombro esquerdo de Beaumagnan com um gesto que ordenava, ao mesmo tempo, para que batesse nele e para que batesse sem precipitação. Em um segundo, Léonard tirou de seu bolso um estilete, que enfiou ligeiramente no ombro do adversário.

Beaumagnan grunhiu:

– Ah, sua vadia...

E desmoronou sobre o pavimento.

Ela disse a Léonard, tranquilamente:

– Ajude-me e vamos rápido.

Em dois, cortando a corda longa demais que prendia Raoul, eles amarraram os braços e as pernas de Beaumagnan. Depois, após tê-lo sentado e apoiado contra a parede, ela examinou a chaga, cobriu-a com um lenço e disse:

– Não foi nada... Mal vai ficar ardendo duas ou três horas... Todos em seus lugares.

Eles se posicionaram de tocaia.

Tudo isso ela executou sem pressa, o rosto calmo, com gestos tão calculados quanto se tivessem sido combinados com antecedência. Algumas sílabas simplesmente para dar as ordens. Mas sua voz, mesmo surda, adquiria uma tal nota de triunfo que Raoul afligia-se com uma inquietação crescente e estava a ponto de gritar e advertir aquele ou aquela que, por sua vez, ia cair na armadilha.

Mas para quê? Nada podia se opor às temíveis decisões da Cagliostro. Aliás, ele não sabia mais o que fazer. Seu cérebro esgotava-se em ideias absurdas. E depois... E depois... já era tarde demais. Um gemido lhe escapou: Clarisse d'Étigues estava entrando.

DEMÊNCIA E GENIALIDADE

Até ali, Raoul não havia sentido nada além de uma espécie de medo moral, o perigo ameaçava apenas a Cagliostro e a ele mesmo: no que lhe dizia respeito, confiava em sua destreza e em sua boa sorte; quanto a Cagliostro, ele sabia que ela tinha magnitude para se defender de Beaumagnan.

Mas, Clarisse! Na presença de Joséphine Balsamo, Clarisse era como uma presa entregue às astúcias e à crueldade do inimigo. E, dali em diante, o medo de Raoul intensificou-se em uma sorte de horror físico que, realmente, eriçava os cabelos de sua nuca e lhe causava o que vulgarmente se chama de arrepio. O rosto implacável de Léonard se somava àquele pavor. Ele se lembrava da viúva Rousselin e de seus dedos inchados.

Na verdade, chegando ao encontro uma hora antes, percebera bem quando adivinhou que a grande batalha estava se formando e que o colocaria contra Joséphine Balsamo. Até ali, simples escaramuças, conflitos de reconhecimento de terreno. Agora, era a luta até a morte entre todas as forças que tinham sido afrontadas e Raoul, por sua vez, encontrava-se ali, com as mãos amarradas, a corda no pescoço, e com aquele enfraquecimento crescente causado pela chegava de Clarisse d'Étigues.

– Ora, eu ainda tenho muito a aprender – disse-se ele. – Sou de certa forma responsável por essa situação atroz e minha querida Clarisse, mais uma vez, é minha vítima.

A jovem garota permanecia impedida de avançar pela ameaça do revólver que Léonard mantinha apontado. Ela tinha vindo alegremente, como se estivesse indo, em um dia de férias, ao encontro de alguém que adoraria reencontrar, e caíra bem no meio daquela cena de violência e de crime, enquanto aquele que ela amava permanecia diante dela, imóvel e aprisionado.

Ela balbuciou:

– O que houve, Raoul? Por que o senhor está amarrado?

Clarisse estendia suas mãos na direção dele, tanto para implorar sua ajuda quanto para lhe oferecer a sua. Mas o que eles dois poderiam fazer?

Raoul notou suas feições marcadas e o cansaço extremo de todo o seu ser e teve de se conter para não chorar ao pensar na dolorosa confissão que ela fizera ao pai e nas consequências do erro que cometera. Apesar de tudo, ele lhe disse com uma segurança imperturbável:

– Não tenho nada a temer, Clarisse, e tampouco a senhorita. Absolutamente nada. Eu respondo por tudo.

Ela voltou os olhos para aqueles que a rodeavam, teve o espanto de reconhecer Beaumagnan sob a máscara que o abafava e perguntou timidamente a Léonard:

– O que o senhor quer de mim? Tudo isso é assustador… Quem me pediu para vir aqui?

– Eu, senhorita – disse Joséphine Balsamo.

A beleza de Josine já tinha chocado Clarisse. Um pouco de esperança a reconfortou, como se nada além de ajuda e proteção pudesse vir daquela mulher admirável.

– Quem é a senhora? Eu não a conheço…

– Já eu a conheço – afirmou Joséphine Balsamo, que controlava a própria raiva, apesar de a graça e a doçura da jovem garota parecerem irritá-la. – A senhorita é a filha do barão d'Étigues… E sei também que está apaixonada por Raoul d'Andrésy.

Clarisse corou e não protestou. Joséphine Balsamo disse a Léonard:

– Vá fechar a cerca. Coloque a corrente e o cadeado que você trouxe e erga outra vez o velho poste caído, onde há um cartaz dizendo: "Propriedade Privada".

– Devo ficar lá fora? – perguntou Léonard.

– Sim, não precisarei de você por enquanto – disse Josine, com um ar que aterrorizou Raoul. – Fique lá fora. Não vem ao caso que sejamos incomodados... De modo algum, está bem?

Léonard impeliu Clarisse a se sentar em uma das duas cadeiras, puxou os dois braços para trás e ia amarrar seus punhos às barras.

– É inútil – disse Joséphine Balsamo –, deixe-nos.

Ele obedeceu.

Um de cada vez, olhou suas três vítimas, todas desarmadas e reduzidas à impotência. Ela era senhora do campo de batalha e, sob pena de morte, podia impor seus inflexíveis vered0itos.

Raoul não tirava seus olhos dela, esforçando-se para discernir seu plano e suas intenções. A calma de Josine impressionava-o mais do que tudo. Ela não tinha aquela febre e aquela agitação que teria, por assim dizer, desarticulado a conduta de qualquer outra mulher em seu lugar. Nenhuma atitude de triunfo. Tinha inclusive até um certo tédio, como se tivesse agido pelo impulso de forças interiores as quais não era capaz de disciplinar.

Pela primeira vez, Raoul vislumbrou nela aquele tipo de fatalismo indiferente que dissimulava de ordinário sua beleza sorridente e que era talvez a própria essência e a explicação de sua natureza enigmática.

Ela tomou lugar ao lado de Clarisse na outra cadeira e, com os olhos fixos, a voz lenta, com secura e monotonia na entonação, começou:

– Há três meses, senhorita, uma jovem dama foi raptada furtivamente ao descer do trem e transportada até o castelo de Haie d'Étigues, onde se encontravam reunidos, em uma grande sala isolada, uma dezena de cavalheiros do País de Caux, dentre os quais Beaumagnan, que a senhorita vê aqui, e seu pai. Não vou lhe contar tudo o que foi dito naquela reunião e todas as ignomínias que esta mulher teve de enfrentar da parte de pessoas que pretendiam ser seus juízes. Em todo caso, depois de um simulacro de debate, uma vez que seus convidados foram embora, à noite, seu pai e seu primo Bennetot levaram esta mulher ao pé das falésias, amarraram-na ao fundo de um barco furado, que um seixo enorme deixava pesado e a conduziram para o mar alto, onde a abandonaram.

Clarisse, sufocada, balbuciou:

– Não é verdade! Não é verdade…! Meu pai jamais teria feito isso… Não é verdade!

Sem se preocupar com o protesto indignado de Clarisse, Joséphine Balsamo continuou:

– Alguém tinha assistido a sessão do castelo, sem que nenhum dos conjurados imaginasse, alguém que espiava os dois assassinos. Não há outro termo, certo? Essa pessoa agarrou-se ao barco e salvou a vítima assim que os dois se afastaram. De onde vinha este último? Tudo leva a crer que ele havia passado a noite precedente e a manhã em seu quarto, acolhido pela senhorita, não como um noivo, já que seu pai lhe havia recusado esse título, mas como um amante.

As acusações e as injúrias feriam Clarisse como se fossem golpes de uma massa. Desde o primeiro minuto, ela havia sido colocada fora de combate, incapaz de resistir, nem mesmo de se defender.

Bem pálida, enfraquecida, ela se curvou em sua cadeira, gemendo:

– Oh, mas o que a senhora está dizendo?

– O que a senhorita contou ao seu pai – retomou a Cagliostro –, já que as consequências de seu erro tornaram necessária a confissão que a senhorita lhe fez antes de ontem à noite. Preciso mesmo especificar mais e lhe dizer o que aconteceu com seu amante? No mesmo dia em que lhe desonrou, Raoul d'Andrésy a abandonava para seguir a mulher que havia salvado da mais atroz das mortes, dedicando-se a ela de corpo e alma, fazendo-a amá-lo, vivendo sua vida e jurando nunca mais revê-la, senhorita. O juramento foi feito da mais categórica das maneiras: *"Eu não a amo"*, disse ele. *"Foi um casinho. Acabou."*

"Ora, na sequência de um mal-entendido passageiro… Que se passou entre ele e sua senhora, essa mulher acabou descobrindo que Raoul correspondia-se com a senhorita e lhe escreveu uma carta que aqui está, na qual lhe pedia perdão e lhe dava esperança quanto ao futuro. Agora a senhora entende que tenho algum direito em tratá-la como inimiga... E, inclusive, como inimiga mortal?", acrescentou a Cagliostro, confidencialmente.

Clarisse mantinha-se calada. O medo aumentava nela e considerava com uma apreensão crescente o doce e terrível rosto daquela que lhe tomara Raoul e que se proclamava sua inimiga.

Estremecendo de piedade e sem temer a ira de Joséphine Balsamo, Raoul repetiu seriamente:

– Se há um juramento solene de minha parte o qual estou decidido a manter para e contra todos, Clarisse, é aquele pelo qual prometi que nem um cabelo de sua cabeça seria tocado. Não tenha medo. Antes de dar dez minutos, a senhorita sairá daqui, sã e salva. Dez minutos, Clarisse, não mais.

Joséphine Balsamo ignorou o comentário. Calmamente, retomou a palavra:

– Eis, então, nossa situação recíproca bem estabelecida. Passemos aos fatos e aqui também eu serei bastante breve. Seu pai, senhorita, seu amigo Beaumagnan e seus cúmplices, levam adiante uma empreitada conjunta, que, por minha vez, também persigo e à qual depois Raoul igualmente agarrou-se. Desde então, há entre nós uma guerra incessante. Ora, uns de nós, assim como os outros, entraram em contato com uma certa senhora Rousselin, a qual possuía um antigo baú do qual precisamos para ter sucesso e do qual ela se desfizera em favor de uma outra pessoa. Nós a interrogamos da maneira mais insistente possível, sem, todavia, obter dela o nome dessa pessoa que, ao que parece, a recobrira de benesses e que, por isso, ela não queria comprometer por uma indiscrição. Tudo o que nos foi possível saber é uma velha história que vou resumir e da qual a senhorita vai entender todo o interesse pelo nosso ponto de vista... E pelo seu, senhorita.

Raoul começava a discernir o caminho trilhado pela Cagliostro e o fim ao qual ela devia inevitavelmente chegar.

Era tão aterrador que ele lhe disse com uma nota de fúria:

– Não, não, não isso, não é? Não isso! Há coisas que devem permanecer escondidas...

Ela não pareceu escutar e continuou, inexorável:

– Veja só. Há vinte e quatro anos, durante a guerra entre a França e a Prússia, dois homens que fugiam dos invasores e que estavam sendo conduzidos pelo senhor Rousselin mataram nos arredores de Ruão um criado chamado Jaubert para lhe roubar seu cavalo. Com o cavalo, puderam se salvar, levando consigo além disso um baú que roubaram de sua vítima e que continha as mais preciosas das joias. Mais tarde, o senhor Rousselin, que fora forçado a levá-los dali e a quem eles tinham dado como retribuição alguns anéis sem valor, voltou a Ruão para junto de sua esposa e ali morreu quase na mesma hora de tanto que aquele assassinato e sua cumplicidade involuntária o haviam deprimido. Ora, relações estabeleceram-se entre a viúva e os assassinos, esses temendo alguma fofoca, e aconteceu... Mas suponho que a senhorita está entendendo exatamente do que se trata, não é mesmo?

Clarisse escutava com um terror tão doloroso que Raoul gritou:

– Cale-se, Josine, nem mais uma palavra! É o ato mais vil e mais absurdo. Para que fazer isso?

Ela lhe impôs silêncio.

– Para quê? – falou ela. – Porque toda a verdade deve ser dita. Você nos atirou uma contra a outra. Ela e eu. Que haja, portanto, igualdade entre ela e eu no sofrimento.

– Ah, sua selvagem – murmurou ele em desespero.

E Joséphine Balsamo, voltando-se para Clarisse, especificou:

– Seu pai e o primo dele, Bennetot, seguiram, portanto, de perto a viúva Rousselin e é evidentemente graças ao barão d'Étigues que ela deve sua instalação a Lillebonne, onde fica mais fácil vigiá-la. De resto, com os anos, ele conseguiu alguém para cumprir essa tarefa de maneira mais ou menos conscientemente: essa pessoa é a senhorita. A viúva Rousselin criou afeição pela senhorita a tal ponto que não tinha mais a temer de sua parte o menor ato de hostilidade. Por nada no mundo, ela teria traído o pai cuja filha, de tempos em tempos, vinha passar um tempo com ela. Visitas clandestinas, evidentemente, a fim de que nenhum fio pudesse ligar o presente ao passado, visitas que por vezes chegavam até a ser substituídas por encontros nos arredores, no velho farol ou em outros lugares.

"Foi durante uma dessas visitas que a senhorita viu por acaso no sótão de Lillebonne o baú que Raoul e eu procurávamos e por capricho o levou para sua casa, em Haie d'Étigues. Assim, quando Raoul e eu soubemos, pela viúva Rousselin, que o baú estava em posse de uma pessoa que ela não queria nomear, que essa pessoa a havia coberto de benesses e que elas se encontravam sozinhas periodicamente, sem hesitar, concluímos que nos bastaria vir ao velho farol no lugar da viúva Rousselin para descobrir uma parte da verdade.

"E, ao vê-la aparecer, tivemos a certeza imediata de que os dois assassinos não eram ninguém mais que Bennetot e o barão d'Étigues, isto é, os dois homens que, bem depois, atiraram-me no mar."

Clarisse chorava, os ombros sacudidos por seus soluços. Raoul não tinha dúvidas de que os crimes de seu pai lhe eram desconhecidos, mas também não tinha dúvidas de que a acusação da inimiga subitamente lhe mostrou em sua verdadeira luz muitas coisas das quais ela não tinha se dado conta até agora e também a forçou a considerar seu pai como um assassino. Que dilaceramento para ela! E como Joséphine Balsamo colocou bem o dedo na ferida! Com que espantosa perícia maligna o carrasco torturava sua vítima! Com que refinamento, mil vezes mais cruel que os tormentos físicos infligidos à viúva Rousselin por Léonard, Joséphine Balsamo vingava-se da inocente Clarisse!

– Sim – disse ela em voz baixa –, um assassino… Suas riquezas, seu castelo, seus cavalos, tudo isso provém do crime. Não é, Beaumagnan? *Você* também poderia dar seu testemunho, você que justamente conquistara e, por isso mesmo, tamanha influência sobre ele? Senhor de um segredo que você surrupiou, pouco importa como, você o fazia comer na sua mão e se aproveitava do primeiro crime cometido e das provas que você tinha disso para lhe obrigar a lhe servir e a matar de novo aqueles que o incomodam, Beaumagnan... Eu sei alguma coisa sobre isso! Ah, que bandidos vocês são!

Seus olhos buscavam os olhos de Raoul. Ele teve a impressão de que Josine tentava desculpar seus próprios crimes evocando aqueles de Beaumagnan e de seus cúmplices. Mas ele lhe disse duramente:

– E depois? Acabou? Você ainda vai continuar atacando essa criança? O que você quer mais?

– Que ela fale – declarou Josine.

– Se ela falar, você a deixará livre?

– Sim.

– Então, interrogue-a. O que você quer saber? Sobre o baú? A fórmula inscrita na parte de dentro da tampa? É isso?

Mas quer Clarisse quisesse responder, ou não, quer ela soubesse a verdade, quer a ignorasse, ela parecia incapaz de pronunciar uma palavra e até mesmo compreender a questão feita.

Raoul insistiu.

– Controle sua dor, Clarisse. É a última prova e então tudo estará acabado. Eu lhe peço, responda... Não há nada, nisso que estão pedindo para você, nada que deve ferir sua consciência. A senhorita não fez nenhum juramento de sigilo. Não está traindo ninguém... Nesse caso...

A voz insinuante de Raoul relaxou a jovem. Ele o sentiu e perguntou:

– O que foi feito daquele baú? A senhorita o levou até Haie d'Étigues?

– Sim – suspirou ela, esgotada.

– Por quê?

– Gostei dele... Um capricho...

– Seu pai o viu?

– Sim.

– No mesmo dia?

– Não, ele apenas o viu alguns dias mais tarde.

– Ele o tomou da senhorita?

– Sim.

– Com qual pretexto?

– Nenhum.

– Mas a senhorita teve tempo de examinar o objeto?

– Sim.

– E a senhorita viu uma inscrição no lado de dentro da tampa, não é?

– Sim.

– Uns caracteres antigos, não é? Gravados grosseiramente?

– Sim.

– A senhorita conseguiu decifrá-los?

– Sim.

– Facilmente?

– Não, mas eu consegui.

– E a senhorita lembra-se dessa inscrição?

– Talvez... Eu não sei... Eram palavras latinas...

– Palavras latinas? Tente lembrar...

– Tenho esse direito...? Se é um segredo tão grave, devo revelá-lo...? Clarisse hesitava.

– A senhorita pode, Clarisse, eu lhe asseguro... A senhorita pode porque esse segredo não pertence a ninguém. Ninguém no mundo tem o direito de conhecê-lo mais especialmente do que seu pai, ou seus amigos ou eu. Ele pertence àquele que o descobre, ao primeiro pedestre passando que soubesse tirar partido disso.

Ela cedeu. Isso que Raoul afirmava devia estar certo.

– Sim... Sim... Provavelmente o senhor tem razão... Mas eu dava tão pouca importância àquela inscrição que preciso reunir minhas lembranças... E em alguma medida traduzir o que eu li... Não é? Era algo sobre uma pedra... E uma rainha...

– É preciso se lembrar, Clarisse, é preciso – suplicou Raoul, que se inquietava pela expressão mais sombria de Cagliostro.

Lentamente, o rosto contraído pelo esforço de memória que ela realizava, censurando-se e contradizendo-se, a jovem conseguiu declarar:

– Lá vai... Eu me lembrei... Aqui está exatamente a frase que decifrei... Cinco palavras latinas... Nesta ordem...

Ad lapidem currebat olim regina...

No máximo, ela teve tempo de articular a última sílaba. Joséphine Balsamo, que parecia mais agressiva e tinha se reaproximado da jovem, gritou:

– Mentira! Essa fórmula nós já conhecíamos há muito tempo, Beaumagnan pode confirmar. Não é, Beaumagnan, que nós já a conhecíamos? Ela está mentindo, Raoul, está mentindo. O cardeal de Bonnechose faz alusão a essas cinco palavras em seu resumo e lhes concede tão pouca atenção e lhes recusa tão claramente qualquer sentido que eu nem mesmo cheguei a contar para você...! *Rumo a pedra outrora corria a rainha.* Mas onde se encontra essa pedra e de qual rainha se trata? Já são vinte anos que procuramos. Não, não, há outra coisa.

De novo, ela estava possuída por aquela cólera terrível que não se manifestava nem por aumentos na voz nem por movimentos desordenados, mas por uma agitação bem interior, que se podia perceber por pequenos sinais e, sobretudo, pela crueldade anormal e inusitada das palavras.

Inclinando-se contra a jovem e sem qualquer formalidade, proferiu:

– Você está mentindo...! Você está mentindo...! Há uma palavra que resume essas cinco... Qual? Há uma fórmula... Uma só... Qual? Responda.

Aterrorizada, Clarisse se mantinha calada. Raoul implorou:

– Reflita, Clarisse... Lembre-se... Além dessas cinco palavras, a senhorita não viu mais nada...?

– Não sei... Acho que não... – gemeu a jovem.

– Tente se recordar... É preciso que se lembre... É o preço da sua segurança, acredite-me...

Mas o próprio tom que Raoul empregava e sua afeição vibrante por Clarisse exasperavam Joséphine Balsamo.

Ela segurou o braço da jovem e ordenou:

– Fale, senão...

Clarisse balbuciou, mas sem responder. Cagliostro soprou seu apito estridente.

Quase na mesma hora Léonard surgiu no vão da porta.

Ela comandou entredentes, com uma voz cujo timbre não ressoava:

ARSÈNE LUPIN E A CONDESSA DE CAGLIOSTRO

– Leve-a daqui, Léonard... E comece a interrogá-la.

Raoul deu um pulo preso em suas amarras.

– Ah, covarde! Miserável! – gritava ele. – O que vão fazer com ela? Mas então você é a pior das mulheres? Léonard, se você encostar nessa criança, eu juro por Deus que mais cedo ou mais tarde...

– Como você tem medo por ela! – zombou Joséphine Balsamo. – Não é? A ideia de que ela possa sofrer deixa você transtornado! Nossa! Vocês foram feitos para se darem bem, vocês dois. A filha de um assassino e um ladrão! – Pois, sim, um ladrão – rangeu, voltando-se para Clarisse. – Seu amante é um ladrão, nada mais! Ele sempre viveu apenas de roubos. Bem pequeno já roubava! Para lhe dar flores, para lhe dar o pequeno anel de noivado que você traz no dedo, ele roubou. É um invasor de casas, um trapaceiro. Veja, até mesmo seu nome, seu belo nome D'Andrésy, simplesmente uma trapaça. Raoul d'Andrésy? Ora vamos! Arsène Lupin, eis seu verdadeiro nome. Guarde bem esse nome, Clarisse, ele será famoso. Ah, digo isso pois o vi em ação, o seu amante! Um mestre! Um prodígio da destreza! Que lindo casal vocês formariam se eu desse um jeito nisso, e que criança predestinada será a sua, filha de Arsène Lupin e neta do barão Godefroy.

Aquela lembrança da criança deu de novo um estímulo à sua fúria. A loucura maligna se desencadeava.

– Léonard...

– Ah, sua selvagem – dizia-lhe Raoul, perturbado. – Que vergonha...! Você está deixando a máscara cair, não é, Joséphine Balsamo? Não vale mais a pena continuar com sua encenação? Será você mesma, o carrasco?

Mas ela estava intratável, determinada em seu desejo bárbaro de fazer mal e martirizar a jovem garota. Ela empurrou Clarisse e Léonard arrastou-a em direção à porta.

– Covarde! Monstro! – urrava Raoul. – Um só de seus cabeços, está entendendo... Um só! E será a morte para vocês dois. Ah, seus monstros! Mas larguem-na!

Ele havia esticado tão violentamente suas amarras que todo o mecanismo que Beaumagnan imaginara para segurá-lo se desfez e a veneziana carcomida foi arrancada de suas dobradiças e caiu no cômodo atrás dele.

Houve um instante de preocupação no campo adversário. Mas as cordas, embora soltas, eram sólidas e continham o cativo o bastante para que nada houvesse a temer. Léonard sacou seu revólver e o colou à têmpora de Clarisse.

– Se ele der mais um passo, um que seja, atire – ordenou a Cagliostro.

Raoul não se mexeu. Ele não tinha dúvidas de que Léonard executaria a ordem no exato segundo e que o menor gesto seria a condenação imediata de Clarisse. Então? Então ele devia se resignar? Não havia nenhum modo de salvá-la?

Joséphine Balsamo não o perdia de vista.

– Agora, sim, você compreendeu a situação – disse ela. – E está sendo mais inteligente.

– Não – respondeu, muito senhor de si... – Não, mas refleti sobre isso.

– Sobre o quê?

– Eu lhe prometi que ela seria solta e que não tinha nada a temer. Quero manter minha promessa.

– Um pouco tarde demais, talvez – disse ela.

– Não, Josine, você vai libertá-la.

Ela se voltou para seu cúmplice.

– Você está pronto, Léonard? Vá e que seja rápido.

– Pare – exigiu Raoul, em um tom no qual havia tamanha certeza de que seria obedecido que ela hesitou.

– Pare – repetiu ele. – E soltem-na... Está escutando, Josine, eu quero que você a solte... Não se trata de diferenciar uma coisa ignóbil que seria feita ou de renunciá-la. Trata-se de deixar Clarisse d'Étigues livre agora mesmo e de abrir aquela porta enorme para ela.

Ele precisou estar bem seguro de si e sustentar sua vontade por motivos bem extraordinários para conseguir formulá-la com tamanha solenidade imperiosa.

Ele mesmo ficou impressionado, Léonard permaneceu indeciso, Clarisse, embora não tivesse captado todo o horror da situação, pareceu reconfortada.

A Cagliostro, coibida, murmurou:

– Palavras, não é? Algum truque novo...

– Fatos – afirmou ele... – Ou melhor, um único fato que se sobrepõe a tudo e diante do qual você se curvará.

– O que você quer dizer com isso? – perguntou a Cagliostro, cada vez mais confusa. – O que você deseja?

– Eu não desejo... Eu exijo.

– O quê?

– A liberdade imediata de Clarisse, a liberdade de partir daqui, sem que Léonard nem você deem um único passo.

Ela começou a rir e perguntou:

– Nada além disso?

– Nada além disso.

– E em troca o que você me oferece...?

– A solução do enigma.

Ela estremeceu.

– Então você a sabe?

– Sim.

O drama mudava de repente. De todo o antagonismo furioso que os jogava um contra os outros no ódio, na aversão ao amor e no ciúme, parecia que começava a se delinear uma única preocupação relativa à grande empreitada. A obsessão por vingança em Cagliostro passava para o segundo plano. Os mil milhares de pedras preciosas dos monges haviam cintilado diante de seus olhos, como Raoul havia desejado.

Beaumagnan, meio levantado, escutava avidamente.

Deixando Clarisse sob a guarda de seu cúmplice, Josine avançou e disse:

– Basta saber a solução do enigma?

– Não – disse Raoul. – Ainda será preciso interpretá-la. O próprio significado da fórmula está escondido sob uma névoa que deve ser dissipada primeiro.

– E *você* conseguiu...?

– Sim, já tinha algumas ideias a esse respeito. E de repente, a verdade me iluminou.

Ela sabia que Raoul não era do tipo de homem que brincaria com tamanha ocorrência.

– Explique-se – disse ela –, e Clarisse irá embora daqui.

– Que ela vá embora primeiro e então me explicarei. – replicou ele. – Eu me explicarei, é óbvio, não com a corda no pescoço e as mãos atadas, mas livremente, sem o menor entrave.

– Isso é absurdo. Você está invertendo a situação. Eu sou a senhora absoluta do que acontece.

– Agora não mais – afirmou. – Você depende de mim. Cabe a mim ditar as condições.

Ela deu de ombros e, ainda assim, não conseguiu se conter em dizer:

– Jure que você está falando exatamente a verdade. Jure sobre o túmulo da sua mãe.

Raoul declarou, pausadamente:

– Sobre o túmulo da minha mãe, eu lhe juro que vinte minutos depois de Clarisse ter ultrapassado essa soleira, eu lhe indicarei o endereço preciso onde se encontra o marco, isto é, onde se encontram as riquezas acumuladas pelos monges das abadias da França.

Josine queria se libertar do incrível fascínio que Raoul repentinamente exercia sobre ela com sua fabulosa oferta e, rebelando-se, disse:

– Não, não, é uma armadilha... Você não sabe de nada...

– Não só eu sei – disse ele –, como também não sou o único a saber.

– Quem mais?

– Beaumagnan e o barão.

– Impossível!

– Reflita. Beaumagnan estava em Haie d'Étigues antes de ontem. Por quê? Porque o barão recuperou o baú e eles estudavam juntos a inscrição. Ora, se não havia nada além das cinco palavras reveladas pelo cardeal,

Arsène Lupin e a condessa de Cagliostro

se havia uma palavra, a palavra mágica que as resume e que dá a chave do mistério, *eles* a viram e sabem tudo.

– Que me importa! – disse ela, observando detidamente Beaumagnan. – Eu *o* tenho aqui.

– Mas você não tem Godefroy d'Étigues e talvez, nesse exato momento, ele esteja lá, com seu primo, ambos enviados antecipadamente por Beaumagnan para explorar o local e preparar a retirada do cofre-forte. Você está entendendo o perigo? Compreende que um minuto perdido significa perder o jogo inteiro?

Ela insistiu, com raiva.

– Eu ganharei o jogo, se Clarisse falar.

– Ela não falará pela mais simples razão: ela não sabe mais sobre isso.

– Que seja, mas fale então, já que *você* teve a imprudência de me fazer tal confissão. Por que libertá-la? Por que obedecer a você? Enquanto Clarisse está nas mãos de Léonard, basta eu querer para arrancar de você tudo o que sabe.

Raoul balançou a cabeça.

– Não, o perigo está descartado, a tempestade está longe. Talvez, de fato, você só precisasse querer, mas justamente você não pode mais querer isso. Você não tem mais a força.

E era verdade, Raoul tinha convicção disso. Dura, cruel, "infernal", como dizia Beaumagnan mas de todo modo mulher e sujeita a fraquezas nervosas, a Cagliostro fazia maldades mais por suas crises do que por vontade própria – crises de demência nas quais ficava histérica e que se seguiam por uma espécie de lassidão, dormência tanto moral quanto física. Raoul não tinha dúvidas de que ela estava ali, naquele momento.

– Vamos, Joséphine Balsamo, seja sensata consigo mesma – disse ele. – Você apostou sua vida nessa carta: a conquista de riquezas ilimitadas. Quer renegar agora todos os esforços justo quando eu lhe ofereço essas riquezas?

A resistência diminuía. Joséphine Balsamo objetou:

– Eu não confio em você.

– Não é verdade. Você sabe perfeitamente que manterei minhas promessas. Se você hesita... Mas você não está hesitando. No fundo, sua decisão está tomada e é a certa.

Ela permaneceu pensativa por um ou dois minutos, depois fez um gesto que significava: "Depois de tudo, eu reencontrarei a pequena e minha vingança será apenas atrasada".

– Pela memória da sua mãe, não é? – disse ela.

– Pela memória de minha mãe, por tudo o que me resta de honra e de puro eu lançarei para você toda a luz sobre a questão.

– Que seja – aceitou ela. – Mas Clarisse e você não vão trocar nenhuma palavra sozinhos.

– Nem uma única palavra. Aliás, não tenho nenhum segredo a dizer a ela. Que ela fique livre, é meu único objetivo.

Josine ordenou:

– Léonard, largue a pequena. Quanto a ele, desamarre-o.

Léonard fez uma cara de desaprovação. Mas era servil demais para se recusar. Ele se afastou de Clarisse, depois acabou de cortar as amarras que ainda retinham Raoul.

A atitude de Raoul não foi nada conforme à gravidade das circunstâncias. Ele esticou as pernas, fez duas ou três flexões com seus braços, e respirou profundamente.

– Ufa! Muito melhor assim! Não tenho nenhuma vocação para brincar de ser preso. Salvar os bonzinhos e punir os vilões, eis o que me interessa. Pode tremer, Léonard.

Ele se aproximou de Clarisse e lhe disse:

– Eu lhe peço perdão por tudo o que acaba de acontecer. Isso não acontecerá outra vez nunca mais, fique tranquila. Daqui para a frente, a senhorita está sob minha proteção. A senhorita está em condições de ir embora?

– Sim... Sim... – disse ela. – Mas e o senhor?

– Oh, *eu* não corro nenhum risco. O essencial é a sua segurança. Ora, receio que a senhorita não consiga caminhar por muito tempo.

ARSÈNE LUPIN E A CONDESSA DE CAGLIOSTRO

– Não tenho de caminhar muito. Ontem, meu pai me trouxe até a casa de uma de minhas amigas e virá me buscar amanhã.

– Perto daqui?

– Sim.

– Não diga mais nada, Clarisse. Qualquer informação se voltará contra a senhorita.

Ele a conduziu até a porta e fez um sinal para Léonard ir abrir o cadeado da cerca. Quando Léonard obedeceu, retomou a palavra:

– Tome cuidado e não tenha medo de absolutamente nada, nem por mim, nem por si mesma. Nós nos encontraremos quando for a hora certa e não vai demorar para isso acontecer, não importa quais sejam os obstáculos que nos separam.

Fechou a porta atrás dela outra vez. Clarisse estava salva.

Então ele teve o ímpeto de dizer:

– Que criatura adorável!

Posteriormente, quando Arsène Lupin contava aquele episódio de sua grande aventura com Joséphine Balsamo, ele não podia deixar de rir:

– Ah, sim. Rio como eu ria naquele momento e me lembro de que, pela primeira vez, executei no local um daqueles pequenos *entrechats*, aquele passo de dança que tenho usado com frequência desde então para ilustrar minhas vitórias mais difíceis... E aquela foi absurdamente difícil.

"Na verdade, eu estava exultante. Com Clarisse livre, tudo me parecia terminado. Acendi um cigarro e como Joséphine Balsamo se posicionava diante de mim para me lembrar de nosso pacto, tive a deselegância de soprar minha fumaça bem na cara dela.

Cretino!, resmungou ela.

"O epíteto que lhe devolvi como uma bala era simplesmente ignóbil. Minhas desculpas, é que eu o enunciei muito mais com zombaria do que com grosseria. E além disso... E além disso... Eu preciso mesmo de desculpas? Preciso mesmo analisar os sentimentos excessivos e contraditórios que aquela mulher me inspirou? Eu não me orgulho em ficar fazendo análises psicológicas a respeito dela e de ter agido como um *gentleman* com ela. Eu a amava e a detestava ferozmente ao mesmo tempo. Mas desde que ela atacou Clarisse, minha aversão e meu desprezo não tinham mais limites. Nem mesmo via mais a máscara admirável de sua beleza, mas só aquilo que estava por baixo e foi para aquela espécie de fera carniceira que de repente apareceu diante de mim, que lancei, dando piruetas, uma abominável injúria."

Arsène Lupin podia rir, *depois*. De todo modo, o momento era trágico e provavelmente faltava muito pouco para a Cagliostro ou Léonard o abaterem com um tiro.

Ela disse, entredentes:

– Ah, como odeio você!

– Não mais do que eu – zombou ele.

– E você sabe que a questão entre Clarisse e Joséphine Balsamo não acabou?

– Não mais do que a questão entre Clarisse e Raoul d'Andrésy – disse ele, irredutível.

– Canalha! – murmurou ela... – Você merecia...

– Uma bala de revólver... Impossível, minha querida!

– Não me desafie muito, Raoul!

– Eu lhe disse que é impossível. No momento, sou sagrado para você. Sou o senhor que representa um bilhão. Se me suprimir, o bilhão passará por debaixo do seu nariz, filha de Cagliostro! Isso significa a que ponto você me respeita! Cada célula do meu cérebro corresponde a uma pedra preciosa...

"Uma pequena bala aqui dentro, e apesar de você implorar junto a alma de seu pai... Nadinha! Nem um centavo para Josette! Eu repito para você, minha pequena Joséphine, eu sou 'tabu'[20], como se diz na Polinésia. Tabu dos pés à cabeça. Fique de joelhos e beije minha mão, é isso que você tem de melhor a fazer.

---

[20] Termo que originalmente designa algo proibido, que não deve ser tocado ou profanado, devido a seu caráter sagrado e/ou religioso. (N.T.)

Arsène Lupin e a condessa de Cagliostro

Ele abriu uma janela lateral que dava para o pátio e suspirou:

– A gente fica sufocado aqui. Decididamente, Léonard está cheirando a coisas guardadas. Você faz muita questão que seu carrasco mantenha a mão no fundo do bolso segurando o revólver, Joséphine?

Ela bateu o pé.

– Chega de besteiras! – declarou. – Você colocou suas condições, você conhece as minhas.

– A grana ou a vida.

– Fale, agora mesmo, Raoul.

– Como você é apressada! Primeiro, dei um prazo de vinte minutos para ter plena certeza de que Clarisse estará protegida de suas garras e nós ainda estamos longe de dar os vinte minutos. Além disso...

– O que mais?

– Além disso, como você quer que eu decifre em cinco segundos um problema que a gente vem se esforçando para resolver em vão há anos e anos?

Ela ficou embasbacada.

– O que você quer fazer?

– Nada mais simples. Estou pedindo um pouco de descanso.

– De descanso? Mas por quê?

– Para decifrar...

– Como assim? Então você não sabia...?

– A solução do enigma. Minha nossa, não.

Ah, você mentiu!

– Sem grosserias, Joséphine.

– Você mentiu, como você jurou...

– Sobre o túmulo de minha pobre mamãe, sim, eu não estou fugindo. Mas é preciso não confundir alhos com bugalhos. Eu não jurei que eu sabia a verdade. Jurei que lhe diria a verdade.

– Para dizer, é preciso saber.

– Para saber, é preciso refletir, e você não está me deixando tempo para isso! Meu Deus do céu! Um pouco de silêncio... E, além disso, quero Léonard largando a coronha de seu revólver: isso me incomoda.

Mais ainda do que suas piadas, havia alguma coisa de horripilante para a Cagliostro no tom de zombaria e insolência com que ele as tagarelava.

Extenuada, sentindo o quanto qualquer ameaça seria vã, ela lhe disse:

– Fique à vontade! Eu conheço você, vai manter seu compromisso.

Ele gritou:

– Ah, se você me levar pela gentileza… Eu nunca consigo resistir à gentileza… Rapaz, isso é algo para escrever! Papel de palha fino, uma pena de beija-flor, suco de amora-preta e, para escrever, casca de cidra, assim como dizia o poeta.

Ele tirou de sua carteira um lápis e um cartão de visita sobre o qual algumas palavras já estavam dispostas de uma maneira específica. Traçou barras para ligar aquelas palavras umas com as outras. Depois, no verso, inscreveu a fórmula latina:

Ad lapidem currebat olim regina…

– Que latim de cozinha! – disse à meia-voz. – Parece-me que no lugar dos bons monges, eu teria feito melhor, obtendo ainda o mesmo resultado. Enfim, aceitemos o que temos. Logo, a rainha estava galopando rumo ao marco… Olhe seu relógio, Joséphine.

Ele não estava mais rindo. Durante um ou dois minutos talvez, sua figura ficou impregnada de gravidade e seus olhos, como se estivessem fixos sobre o vazio, traduziam o esforço da meditação. Ainda assim, percebeu que Josine o observava com um olhar em que havia admiração e confiança ilimitadas e Raoul lhe sorriu distraidamente sem romper o fio de seus pensamentos.

– Você está vendo a verdade, não é? – disse ela.

Imóvel em suas amarras, o rosto tenso pela ansiedade, Beaumagnan escutava. Será que o formidável segredo ia ser divulgado realmente?

Os dois ficaram em silêncio por alguns minutos.

Joséphine Balsamo declarou:

– O que é que você tem, Raoul? Você parece bem comovido.

– Sim, sim, muito comovido – disse ele. – Toda essa história, essas riquezas dissimuladas em um marco, em pleno campo, isso já não deixa de ser bastante curioso. Mas não é nada, Josine, não é nada ao lado da própria ideia que domina essa história. Você não pode imaginar como é estranho... E como é belo...! Que poesia e que ingenuidade!

Ele se calou; depois, ao fim de um instante, afirmou sentenciosamente:

– Josine, os monges da idade média eram toscos. ·

E se levantando, continuou:

– Meu Deus! Sim, umas pessoas piedosas, mas eu o repito sob o risco de feri-la em suas convicções, eram toscos! Ora, vejamos! Se um grande banqueiro ousasse proteger seu cofre escrevendo nele: "Proibido abrir" a gente o trataria como tolo, não é? Pois bem, o procedimento que eles escolheram para garantir suas riquezas é meio que tão ingênuo quanto.

Ela murmurou:

– Não... Não... Não dá para acreditar...! Você não adivinhou...! Você se enganou...!

– São tolos, também, todos aqueles que buscaram desde então e que nada encontraram. Pessoas cegas! Espíritos tacanhos! Como assim, você, Léonard, Godefroy d'Étigues, Beaumagnan, seus amigos, toda a Sociedade de Jesus, o arcebispo de Ruão, vocês tiveram sob os olhos essas cinco palavras e isso não foi suficiente?! Droga! Uma criança de escola primária resolve problemas que de outra forma são difíceis.

Ela objetou:

– Primeiro, tratava-se de uma palavra só e não de cinco.

– Mas essa palavra está aqui! Quando eu disse agora há pouco que a posse do baú deveria ter revelado essa palavra indispensável a Beaumagnan e ao barão, era para assustá-la e para fazê-la largar de mão! Pois esses senhores não viram nada além de fogo. Mas a solução indispensável, está ali!

– Ela está aqui, misturada às cinco palavras latinas! Em vez de empalidecer como vocês todos fizeram sobre essa fórmula vaga, era preciso apenas, bem tolamente, lê-la, reunir as cinco primeiras letras e se ocupar da palavra composta pelas cinco iniciais.

Josine disse, em voz baixa:

– Nós havíamos pensado nisso... A palavra *Alcor*, não é?

– Sim, a palavra *Alcor*.

– E então, o quê?

– Como o quê? Tudo está nessa palavra! Você sabe o que ela significa?

– É uma palavra árabe que significa "prova".

– E com a qual os árabes e todos os povos se valem para designar o quê?

– Uma estrela.

– Qual estrela?

– Uma estrela que faz parte da constelação da Ursa Maior. Mas isso não tem importância. Qual relação poderia haver...?

Raoul deu um sorriso de piedade.

– É evidente, não é? O nome de uma estrela não pode ter nenhuma relação com a localização de um marco campestre. Nós nos apegamos a esse raciocínio estúpido e o esforço termina nesse lado. Infeliz! Mas foi justamente isso que *me* chocou, quando tirei a palavra *Alcor* das cinco iniciais da inscrição latina! Senhor da palavra-talismã, da palavra mágica e, por outro lado, tendo notado que toda a aventura girava em torno do número *sete* (*sete* abadias, *sete* monges, *sete* braços do candelabro, *sete* pedras coloridas incrustadas em *sete* anéis) logo, está escutando, logo, por uma espécie de movimento reflexo de minha mente, notei que a estrela *Alcor* pertencia à constelação da Ursa Maior. E o problema foi resolvido.

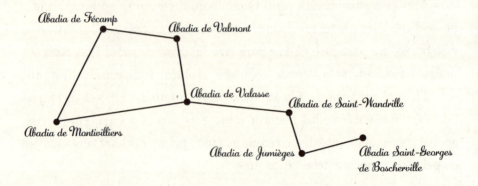

– Resolvido...? Como?

– Mas meu Deus do céu! Porque a constelação da Ursa Maior é justamente formada por *sete* estrelas principais! Sete! Sempre o número sete! Você está começando a ver a relação? E devo lembrá-la que se os árabes escolheram, e se os astrônomos, desde então, aceitaram essa designação de *Alcor*, é porque essa estrela bem pequena, quase invisível, serve como *prova*, está entendendo? Como *prova*, para especificar que tal pessoa tem a vista boa, já que pode distingui-la a olho nu. *Alcor* é o que é preciso ver, aquilo que a gente busca, a coisa dissimulada, o tesouro escondido, o marco invisível onde enfiaram as pedras preciosas, é o caixa-forte.

Josine murmurou febrilmente à aproximação da grande revelação:

– Eu não entendo.

Raoul tinha girado sua cadeira de maneira a se colocar entre Léonard e a janela que ele havia aberto com a intenção bem nítida de fugir no exato segundo em que lhe for necessário e, enquanto falava, vigiava atentamente Léonard que, por sua vez, mantinha sua mão obstinadamente enfiada no bolso.

– Você vai compreender – disse ele. – É tão claro. Como água mineral. Veja.

Ele mostrou o cartão de visita que tinha entre seus dedos.

– Veja. Eu o trago comigo faz algumas semanas. Desde o começo de nossas buscas, identifiquei em um atlas a posição exata das sete abadias, das quais escrevi os sete nomes neste cartão. Aqui estão as sete, com as sete localizações que ocupam umas em relação às outras. Ora bastou-me, agora há pouco, desde o instante em que soube a palavra, reunir os sete pontos por linhas para chegar a essa constatação inaudita, Josine, milagrosa, colossal e, no entanto, bem natural, que a *figura assim formada representa exatamente a Ursa Maior*. Captou bem a surpreendente verdade? As sete abadias do País de Caux, as sete abadias primordiais para onde convergiam as riquezas da França cristã, estavam dispostas como as sete principais estrelas da Ursa Maior! Nenhum erro a respeito disso.

MAURICE LEBLANC

Se a gente pegar um atlas e fizer o decalque do mapa teremos o desenho cabalístico da Ursa Maior.

"Assim, desde então, a verdade se impunha. No exato lugar onde Alcor se encontra no mapa celeste, o marco deve fatalmente se encontrar no mapa terrestre. E já que Alcor se encontra, no céu, um pouco à direita e abaixo da estrela situada no meio da cauda da Ursa Maior, o marco deve fatalmente se encontrar um pouco à direita e abaixo da abadia que corresponde àquela estrela, isto é, um pouco à direita e abaixo da abadia de Jumièges, outrora a mais poderosa e a mais rica das abadias normandas. É inevitável, matemático. O marco está ali e em nenhum outro lugar.

"E, de pronto, como não pensar: primeiro, que justamente um pouco ao sul e um pouco a leste de Jumièges, a uma pequena légua de distância, existe, na aldeia de Mesnil-sous-Jumièges, bem perto do Sena, os vestígios do solar de Agnès Sorel, amante do rei Carlos VII; segundo, que a abadia se comunicava com o solar por um túnel subterrâneo do qual ainda se nota a entrada? Conclusão: o marco lendário se encontra perto do solar de Agnès Sorel, ao lado do Sena, e a lenda afirma, provavelmente, que a amante do rei, a rainha de seu coração, corria até esse marco, cujo precioso conteúdo ignorava, para nele se sentar e observar o barco real deslizar sobre o velho rio normando.

"*Ad lapidem currebat olim regina...*"

Um grande silêncio unia Raoul d'Andrésy e Joséphine Balsamo. A bruma tinha se dissipado. A luz repelia as trevas. Entre eles, parecia que todo o ódio fora apaziguado. Havia uma trégua nos conflitos implacáveis que os dividiam e nada se mantinha além do assombro de penetrar assim nas regiões proibidas do passado misterioso que o tempo e o espaço protegiam contra a curiosidade dos homens.

Sentado perto de Josine, os olhos fixos na imagem que desenhara, Raoul continuou a falar em voz baixa, com uma exaltação contida:

– Sim, muito imprudentes, esses monges que confiavam um tal segredo sob a proteção de uma solução tão transparente! Mas que poetas, ingênuos e charmosos! Que linda ideia essa de associar a seus bens terrestres o próprio céu. Grandes contempladores, grandes astrônomos, como seus ancestrais da Caldeia, eles tiravam suas inspirações lá de cima; o curso dos astros regulava a existência deles e era precisamente às constelações que pediam para velar os seus tesouros. Quem sabe inclusive se o próprio lugar das sete abadias deles não foi escolhido de antemão para reproduzir no solo normando a figura gigantesca da Ursa Maior...? Quem sabe?

A efusão lírica de Raoul era evidentemente bastante justificada, mas ele não conseguiu levá-la até o fim. Se ele desconfiava de Léonard, havia por outro lado esquecido Joséphine Balsamo. Bruscamente, ela lhe bateu no crânio com um golpe de seu cassetete.

Foi exatamente a última coisa que ele esperava, ainda que a Cagliostro tivesse hábito de fazer aquele tipo de ataque traiçoeiro. Aturdido, ele se dobrou em dois em sua cadeira, depois caiu de joelhos, depois se deitou esticado.

Gaguejou com uma voz incoerente:

– É verdade... Minha nossa...! Eu não sou mais "tabu"...

Ele ainda disse, com aquele riso dissimulado de moleque que sem dúvida puxara de seu pai, Théophraste Lupin:

– Sua vigarista...! Não respeita nem mesmo a genialidade...! Ah, sua selvagem, você tem então uma pedra no lugar do coração...? Pior para você, Joséphine, poderíamos ter dividido o tesouro.

Vou ficar com ele inteiro para mim.

E perdeu a consciência.

O CAIXA-FORTE DOS MONGES

Simples dormência, como aquela que um boxeador poder sentir quando atingido em algum lugar sensível. Mas quando Raoul voltou a si, constatou, sem a menor surpresa, aliás, que se encontrava na mesma situação que Beaumagnan, preso como ele, e, como ele, apoiado na parte de baixo da parede.

E quase não se surpreendeu mais ao ver, diante da porta, estendida sobre as duas cadeiras, Joséphine Balsamo, tomada por uma daquelas depressões nervosas que provocavam nela emoções violentas e duradouras demais. O golpe com o qual atingiu Raoul desencadeara a crise. Seu cúmplice, Léonard, cuidava dela e lhe fazia respirar sais.

Ele devia ter chamado um de seus cúmplices, pois Raoul viu entrar o adolescente que conhecia sob o nome de Dominique e que vigiava a carruagem diante da casa de Brigitte Rousselin.

– Diabo! – disse o recém-chegado, percebendo os dois cativos. – Deve ter tido confusão aqui. Beaumagnan! D'Andrésy! A patroa desceu mesmo o cacete. Resultado, uma síncope, hein?

Arsène Lupin e a condessa de Cagliostro

– Sim. Mas está quase acabando.

– O que vamos fazer?

– Carregá-la até a carruagem e então a conduzirei para *A Indiferente*.

– E eu?

– *Você* vai vigiar esses dois aí – disse Léonard, designando os cativos.

– Diabos! Uns clientes bem inconvenientes. Não gosto disso.

Eles trataram logo de carregar a Cagliostro. Mas, abrindo os olhos, ela lhes disse, com uma voz tão baixa, que com certeza não podia suspeitar que Raoul teria o ouvido aguçado o suficiente para captar a menor sílaba da conversa:

– Não. Vou andando sozinha. Você ficará aqui, Léonard. É preferível que seja você para vigiar Raoul.

– Deixe-me então acabar com ele! – suspirou Léonard, deixando as formalidades de lado com a Cagliostro. – Ele vai nos dar azar, esse moleque aí.

– Eu o amo.

– Ele não a ama mais.

– Sim, ama. Ele voltará para mim. E depois, independentemente de qualquer coisa, não desisti dele.

– Então, o que você decidiu?

– *A Indiferente* deve estar em Caudebec. Vou descansar lá até as primeiras horas do dia. Preciso disso.

– E o tesouro? É preciso muita gente para mover uma pedra daquele calibre.

– Vou mandar avisar essa noite os irmãos Corbut a fim de que eles me encontrem amanhã de manhã em Jumièges. Depois disso, eu me ocuparei de Raoul... A menos que... Ah, não me perguntarei mais nada disso por enquanto... Estou esgotada...

– E Beaumagnan?

– Soltamos quando eu estiver com o tesouro.

– Você não tem medo de que Clarisse nos denuncie? A polícia estaria na vantagem para cercar o velho farol.

– Absurdo! Você acha que ela colocaria os guardas na trilha do próprio pai e de Raoul?

Ela se levantou de sua cadeira e logo caiu de novo, gemendo. Alguns minutos passaram-se. Enfim, com algum esforço que parecia esgotá-la, conseguiu se manter de pé e, apoiada sobre Dominique, aproximou-se de Raoul.

– Ele está meio atordoado – murmurou ela. – Vigie-o bem, Léonard, e o outro também. Se um dos dois escapar, tudo fica comprometido.

Ela se foi lentamente. Léonard a acompanhou até a velha carruagem e, um pouco depois, voltou com um pacote de provisões, após ter trancado a cerca com cadeado. Em seguida, escutou-se o casco dos cavalos sobre a estrada pedregosa.

Raoul já verificava a solidez de suas amarras, enquanto se dizia:

– De fato, a patroa está um pouco fraquinha! Primeiro, por contar, por mais baixo que fosse, seus pequenos negócios diante de testemunhas; segundo, por confiar dois homens fortes como Beaumagnan e eu à vigilância de um único homem… Eis os erros que provam um mau estado físico.

É verdade que a experiência de Léonard em tal assunto torna difícil qualquer tentativa de evasão.

– Largue suas cordas – disse-lhe Léonard, ao entrar. – Se não vou bater em você…

O temível carcereiro multiplicou, aliás, as precauções que lhe deviam facilitar a tarefa. Havia reunido as extremidades das duas cordas que prendiam os cativos e havia enrolado ambas no encosto de uma cadeira ajeitada por ele em um equilíbrio instável e sobre a qual depositou o punhal que Joséphine Balsamo lhe dera. Se um dos cativos se mexesse, a cadeira cairia.

– Você é menos besta do que você parece – disse Raoul.

Léonard rosnou:

– Uma só palavra e bato em você.

Ele começou a comer e a beber, e Raoul arriscou:

– Bom apetite! Se sobrar, não se esqueça de mim.

ARSÈNE LUPIN E A CONDESSA DE CAGLIOSTRO

Léonard levantou-se, com os punhos tensionados.

– Parei, meu velho amigo – prometeu Raoul. – Aqui não vai entrar mais nem mosca. É menos nutritivo que o seu salame, mas vou me contentar com isso.

Horas passaram. A escuridão chegou.

Beaumagnan parecia dormir. Léonard fumaçava cachimbo. Raoul monologava e repreendia a si mesmo de ter sido tão imprudente com Josine.

– Eu devia ter desconfiado dela... Terei de progredir tudo de novo! Cagliostro está longe de ter valor para mim, mas que decisão! Que visão clara da realidade e que ausência de escrúpulos! Um único defeito impede o monstro de estar completo: seu sistema nervoso de degenerada. E isso é ótimo para mim hoje, já que me permitirá chegar antes dela em Mesnil--sous-Jumièges.

Pois Raoul não tinha dúvidas quanto à possibilidade de escapar de Léonard. Havia notado que as amarras de suas canelas se afrouxavam sob a influência de alguns movimentos, e, contando conseguir liberar sua perna direita, imaginava com satisfação o efeito de um bom pontapé no queixo de Léonard. Daí em diante, seria a busca alucinada rumo ao tesouro.

As trevas acumulavam-se na sala. Léonard acendeu uma vela, fumou um último cachimbo e bebeu um último copo de vinho. Depois disso, foi tomado por uma sonolência que o fez dar umas cambaleadas para a direita e para a esquerda. Por precaução, ele mantinha a vela em sua mão, de modo que a queimadura da cera escorrendo o despertasse de tempos em tempos. Uma olhada em seus prisioneiros, uma outra à corda dupla utilizada como campainha de alarme, e ele adormeceu.

Raoul continuava incansavelmente e com algum resultado seu pequeno trabalho para se libertar. Devia ser cerca de nove horas da noite.

– Se eu puder partir às onze horas – ele dizia a si mesmo –, por volta da meia-noite passo em Lillebonne onde posso jantar; por volta das três horas da manhã, desemboco no lugar sagrado e, já com os primeiros raios da alvorada, eu meto em meu bolso o cofre-forte dos monges. Sim, no meu bolso! Não preciso dos irmãos Corbut nem de ninguém.

Mas, às dez horas e meia, ele estava no mesmo ponto. Por mais frouxos que estivessem os nós, eles não cediam e Raoul começava a se desesperar, quando, de repente, pareceu-lhe escutar um ruído leve que diferia de todos os sussurros com os quais se compõe o grande silêncio noturno, folhas esvoaçando, pássaros se movendo nos galhos, caprichos do vento.

Isso se repetiu duas vezes e ele teve a certeza de que entrava pela janela lateral a qual ele havia aberto e que Léonard empurrara com negligência.

De fato, um dos batentes pareceu deslizar para a frente.

Raoul observou Beaumagnan. Ele também escutara e também estava olhando.

Na frente dos dois, Léonard despertou com os dedos queimados, ajeitou seu pequeno dispositivo de vigilância e cochilou de novo. Lá fora o ruído, suspenso por um instante, recomeçou, o que bem provava que cada um dos movimentos do carcereiro estava sendo seguido com atenção.

Mas então o que estava sendo preparado? Como a cerca estava trancada, seria preciso pular o muro com cacos de garrafa pontiagudos, escalada que apenas seria possível para alguém familiarizado com o lugar e em alguma brecha desguarnecida de cacos. Quem? Um camponês? Um caçador furtivo? Era alguma ajuda? Um amigo de Beaumagnan? Ou algum vagabundo?

Uma cabeça surgiu, indistinta em meio às trevas. O parapeito da janela, não muito alto, foi facilmente pulado.

Na mesma hora, Raoul discerniu uma silhueta feminina e logo, antes mesmo de ver, soube que aquela mulher não era outra senão Clarisse.

Que emoção o invadiu! Portanto, Joséphine Balsamo tinha se enganado ao supor que Clarisse não poderia reagir! Preocupada, contida pelo temor ante os perigos que a ameaçavam sobrepondo-se a seu cansaço e a seu medo, a jovem deveria ter se posicionado nos arredores do velho farol e esperado a noite.

E agora, ela tentava o impossível para salvar aquele que a havia traído tão cruelmente.

Ela deu três passos. Léonard despertou de novo, mas felizmente, deu-lhe as costas. Ela se deteve, depois retomou o passo assim que ele voltou a dormir. Assim chegou a seu lado.

O punhal de Joséphine Balsamo se encontrava na cadeira. Ela o pegou. Pretendia feri-lo?

Raoul assustou-se. O rosto da jovem, agora mais iluminado, pareceu-lhe contraído por uma vontade feroz. Mas quando seus olhares se encontraram, ela obedeceu às ordens silenciosas que ele lhe impunha e não deu o golpe. Raoul se inclinou um pouco para que a corda que o prendia à cadeira se esticasse. Beaumagnan o imitou.

Então, lentamente, sem tremer, erguendo a corda com uma mão, ela passou ali o fio da lâmina.

A sorte decidiu que o inimigo não despertaria. Clarisse o teria matado infalivelmente. Sem tirar os olhos dele, obstinada em sua ameaça de morte, ela se abaixou até Raoul e, tateando, buscou suas amarras. Os pulsos foram soltos.

Ele suspirou.

– Dê-me a faca.

Ela obedeceu. Mas uma mão foi mais rápida do que a de Raoul. Beaumagnan que, por sua vez, também ficara horas pacientemente esgarçando suas cordas, pegou a arma quando passava de uma mão a outra.

Furioso, Raoul segurou-lhe o braço. Se Beaumagnan conseguisse se soltar antes dele e fugisse, Raoul perderia qualquer esperança de conquistar o tesouro. A luta foi acirrada, luta imóvel, onde cada um empregava toda sua força dizendo a si mesmo que ao menor ruído Léonard despertaria.

Clarisse, que tremia de medo, ajoelhou-se, tanto para suplicar a ambos, quanto para não cair no chão.

Mas a ferida de Beaumagnan, por mais superficial que fosse, não lhe permitiu resistir muito tempo. Ele desistiu.

Naquele momento, Léonard mexeu a cabeça, abriu um olho e olhou o quadro que se oferecia à sua frente: os dois homens meio levantados, próximos um do outro e em postura de combate e Clarisse d'Étigues de joelhos.

Isso durou alguns segundos, alguns segundos aterradores, pois não havia dúvida de que Léonard, vendo aquela cena, abateria seus inimigos com tiros de revólver. Mas ele não a *viu*. Seu olhar, fixo sobre eles, não chegou a *vê-los*. A pálpebra fechou outra vez sem que voltasse à consciência.

Então, Raoul cortou suas últimas amarras. De pé, com o punhal na mão, ele estava livre. Cochichou enquanto Clarisse se levantava:

– Vá... Salve-se...

– Não – fez ela, com um sinal de cabeça.

E lhe mostrou Beaumagnan, como se não pudesse consentir em deixar para trás aquele outro prisioneiro, exposto à vingança de Léonard.

Raoul insistiu. Ela estava inflexível.

Batalha perdida, ele estendeu a faca para seu oponente.

– Ela tem razão – sussurrou... – Sejamos bons jogadores. Aqui, vire-se... E daqui para frente, cada um por si, hein?

Ele seguiu Clarisse. Um após o outro, pularam a janela. Uma vez no pátio, ela pegou a mão dele e o conduziu até o muro, em um ponto onde havia uma brecha, pois o topo desmoronara.

Ajudada por ele, Clarisse passou.

Mas, quando ele cruzou o muro, não viu mais ninguém.

– Clarisse! – chamou. – Onde a senhorita está?

Uma noite sem estrelas pesava sobre o bosque. Aguçando os ouvidos, escutou uma corrida apressada entre os matagais vizinhos. Ele penetrou-os, chocou-se com ramos e espinheiros que lhe barraram o caminho e precisou voltar à trilha.

– Ela fugiu de mim – pensou. – Enquanto era prisioneiro, ela arriscou tudo para me salvar. Estando livre, não consente mais em me ver. Minha traição, a monstruosa Joséphine Balsamo, a abominável desventura, tudo isso lhe causa horror.

Mas, quando voltou a seu ponto de partida, alguém despencava do muro que ele havia pulado. Era Beaumagnan, que fugia por sua vez. E na mesma hora tiros jorraram vindos da mesma direção. Raoul mal teve tempo de se proteger. Léonard, empoleirado na fenda, atirava nas trevas.

Assim, por volta das onze horas da noite, os três adversários se lançavam ao mesmo tempo na direção da pedra da Rainha, situada a onze léguas de

Arsène Lupin e a condessa de Cagliostro

distância. Quais seriam os recursos de cada um para chegar até lá? Tudo dependia disso.

De um lado, havia Beaumagnan e Léonard, ambos providos de cúmplices e à frente de organizações poderosas. Se Beaumagnan estivesse sendo esperado por seus amigos, se Léonard pudesse se juntar a Cagliostro, o saque pertenceria ao mais rápido. Mas Raoul era mais jovem e mais esperto. Se não tivesse feito a besteira de deixar sua bicicleta em Lillebonne, todas as chances estariam a seu favor.

É preciso confessar que ele renunciou instantaneamente à ideia de encontrar Clarisse e que a busca pelo tesouro se tornou sua única preocupação. Em uma hora, ele percorreu os dez quilômetros que o separavam de Lillebonne. À meia-noite, despertou o menino do albergue, jantou às pressas, e, depois de ter pego em uma das malas dois pequenos cartuchos de dinamite os quais havia conseguido alguns dias antes, montou em sua bicicleta. No guidão, enrolou uma bolsa de lona destinada para guardar as pedras preciosas.

Seu cálculo era este aqui:

– De Lillebonne a Mesnil-sous-Jumièges são oito léguas e meia... Portanto, estarei lá antes do dia nascer. Aos primeiros raios de sol, encontrarei o marco e o explodirei com a dinamite. É possível que a Cagliostro ou Beaumagnan me surpreendam no meio da operação. Nesse caso, dividimos. Tanto pior para o terceiro.

Após passar por Caudebec-en-Caux, seguiu a pé a trilha de terra que, por meio das pradarias, conduzia até o Sena. Exatamente como naquele final do dia, quando declarou seu amor a Joséphine Balsamo, *A Indiferente* estava lá, uma enorme silhueta na densa escuridão.

Ele viu um pouco de luz passando pelas cortinas da janela da cabine que a jovem dama ocupava.

– Ela deve estar se vestindo – disse a si mesmo. – Seus cavalos virão buscá-la... Talvez Léonard apresse a expedição... Tarde demais, madame!

Raoul logo partiu a toda velocidade. Mas, uma meia hora depois, quando descia uma encosta muito íngreme, teve a impressão de que a roda de sua bicicleta se enroscou em um obstáculo e ele foi projetado violentamente contra um monte de pedras.

Assim que dois homens surgiram, uma lanterna foi apontada para o morro atrás do qual ele estava encolhido, e uma voz gritou:

– É ele! Só pode ser ele…! Eu bem avisei: "Uma corda esticada e nós o pegamos quando ele passar."

Era Godefroy d'Étigues e, na mesma hora, Bennetot retificou:

– Nós o pegamos… Se ele deixar, esse bandido!

Como uma fera acuada, Raoul enfiou a cabeça em um arbusto de amoras e espinhos onde rasgou suas roupas todas e ficou fora de alcance. Os outros praguejaram e xingaram em vão. Foi impossível achá-lo.

– Chega de procurar – disse uma voz derrotada que vinha da carruagem e que era a de Beaumagnan. – O essencial foi dar cabo de sua bicicleta. Cuide disso, Godefroy, e vamos dar o pé. O cavalo já descansou o suficiente.

– Mas e o senhor, Beaumagnan, está em condições de…?

– Em condições ou não, é preciso chegar lá… Mas, meu Deus, estou perdendo todo o meu sangue por essa ferida maldita… O curativo não está dando conta.

Raoul escutou quando quebraram as rodas de sua bicicleta com chutes. Bennetot retirou os panos que cobriam as duas lanternas e o cavalo, açoitado com um chicote, partiu a todo vapor.

Raoul correu atrás do carro.

Estava furioso. Por nada no mundo, ele abandonaria a luta. Não se tratava mais somente dos milhões de milhões, e de uma coisa que daria a toda a sua vida um sentido magnífico; ele estava obstinado também por seu amor próprio. Tendo decifrado o enigma indecifrável, devia chegar primeiro ao prêmio. Não estar lá, não o pegar e deixar que o pegassem, seria, até o último dos seus dias, uma humilhação intolerável.

Assim, sem levar em conta seu cansaço, ele corria a cem metros atrás da carruagem, encorajado por aquela ideia de que todo o problema não estava resolvido, que seus adversários seriam, da mesma forma que ele, obrigados

Arsène Lupin e a condessa de Cagliostro

a procurar a localização daquele marco e que, naquelas investigações, ele retomaria a vantagem.

Aliás, a sorte o favorecia. Aproximando-se de Jumièges, ele avistou um faixo de luz que se balançava à sua frente e notou o ruído agudo de uma campainha, e enquanto os outros passaram direto, ele se deteve.

Era o padre de Jumièges que, acompanhado de uma criança, estava voltando após ter administrado a extrema unção. Raoul pegou a estrada com ele, perguntou sobre uma pousada, e, ao longo da conversa, dizendo-se um amante de arqueologia, falou de uma pedra bizarra que lhe haviam indicado.

– O dólmen da Rainha... Alguma coisa assim... Disseram-me. É impossível que o senhor não conheça essa atração local, não é, senhor abade?

– Minha nossa, senhor – foi a resposta. – Isso está me parecendo muito com aquilo que chamamos aqui de a pedra de Agnès Sorel.

– Em Mesnil-sous-Jumièges, não é?

– Justamente, a uma curta légua daqui. Mas não é de modo algum uma atração... No máximo, um aglomerado de pequenas pedras incrustadas no solo, cuja mais alta ultrapassa o Sena em um ou dois metros.

– Um terreno público, se não me engano, não é?

– Alguns anos atrás, sim, mas a comuna o vendeu a um dos meus paroquianos, o Sr. Simon Thuilard, que queria aumentar seu campo.

Tremendo de alegria, Raoul largou a companhia do valente sacerdote. Ele se guarneceu de informações meticulosas que lhe foram ainda mais úteis, pois assim pôde evitar a grande cidade de Jumièges e embarcar na teia de caminhos sinuosos que levam a Mesnil. Desse modo, seus adversários foram deixados para trás.

– Se eles não tomaram a precaução de se munir de um guia, sem dúvida eles se perderam. Impossível conduzir uma carruagem de noite, no meio dessa bagunça. E depois, para onde se dirigir? Onde encontrar a pedra? Beaumagnan está no limite de suas forças e não será Godefroy quem resolverá a equação. Então, ganhei a partida.

De fato, um pouco antes das três horas, ele passou debaixo de uma estaca que marcava o limite da propriedade do Senhor Simon Thuilard.

A luz de alguns fósforos lhe mostrou um campo que ele atravessou apressado. Uma barragem que lhe pareceu recente margeava o rio. Ele a atingiu pela extremidade direita e voltou pela esquerda. Mas não querendo esgotar seu estoque de fósforos, não viu mais nada.

No entanto, uma faixa mais clara raiava o céu no horizonte.

Ele esperou, cheio de uma emoção que o invadia com doçura e o fazia sorrir. O marco estava perto dele, a alguns passos. Durante séculos, àquela hora da noite talvez, monges tinha vindo furtivamente até aquele ponto da vasta terra para esconder ali suas riquezas. Um a um, priores e os tesoureiros tinham seguido pelo túnel que conduzia da Abadia ao Solar. Outros, provavelmente, chegaram em barcos, pelo velho rio normando que passava por Paris, que passava por Ruão, e que banhava com suas ondas três ou quatro das sete Abadias sagradas.

E eis que ele, Raoul d'Andrésy, ia participar do grande segredo! Ele herdaria dos milhares de monges que outrora trabalharam, espalhados por toda a França, colhendo riquezas sem descanso! Que milagre! Realizar em sua idade tamanho sonho! Ser igual aos mais poderosos e reinar entre os dominantes!

O céu empalidecia, a Ursa Maior se apagava. Adivinhava-se, mais do que se via, o ponto luminoso de Alcor, a estrela fatídica que correspondia na imensidão do espaço ao pequeno bloco de granito sobre o qual Raoul d'Andrésy ia colocar suas mãos de conquistador. A água chapinava contra a margem em ondas tranquilas. A superfície do rio saía das trevas e brilhava placas escuras.

Ele subiu outra vez na barragem. Começava-se a discernir o contorno e a cor das coisas. Instante solene! Seu coração batia com violência. E, de repente, a trinta passos dele, percebeu uma elevação que mal se erguia no campina plana, e de onde emergiam, na grama que os cobria, algumas pontas de rocha cinzenta.

– É ali... – murmurou ele, agitado no íntimo de sua alma... – É ali... Alcancei o objetivo...

Suas mãos palpavam no fundo de seu bolso os dois cartuchos de dinamite e seus olhos buscavam loucamente a pedra mais alta sobre a qual o padre de Jumièges tinha lhe falado. Era essa aqui? Ou aquela ali? Alguns segundos lhe bastariam para introduzir os cartuchos pelas fissuras que as plantas preenchiam. Três minutos mais tarde, ele enfiaria os diamantes e os rubis no saco que havia retirado de seu guidão. Se sobrassem migalhas entre os escombros, tanto melhor para seus inimigos!

Avançava, contudo, passo a passo e, à medida que se aproximava, a mesma elevação adquiria uma aparência que não batia com o que Raoul esperava. Nenhuma pedra mais alta... Nenhum cume que outrora poderia permitir àquela que chamavam de Senhora da Beleza de vir se sentar e observar na curva do rio a chegada dos barcos reais. Nada saliente. Ao contrário... O que então tinha acontecido? Alguma cheia súbita do rio ou alguma tempestade tinham recentemente modificado aquilo que as intempéries seculares tinham respeitado? Ou então...

Em dois saltos, Raoul venceu os dez passos que o separavam do monte.

Deixou escapar um palavrão. A atroz verdade oferecia-se a seus olhos. A parte central do montículo fora eviscerado. O marco, o marco lendário era exatamente aquele, mas desconjuntado, quebrado, espedaçado, seus dejetos rejeitados nas margens de um fosso aberto onde se viam pedras escurecidas e pedaços de grama queimada ainda soltando fumaça. Nenhuma pedra preciosa. Nenhuma parcela do outro e da prata. O inimigo tinha passado ali...

Diante do espantoso espetáculo, Raoul não permaneceu ali mais de um minuto, claro. Imóvel, sem dizer uma palavra, percebeu, distraído, e recolheu do chão maquinalmente todos os vestígios e todas as provas do trabalho efetuado algumas horas antes, percebeu pegadas de saltos femininos, mas se recusou a tirar disso uma conclusão lógica. Distanciou-se alguns metros, acendeu um cigarro e sentou-se na parte de trás da barragem.

Ele não queria mais pensar. A derrota, e, sobretudo, a maneira com a qual ela foi infligida, era penosa demais para que consentisse em estudar seus efeitos e causas. Em casos assim, deve-se manter a indiferença e o sangue frio.

Mas os acontecimentos da véspera e da noite precedente, apesar de tudo, impunham-se a ele. Quer quisesse ou não, os atos de Joséphine Balsamo repassavam em sua mente. Ele a via se enrijecer contra o mal e recuperando toda a energia necessária em um momento como aquele. Descansar quando a hora do destino soava? Vamos então? *Ele* mesmo tinha descansado? E Beaumagnan, por mais machucado que estivesse, teria se permitido a menor trégua? Não, uma Joséphine Balsamo não poderia cometer tal erro. Antes que a noite tivesse caído, ela chegou naquela mesma pradaria com seus acólitos e, em pleno dia, depois sob a luz de lanternas, coordenara os trabalhos.

E quando ele, Raoul, imaginara que estivesse atrás das cortinas fechadas de sua cabine, ela não estava se preparando para a expedição suprema, ao contrário, estava voltando dela, mais uma vez vitoriosa, porque nunca permitia que pequenos acasos, vãs hesitações e escrúpulos supérfluos se tornassem obstáculos entre ela e a realização imediata de seus projetos.

Por mais de vinte minutos, descansando da fadiga ao sol que surgia das colinas opostas, Raoul examinou a amarga realidade na qual afundavam seus sonhos de dominação; e seria preciso estar muito absorto para não escutar o ruído de um carro que estacionava no caminho e não ver os três homens que desciam dele, que passaram sob a estaca e atravessaram a pradaria, e um deles, no momento em que chegou diante do monte, deu um grito de aflição.

Era Beaumagnan. Seus dois amigos, D'Étigues e Bennetot, o apoiavam.

Se a decepção de Raoul fora profunda, qual não foi o desespero do homem que tinha dedicado toda a sua vida àquele caso do tesouro misterioso! Lívido, com os olhos perdidos, sangue no pano que enfaixava sua ferida, ele olhava estupidamente, como se diante do mais atroz dos espetáculos, o terreno devastado onde a pedra milagrosa havia sido violada.

Parecia até que o mundo colapsava à sua frente e que ele contemplava um abismo repleto de assombro e horror.

Raoul aproximou-se e murmurou:

– *Foi ela.*

Beaumagnan não respondeu. Poderiam ter dúvidas de que fora ela? Será que a imagem daquela mulher não se confundia com tudo o que ali era desastre, perturbação, cataclismo, sofrimento infernal? Ele precisava, como o fizeram seus companheiros, atirar-se na terra e vasculhar o caos para descobrir uma parcela esquecida do tesouro? Não! Não! Após a passagem da bruxa, não havia mais nada além de pó e cinzas! Ela era a grande praga que devasta e mata. Ela era a própria encarnação do Satã. Ela era o nada e a morte!

Ele se ergueu, sempre teatral e romântico em suas atitudes mais naturais, passou seus olhos dolorosos ao redor de si, depois, subitamente, após fazer um sinal da cruz, golpeou-se no peito com uma forte punhalada, com aquele punhal que pertencia a Joséphine Balsamo. O gesto foi tão brusco e tão inesperado que nada poderia tê-lo anunciado. Antes mesmo que seus amigos e Raoul tivessem entendido, Beaumagnan desmoronou no fosso, em meio aos escombros daquilo que havia sido o cofre-forte dos monges. Seus amigos se precipitaram sobre ele. Ainda respirava e balbuciou:

– Um padre... um padre...

Bennetot afastou-se com pressa. Alguns camponeses vieram correndo. Ele falou com eles e saltou na carruagem.

De joelhos, perto do fosso, Godefroy d'Étigues rezava e batia no próprio peito... Provavelmente Beaumagnan revelava-lhe que Joséphine Balsamo ainda estava viva e conhecia todos os seus crimes. Isso e o suicídio de Beaumagnan o deixavam louco. O terror devastava seu rosto.

Raoul se inclinou sobre Beaumagnan e lhe disse:

– Eu lhe juro que a encontrarei. Eu lhe juro que vou retomar as riquezas dela.

A raiva e o amor persistiam no coração do moribundo. Somente tais palavras poderiam prolongar sua existência por alguns minutos. Na hora da agonia, no colapso de todos os seus sonhos, ele se agarrava desesperadamente a toda ideia de represália e vingança.

Seus olhos chamavam Raoul, que se inclinou mais para ouvir o que ele estava murmurando.

– Clarisse... Clarisse d'Étigues... É preciso que se case com ela... Escute... Clarisse não é filha do barão... Ele me confessou... É filha de outro que ela amava...

Raoul declarou seriamente:

– Juro que vou me casar com ela... Eu juro...

– Godefroy... – chamou Beaumagnan.

O barão continuava a rezar. Raoul deu-lhe um tapinha no ombro e o curvou sobre Beaumagnan, que murmurou:

– Clarisse se casará com D'Andrésy... É a minha vontade...

– Sim... Sim... – falou o barão, incapaz de resistir.

– Jure.

– Eu juro.

– Por sua salvação eterna?

– Por minha salvação eterna.

– Você lhe dará seu dinheiro para que ele nos vingue... Todas as riquezas que você roubou... Você jura?

– Por minha salvação eterna.

– Ele conhece todos os seus crimes. Ele tem provas. Se você não obedecer, ele o denunciará.

– Eu vou obedecer.

– Que você seja amaldiçoado, se estiver mentindo.

A voz de Beaumagnan era expelida em sopros roucos nos quais as palavras se tornavam cada vez mais indistintas. Agachado ao lado dele, Raoul as captava com dificuldade.

– Raoul, você vai persegui-la... Você precisa *lhe* arrancar as joias... É o demônio... Escute... Eu descobri... no Havre... ela tem um barco... *O Vagalume*... Escute...

Ele não tinha mais forças para falar. Ainda assim, Raoul ainda escutou:

Arsène Lupin e a condessa de Cagliostro

– Vá... agora mesmo... procure-a... desde já...

Os olhos se fecharam. Os lamentos começaram.

Godefroy d'Étigues não parava de martelar o próprio peito, ajoelhado junto ao vazio do fosso.

Raoul foi embora.

De noite, um jornal de Paris publicava de última hora:

O Sr. Beaumagnan, advogado bem conhecido nos círculos militantes monarquistas, e a respeito do qual havíamos por engano anunciado a morte na Espanha, matou-se essa manhã na aldeia normanda de Mesnil-sous-Jumièges, às margens do Sena.

As razões desse suicídio são absolutamente misteriosas. Dois de seus amigos, os Senhores Godefroy d'Étigues e Oscar de Bennetot, que estavam com ele, contam que naquela noite haviam dormido no castelo de Tancarville onde passam alguns dias como convidados, quando o Sr. Beaumagnan os despertou. Ele estava ferido e em estado de extrema agitação. Exigiu de seus amigos que preparassem uma carruagem e que se dirigissem na mesma hora para Jumièges e de lá para Mesnil-sous-Jumièges. Por quê? Por que essa expedição para uma pradaria isolada? Por que esse suicídio? São tantas perguntas que lhes é impossível compreender qualquer coisa.

Dois dias depois, os jornais do Havre inseriam uma série de notícias que o artigo a seguir resume com bastante fidelidade:

Na noite de ontem, o príncipe Lavorneff, vindo ao Havre para testar um iate de passeio que havia comprado recentemente, foi testemunha de um drama aterrador. Voltava em direção às costas francesas quando chamas se elevaram e uma explosão se fez escutar a uma meia légua de distância no máximo. Diga-se de passagem, que essa explosão foi escutada de vários lugares na costa.

Na mesma hora, o príncipe Lavorneff dirigiu seu iate para o lugar da tragédia, onde acabou por descobrir alguns destroços flutuando. Um deles trazia um marinheiro que conseguiram resgatar. Mas mal tiveram tempo de interrogá-lo e de descobrir por ele que o barco se chamava O Vagalume e que pertencia à condessa de Cagliostro. Na mesma hora, mergulhou de novo, gritando: – É ela... é ela.

De fato, à luz das lanternas, notaram outro destroço ao qual se agarrava uma mulher cuja cabeça flutuava acima da água. O homem conseguiu alcançá-la e a levantar, mas ela se agarrava tão desesperadamente a ele que paralisou seus movimentos e os viram desaparecer. Todas as buscas foram inúteis.

De volta ao Havre, o príncipe Lavorneff deu seu depoimento confirmado pelos quatro homens de sua tripulação...

E o jornal acrescentava:

As últimas informações levam a crer que a condessa de Cagliostro era uma aventureira bem conhecida sob o nome de Sra. Pellegrini e que também usava ocasionalmente o nome Sra. Balsamo. Procurada pela polícia, que fracassou duas ou três vezes em capturá-la na região do País de Caux, onde operava nos últimos tempos, ela teria resolvido se mudar para o estrangeiro e seria assim que teria perecido com todos os seus cúmplices no naufrágio de seu iate, O Vagalume.

Mencionaremos, além disso, sob todas as reservas, um rumor segundo o qual haveria uma correlação estreita entre algumas ações da condessa de Cagliostro e o misterioso drama ocorrido em Mesnil--sous-Jumièges. Fala-se de um tesouro desenterrado e roubado, de conspiração, de documentos seculares.

Mas aqui já estamos entrando no campo da fábula. Vamos parar por aqui e deixar a justiça esclarecer este caso.

Na tarde do dia em que aquelas linhas apareceram, isto é, exatamente sessenta horas após o drama de Mesnil-sous-Jumièges, Raoul entrava

ARSÈNE LUPIN E A CONDESSA DE CAGLIOSTRO

no escritório do barão Godefroy, em Haie d'Étigues, o mesmo escritório no qual, uma noite, quatro meses antes, ele havia invadido. Que caminho percorreu desde então e quantos anos envelhecera o adolescente que era na época!

Diante de uma mesa de centro, os dois primos fumavam e bebiam grandes copos de conhaque.

Sem preâmbulos, Raoul explicou:

– Vim reclamar a mão da Srta. d'Étigues e eu suponho...

Ele não estava bem vestido para um pedido de casamento. Nem um chapéu, nem uma boina. Nas costas, uma velha jaqueta de marinheiro. Nas pernas, uma calça curta demais que deixava visíveis seus pés nus em alpargatas sem cadarços.

Mas tanto o traje de Raoul quanto o objeto de sua demanda não interessavam a Godefroy d'Étigues. Com os olhos fundos, o rosto ainda mais atormentado, estendeu na direção de Raoul um maço de jornais, gemendo:

– O senhor leu? A Cagliostro?

– Sim, eu sei... – disse Raoul.

Ele execrava aquele homem e não pode se conter ao lhe dizer:

– Tanto melhor para o senhor, não é? A morte *definitiva* de Joséphine Balsamo é uma coisa que deve tirar do senhor um enorme peso!

– Mas e agora...? As consequências disso? – balbuciou o barão.

– Quais consequências?

– A justiça? Ela vai tentar desvendar o caso. Para começar, a propósito do suicídio de Beaumagnan, estão falando da Cagliostro. Se a justiça juntar todos os fios do caso, ela vai chegar mais longe, até o fim.

– Sim – brincou Raoul –, até a viúva Rousselin, até o assassinato do Sr. Jaubert, isto é, até o senhor e seu primo Bennetot.

Os dois homens estremeceram. Raoul os acalmou:

– Fiquem ambos tranquilos. A justiça não esclarecerá todas essas histórias sombrias, pela boa razão de que ela tratará, ao contrário, de enterrá-las. Beaumagnan estava protegido por potências que não gostam nem de escândalos, nem de chamar atenção. O caso será abafado. O que me preocupa muito mais não é o trabalho da justiça...

– O que é então? – perguntou o barão.

– A vingança de Joséphine Balsamo.

– Mas ela está morta...

– Mesmo morta, devemos temê-la. E é por isso que eu vim até aqui. Há, no fundo do jardim, um pequeno posto de vigilância desabitado. Vou me instalar lá... Até o casamento. Avisem Clarisse de minha presença e digam-lhe para não receber ninguém... Nem eu mesmo. No entanto, ela estará disposta a aceitar este presente de noivado que eu imploro que o senhor lhe dê em meu nome.

E Raoul estendeu ao barão estupefato uma enorme safira, de uma pureza incomparável e lapidada como outrora lapidavam as pedras preciosas...

"A CRIATURA INFERNAL"

– Vamos lançar âncora – sussurrou Joséphine Balsamo – e levar o bote por aqui.

Havia uma forte névoa sobre o mar que, somando-se à escuridão da noite, impedia que se discernisse até mesmo as luzes de Étretat. O farol de Antifer não perfurava com luz alguma a nuvem impenetrável onde o iate do príncipe Lavorneff navegava às cegas.

– O que lhe garante que estamos visíveis para quem está na costa? – objetou Léonard.

– Meu desejo de que estejamos – declarou Cagliostro.

Ele se irritou.

– Essa expedição é uma loucura, pura loucura! Como assim? Faz quinze dias que nós tivemos sucesso e que, graças a você, eu reconheço, conquistamos a mais extraordinária das vitórias. Todo o montante de pedras preciosas está guardado em um cofre em Londres. Todo o perigo desapareceu. Cagliostro, Pellegrini, Balsamo, marquesa de Belmonte, tudo isso está no fundo do mar em consequência do naufrágio d'*O Vagalume* que você teve a admirável ideia de organizar e o qual você presidiu com tanta energia. Vinte testemunhas viram a explosão da costa. Para todo mundo, você está morta, cem vezes morta, e também eu, assim como todos os seus cúmplices. Se chegarem a descobrirem a história do tesouro dos monges, chegariam inclusive a constatar que ele escorregou para o fundo d'água com *O Vagalume*, em um lugar impossível de definir, de determinar exatamente, e que as pedras se espalharam pelo mar. E tenha certeza de que a justiça está encantada com esse naufrágio e essa morte e que, por isso, não vai procurar perto demais, tamanha a pressão vinda de cima para abafar o caso Beaumagnan-Cagliostro. Logo, tudo vai estar bem. Você controlou os acontecimentos e saiu vitoriosa sobre todos os seus inimigos. E no momento em que a prudência mais elementar nos ordena a deixar a França e a nos mandar tão longe quanto possível da Europa, é bem quando você escolhe voltar ao próprio lugar que lhe trouxe azar e para afrontar o único adversário que lhe resta. E que adversário, Josine! Uma espécie de gênio tão excepcional, sem o qual você nunca teria descoberto o tesouro. Confesse que é loucura.

Ela murmurou:

– O amor é uma loucura.

– Então, renuncie.

– Não consigo, não consigo. Eu o amo.

Josine havia apoiado seus cotovelos sobre a amurada e a cabeça entre suas mãos, cochichando com desespero:

– Eu estou apaixonada… É a primeira vez… Os outros homens não contam… Enquanto Raoul… Ah, eu não quero falar dele… É por ele que conheci a única alegria de minha vida… Mas também meu maior sofrimento… Antes dele, eu ignorava a felicidade… Mas também a dor… E depois… E depois a felicidade acabou… E não havia mais nada além de sofrimento… Isso é horrível, Léonard… A ideia de que ele vai se casar… Que outra viverá com ele… E que uma criança vai nascer do amor dos dois… Não, isso está além das minhas forças… Qualquer coisa menos isso…! Prefiro arriscar tudo, Léonard. Prefiro até morrer.

Ele disse em voz baixa:

– Minha pobre Josine…

ARSÈNE LUPIN E A CONDESSA DE CAGLIOSTRO

Ambos se calaram por bastante tempo, ela ainda curvada e derrotada.

Depois, como o bote se aproximava, ela se ergueu e, de repente, disse imperiosa e ríspida:

– Mas eu não estou arriscando nada, Léonard... Não há risco nem de morte nem de fracasso.

– Enfim, que seja! O que você quer fazer?

– Raptá-lo.

– Ai, ai, você espera que...

– Tudo está pronto. Os mínimos detalhes estão preparados.

– Como?

– Por intermédio de Dominique.

– Dominique?

– Sim, desde o primeiro dia, antes mesmo que Raoul chegasse a Haie d'Étigues, Dominique deu um jeito de ser contratado como cavalariço.

– Mas Raoul o conhece...

– Raoul talvez o tenha visto uma ou duas vezes, mas você sabe o quanto Dominique é hábil para se disfarçar. É absolutamente impossível que o percebam em meio a todo o pessoal do castelo e dos estábulos. Então, Dominique me manteve a par do que acontecia dia a dia e tudo está de acordo com minhas instruções. Sei as horas em que Raoul se levanta e se deita, como está vivendo e tudo o que ele faz. Sei que ele não reviu ainda Clarisse, mas que estão no processo para reunir os papéis necessários para o casamento.

– Será que ele desconfia?

– De mim, não. Dominique escutou pedaços de uma conversa que Raoul teve com Godefroy d'Étigues no dia em que ele se apresentou no castelo. Não há dúvidas sobre minha morte para eles. Mas Raoul queria que todas as precauções possíveis fossem tomadas contra mim, mesmo morta. Logo, ele observa, ele vigia, monta guarda ao redor do castelo, questiona os camponeses.

– E Dominique deixou que você viesse mesmo assim?

– Sim, mas apenas durante uma hora. Um golpe de mão leve, rápida, de noite, e fugimos na mesma hora.

– E será esta noite?

– Esta noite entre as dez e as onze. Raoul ocupa um posto de vigília, isolado, não longe da velha torre onde Beaumagnan me conduzira. Esse posto, estendendo-se pela muralha da fortaleza, só tem uma janela no térreo do lado do campo e nenhuma porta. Para invadi-lo, se as venezianas estiverem trancadas, será preciso passar pelo grande portal do pomar e alcançar a fachada interior. As duas chaves estarão, esta noite, sob uma grande pedra, perto do portal. Como Raoul estará deitado, o enrolaremos em seu colchão e em suas cobertas, que são grandes, e o traremos até aqui. Na mesma hora, partiremos.

– É só isso?

Joséphine Balsamo hesitou, depois respondeu claramente:

– É só isso.

– Mas Dominique?

– Partirá conosco.

– Você não lhe deu nenhuma ordem especial?

– Relativa a quê?

– Relativa à Clarisse, não? Você odeia aquela pequena. Então, bem temo que você tenha encarregado Dominique de alguma tarefa...

Josine hesitou de novo antes de responder.

– Isso não lhe diz respeito.

– Ainda assim...

O bote deslizava junto à lateral do barco. Josine declarou, em um tom zombeteiro:

– Escute, Léonard, desde que eu o tornei o príncipe Lavorneff e dei-lhe um iate esplendidamente bem-equipado, você se tornou totalmente indiscreto. Não vamos fugir de nossos papéis, está bem? *Eu* comando, e *você* obedece. No máximo, você tem o direito a algumas explicações. Eu já as dei. Aja como se elas lhe fossem suficientes.

– Elas me são suficientes – disse Léonard. – E reconheço que seu plano está muito bem arquitetado.

– Tanto melhor. Vamos descer.

Ela desceu primeiro para o bote e se instalou nele.

Léonard e quatro de seus cúmplices a acompanharam. Dois dentre eles pegaram os remos, enquanto Josine se colocava na parte de trás e dava suas ordens tão baixo quanto possível.

– Vamos virar na porta de Amont – disse ela, ao fim de pouco mais de um quarto de hora, enquanto seus acólitos tinham a impressão de estar avançando como cegos.

Ela indicava a tempo as rochas no meio da água e corrigia a direção a partir de pontos de referência invisíveis para os outros. Somente o rangido das pedras sob a quilha os advertiu que estavam se aproximando.

Eles a tomaram em seus braços e a carregaram até a margem para onde puxaram a embarcação em seguida.

– Você tem mesmo certeza de que não vamos encontrar nenhum guarda? – sussurrou Léonard.

– Absoluta. O último telegrama de Dominique foi categórico.

– Ele não vem se encontrar conosco?

– Não, eu lhe escrevi para que ficasse no castelo, junto com o pessoal do barão. Às onze horas, ele se juntará a nós.

– Onde?

– Perto do posto de Raoul. Chega de falar.

Todos eles mergulharam na escadaria do Padre e subiram em completo silêncio.

Embora estivessem em seis, nenhum barulho do primeiro ao último minuto indicava a presença de alguém nem mesmo ao ouvido mais atento.

No alto, a bruma flutuava mais leve e se deslocava com intervalos e falhas que permitiam ver o cintilar de algumas estrelas. Assim, a Cagliostro conseguiu distinguir. Os sinos do relógio da igreja Bénouville tocaram as dez badaladas.

Josine estremeceu.

– Oh, o soar daquele relógio…! Eu o reconheço… Dez badaladas como da outra vez… Dez badaladas! Uma por uma, eu as contava indo em direção à morte.

– Você se vingou bem – falou Léonard.

– De Beaumagnan, sim, mas e dos outros?

– Dos outros também. Os dois primos estão meio loucos.

– É verdade – disse ela. – Mas somente me sentirei totalmente vingada daqui a uma hora. Então, terei descanso.

Eles aguardaram a bruma retornar de modo que nenhuma de suas silhuetas se destacasse sobre a planície nua que precisavam atravessar. Depois, Joséphine Balsamo pegou o caminho pelo qual Godefroy e seus amigos a haviam conduzido, e os outros a seguiram em fila indiana, sem pronunciar uma única palavra. A colheita havia sido cortada. Grossos montes de feno arredondavam o pasto aqui e ali.

Na vizinhança da propriedade, a trilha se alargava, ladeada de espinheiros por entre os quais caminhavam com precauções crescentes.

A silhueta dos muros se ergui, imponente. Mais alguns passos e o posto de vigilância que se encontrava incrustado na muralha apareceu à direita.

Com um gesto, a Cagliostro barrou o caminho.

– Esperem por mim.

– Sigo você? – perguntou Léonard.

– Não. Eu volto para buscar vocês e nós entraremos juntos pelo portal do pomar que fica do outro lado à esquerda.

Assim, ela avançou sozinha, apoiando cada um dos pés tão lentamente que nenhuma pedra poderia rolar sob suas botas, nenhuma planta estalaria ao contato de sua saia. O posto se aproximava. A Cagliostro chegou nele.

Ela encostou as mãos nas venezianas, a fechadura não resistiu, sabotada por Dominique. Um pouco de claridade escapou.

Josine colou sua testa e olhou para dentro do cômodo. Ali, na pequena alcova, havia apenas uma cama.

Raoul estava deitado nela. Uma luminária bojuda de cristal, com uma cúpula de papelão, cobria com um disco brilhante seu rosto, seus ombros, o livro que ele lia e suas roupas dobradas em uma cadeira vizinha. Ele tinha um ar extremamente jovem, um ar de criança que faz a lição de casa com atenção, lutando contra o sono. Várias vezes, sua cabeça pendeu. Ele despertou, forçou-se a ler e, de novo, adormeceu.

Por fim, fechando o livro, apagou a luminária.

Tendo visto o que ela queria, Joséphine Balsamo deixou seu posto e retornou para junto de seus cúmplices. Ela já lhes tinha dado suas instruções, mas, por prudência, recomeçou e, durante dez minutos, insistiu:

– E o principal, sem violência inútil. Está entendendo, Léonard...? Como ele não tem nada ao seu alcance para se defender, vocês não vão precisar usar suas armas. Vocês são cinco, isso basta.

– E se ele resistir? – falou Léonard.

– Cabe a vocês agirem de tal maneira que ele não possa resistir.

Ela conhecia tão bem aquelas paragens pelos esboços que Dominique lhe havia enviado que caminhou sem hesitação até a entrada principal do pomar. As chaves encontravam-se no lugar combinado. Abriu e se dirigiu até a fachada interior do posto de vigilância.

A porta foi aberta facilmente. Entrou, seguida por seus cúmplices. Um vestíbulo com chão de laje conduzia-os ao centro do quarto de dormir, cuja porta ela empurrou com uma lentidão infinita.

Era o momento decisivo. Se a atenção de Raoul não tivesse sido despertada, se ele ainda dormisse, o plano de Joséphine Balsamo se encontraria realizado. Ela escutou. Nada se mexia.

Então ela ficou de lado para abrir passagem aos cinco homens, e, de uma vez, soltou sua matilha, lançando sobre a cama o jato de luz de uma lanterna.

O ataque foi tão rápido que o adormecido só devia ter despertado quando qualquer resistência seria em vão.

Os homens o haviam enrolado em suas cobertas e dobraram sobre ele os dois lados do colchão, formando uma espécie de longo pacote de tecido que eles amarraram em um instante. Com certeza, a cena não durou um minuto. Não houve um pio. Nenhum móvel foi derrubado.

Mais uma vez, a Cagliostro triunfava.

– Bom – disse ela, com uma emoção que demonstrava a importância que dava para aquele triunfo... – Bom... Nós o pegamos... E, dessa vez, todas as precauções foram tomadas.

– O que devemos fazer agora? – perguntou Léonard.

– Vamos levá-lo até o barco.

– E se ele pedir socorro?

– Uma mordaça. Mas ele ficará calado... Vão.

Léonard aproximou-se dela, enquanto seus acólitos carregavam o cativo.

– Então você não virá conosco?

– Não.

– Por quê?

– Eu já lhe disse, estou esperando Dominique.

Ela acendeu a lamparina outra vez e retirou a cúpula.

– Como você está pálida! – disse-lhe Léonard em voz baixa.

– Talvez – respondeu ela.

– É por causa da menina, não é?

– Sim.

– Dominique está agindo nesse momento?

– Sim.

– Quem sabe haja ainda tempo de impedir...

– Mesmo se ainda houver tempo – disse ela –, minha vontade não vai mudar. O que deve ser será. Aliás, missão cumprida. Vá embora.

– Por que ir embora antes de você?

– O único perigo vem de Raoul. Uma vez que Raoul estiver em segurança no barco, não há nada mais a temer. Vá e me deixe.

Ela lhes abriu a janela, que todos pularam e pela qual passaram o prisioneiro. Depois puxou as venezianas e fechou a janela.

Um instante depois, o sino da igreja tocou. Ela contou as onze badaladas. Na décima primeira, olhou para a outra fachada que dava para o pomar e aguçou o ouvido. Houve um breve assobio, ao qual ela respondeu batendo o pé na laje do vestíbulo.

ARSÈNE LUPIN E A CONDESSA DE CAGLIOSTRO

Dominique correu até ela. Entraram outra vez no quarto e, na mesma hora, antes mesmo que ela pudesse fazer a temível pergunta, ele murmurou:

– Está feito.

– Ah! – exclamou ela fracamente, tão perturbada que titubeou e imediatamente sentou-se.

Ficaram algum tempo calados. Dominique continuou:

– Ela não sofreu.

– Ela não sofreu? – repetiu ela.

– Não, estava dormindo.

– E você tem certeza de que...?

– Que ela está morta? Puxa vida! Golpeei o coração, três vezes. Em seguida, tive a coragem de ficar... Para ver... Mas nem precisava... Ela não respirava mais... As mãos ficaram bem frias.

– E se alguém descobrir?

– Impossível. Só vão entrar no quarto dela pela manhã. Só então... que vão ver.

Eles não ousavam se olhar. Dominique estendeu a mão.

De seu corselete, ela sacou dez notas e lhe entregou.

– Obrigado – disse ele. – Mas se fosse para fazer de novo, eu me recusaria. O que devo fazer agora?

– Ir embora. Correndo, alcance os outros antes que eles cheguem ao barco.

– Eles estão com Raoul d'Andrésy?

– Sim.

– Tanto melhor. Ele me deu trabalho, aquele lá. Já fazia quinze dias que ele desconfiava. Ah! Só mais uma palavra... E as pedras preciosas?

– Estão com a gente.

– Não tem mais perigo?

– Elas estão no cofre de um banco em Londres.

– Há muitas delas?

– Uma mala cheia.

– Nossa! Mais de cem mil francos para mim, hein?

– Mais. Mas se apresse... A menos que você prefira me esperar...

– Não, não – disse rapidamente. – Estou com pressa para ficar longe... o mais longe possível... Mas a senhora...?

– Vou verificar se não há aqui documentos perigosos para nós e já me junto a vocês.

Ele se foi. Na mesma hora, ela vasculhou as gavetas da mesa e de uma pequena escrivaninha e não achou nada, explorou os bolsos das roupas dobradas na cabeceira da cama.

A carteira, em especial, chamou sua atenção. Continha dinheiro, cartões de visita e uma fotografia.

Era de Clarisse d'Étigues.

Joséphine Balsamo a contemplou longamente, com uma expressão na qual não havia raiva, mas que era severa, de quem não perdoa.

Em seguida, permaneceu imóvel, em uma daquelas atitudes absortas, nas quais seus olhos se fixavam sobre não se sabe qual espetáculo doloroso, enquanto seus lábios conservavam seu doce sorriso.

Havia um espelho à sua frente onde sua imagem se refletia. Ela se olhou nele apoiando seus cotovelos sobre o mármore da chaminé. Seu sorriso se acentuou, como se tomasse consciência de sua beleza e se alegrasse com isso. Ela usava um casaco com capuz marrom, que puxou sobre os ombros, e passou sobre a testa o véu impalpável que nunca saía de seus cabelos e que a deixava como a Virgem de Bernardino Luini.

Ela se olhou assim, durante alguns minutos. Depois entrou outra vez em seu devaneio. E soou o toque das onze e quinze. Não se mexia mais. Parecia até que estava dormindo, que estava dormindo com os olhos arregalados e imóveis.

Com o tempo, porém, seus olhos adquiriram uma expressão menos vaga, que focava pouco a pouco. Acontece o mesmo em certos sonhos, quando todas as ideias, tumultuadas e incoerentes, transformam-se em uma ideia cada vez mais precisa, em uma imagem cada vez mais exata. O que era aquela imagem desconcertante que parecia ter percebido e à qual tentava em vão se acostumar? Vinha da alcova onde a cama estava escondida e as

Arsène Lupin e a condessa de Cagliostro

cortinas de tecido se alinhavam em volta. Ora, atrás daquelas cortinas, devia ter um espaço livre, um corredor de passagem, pois se poderia realmente dizer que uma mão os agitava.

E aquela mão adquiria contornos cada vez mais reais. Um braço a seguiu e acima daquele braço, logo surgiu uma cabeça.

Joséphine Balsamo, acostumada com sessões espíritas onde a sombra desenha fantasmas, deu um nome àquele que sua imaginação aterroriza-da fazia sair das trevas. Aquele estava vestido de branco e ela não sabia se a contração de sua boca era um sorriso afetuoso ou um esgar de cólera.

Ela balbuciou:

– Raoul... Raoul... O que você quer de mim?

O fantasma puxou uma das cortinas e contornou a cama.

Josine baixou as pálpebras gemendo, depois as abriu logo em seguida. A alucinação continuava e o ser se aproximava com movimentos que ba-gunçavam as coisas e perturbavam o silêncio. Ela quis fugir. Mas na mesma hora sentiu em seu ombro o aperto de uma mão que certamente não era aquela de um fantasma. E uma voz alegre exclamou:

– Pois veja, minha querida Joséphine, se tenho um conselho a lhe dar é pedir ao príncipe Lavorneff que lhe ofereça um pequeno cruzeiro para descansar. Você está precisando disso, minha querida Joséphine. Como assim? Você achou mesmo que eu, Raoul d'Andrésy, era um fantasma? Embora eu esteja usando camisa de dormir e um calção, não sou um des-conhecido para você.

Enquanto ele enfiava seu termo e dava o laço em sua gravata, ela repetiu:

– Você! Você...!

– Meu Deus, sim, sou eu!

E se sentando ao lado dela, rapidamente lhe disse:

– O principal, querida amiga, é que não dê uma bronca no príncipe Lavorneff e não pense que ele me deixou escapar mais uma vez. Pois o que eles levaram, seus amigos e ele, foi simplesmente um colchão e um bone-co recheado de farinha, tudo isso enrolado em cobertas. Quanto a mim, não saí dessa ruela na qual me refugiei assim que você abandonou seu posto atrás das venezianas.

Joséphine Balsamo permaneceu inerte e tão incapaz de fazer um gesto como se lhe tivessem dado uns tapas.

– Minha nossa! – exclamou ele. – Você não está com uma cara boa. Quer um golinho de licor para se recuperar? Aliás, confesso, Joséphine, que compreendo seu colapso e não queria estar em seu lugar. Todos os seus amiguinhos foram embora... Nenhum socorro possível virá em menos de uma hora... E diante de você, em um quarto fechado, aquele que chamam de Raoul. Há mesmo motivo para ver que a coisa está feia! Azarada Joséphine... Que reviravolta!

Ele se abaixou e pegou do chão a fotografia de Clarisse.

– Como minha noiva é linda, não é mesmo? Eu notei com prazer que você a admirava agora há pouco. Você sabe que vamos nos casar em alguns dias?

Cagliostro murmurou:

– Ela está morta.

– De fato – disse ele. – Ouvi falar disso. O rapazinho a atacou em sua cama agora há pouco, não é?

– Sim.

– Uma punhalada?

– Três punhaladas, bem no coração – disse ela.

– Oh, uma só bastaria – observou Raoul.

Cagliostro repetiu lentamente, como se falasse consigo mesma.

– Ela está morta, ela está morta.

Raoul riu com escárnio.

– O que você quer? Isso acontece todos os dias. E não é por tão pouco que vou mudar meus planos. Viva ou morta, caso-me com ela. Damos um jeito, nos viramos... *Você* se virou bem.

– O que você quer dizer? – perguntou Joséphine Balsamo, que começava a se preocupar com aquela brincadeira.

Arsène Lupin e a condessa de Cagliostro

– Sim, não é? O barão a afogou uma primeira vez. Uma segunda vez você explodiu com seu barco, *O Vagalume*. E ora veja! Isso não a impede de estar aqui. Do mesmo modo, não é porque Clarisse recebeu três punhaladas no coração que não vou me casar com ela. Em primeiro lugar, você tem mesmo certeza do que está dizendo?

– Foi um dos meus homens que a apunhalou.

– Ou ao menos que lhe disse ter apunhalado.

Ela o observou.

– Por que ele teria mentido?

– Ora, para pegar os dez bilhetes de mil que você lhe entregou.

– Dominique é incapaz de me trair. Por cem mil francos, ele não me trairia. Além disso, ele bem sabe que vou encontrá-lo. Está me esperando com os outros.

– Você tem mesmo certeza de que ele está esperando, Josine?

Ela estremeceu. Teve a impressão de se debater em um círculo cada vez mais apertado.

Raoul balançou a cabeça.

– É curioso como nós fizemos, você e eu, idiotices um em relação ao outro. Mas então você, minha boa Joséphine, precisaria ser bem ingênua para acreditar que eu poderia acreditar um minuto que fosse na explosão d'*O Vagalume*, no naufrágio Pellegrini-Cagliostro e nas asneiras contadas pelo príncipe Lavorneff! Como você não percebeu que um garoto que não é um imbecil, que você formou em sua escola, e que escola, Nossa Senhora!, leria tudo em sua jogada como o faria em uma Bíblia aberta.

"Esse naufrágio era conveniente demais, na verdade! Vocês estão sobrecarregados de crimes, com as mãos vermelhas de sangue e a polícia correndo em seu encalço. Então fazem afundar um barco velho e todo o passado de crimes, o tesouro roubado, as riquezas, tudo naufraga junto. Passam por mortos. Mudam de visual. E recomeçam um pouco mais longe com outro nome a matar, a torturar e a encharcar as mãos de sangue. Isso para os outros, minha cara! Já eu, quando li sobre o naufrágio, me disse: *Vamos abrir os olhos e direito!* E vim até aqui!

Após um silêncio, Raoul continuou:

– Veja, Joséphine, sua visita era inevitável! E fatalmente você devia prepará-la com a ajuda de algum cúmplice. Fatalmente, o iate do príncipe Lavorneff devia vagar uma noite por aqui! Fatalmente, você devia escalar a escada tortuosa por onde a haviam levado em uma maca. Então, ora! Eu tomei minhas precauções, e meu primeiro cuidado foi olhar ao redor de mim se não havia algum rosto conhecido. Um camarada seria uma mão na roda.

"E logo na primeira olhada, reconheci o Sr. Dominique, pois, embora você não saiba, eu o tinha visto no assento da sua carruagem à porta de Brigitte Rousselin. Dominique é um criado leal, mas que o medo dos guardas e uma saraivada de cacetadas administradas por mim amaciaram ao ponto de que toda sua lealdade dali para frente ficou a meu serviço, e ele a provou ao enviar para você falsos relatórios e falsas chaves e abrindo debaixo de seus pés, mancomunado comigo, a armadilha na qual você tropeçou. A vantagem para ele: as dez notas que saíram do seu bolso e que você nunca mais verá, porque seu fiel servidor voltou ao castelo, sob minha proteção.

"Aí está o ponto em que estamos, minha boa Joséphine. Claro, eu poderia poupá-la dessa pequena comédia e acolhê-la aqui, diretamente, pelo simples prazer de apertar sua mão. Mas quis ver como você dirigiria a operação e, enquanto ficava nos bastidores, quis ver também como você receberia a notícia do suposto assassinato de Clarisse d'Étigues."

Josine recuou. Raoul não estava mais brincando. Inclinado sobre ela, ele lhe disse com uma voz contida:

– Um pouco de emoção… Bem pouco… Eis tudo o que você sentiu. Você acreditou que aquela criança estava morta, morta por ordem sua, e isso não a afetou! A morte dos outros não conta para você. Temos vinte anos, toda a vida pela frente… Juventude, beleza… Você suprime tudo isso, como se estivesse esmagando uma noz! Nenhum dilema de consciência. Claro, você não ri… Mas também não chora por isso. Na realidade, você só não pensa no assunto. Eu me lembro que Beaumagnan a chamava de criatura infernal, designação que me revoltava. No entanto, era justa. Há algo do inferno em você. Você é uma espécie de monstro no qual não consigo mais pensar sem me apavorar. Mas você mesmo, Joséphine Balsamo, não se apavorou por uns momentos?

Ela mantinha a cabeça abaixada, os punhos colados nas têmporas, tal como o fazia com frequência. As palavras impiedosas de Raoul não provocavam aquele sobressalto de raiva e de indignação que ele esperava. Raoul sentiu que ela estava em um daqueles momentos da existência em que se percebe o fundo da própria alma, nos quais a gente não pode ignorar a temível imagem de si mesmo e as palavras de confissão escapam contra sua vontade.

Raoul não ficou muito surpreso com isso. Sem serem frequentes, aqueles momentos não deviam ser muito raros naquele ser desequilibrado, cuja natureza, superficialmente impassível, colapsava em tais crises nervosas. Os acontecimentos apresentavam-se a ela de uma maneira tão contrária às suas previsões, a aparição de Raoul era tão desconcertante, que ela não podia se erguer diante de seu inimigo que a ultrajava tão cruelmente.

Ele se aproveitou disso, colado contra ela, e sua voz insinuou:

– *Você* mesma se assustou por uns momentos também, não é mesmo, Josine? Você chega a ter horror de si mesma, não é?

O sofrimento de Josine era tão profundo que ela murmurou:

– Sim… Sim… Algumas vezes… Mas não é preciso me falar disso… Eu não quero saber… Cale-se… Cale-se…

– Mas ao contrário – disse Raoul. – Você precisa saber… Se você tem horror de tais atos, por que os comete?

– Eu não consigo fazer de outra forma – disse ela, com uma extrema exaustão.

– Então você tenta?

– Sim, eu tento, eu luto, mas sempre fracasso. Ensinaram-me o mal… Eu faço o mal como os outros fazem o bem… Faço o mal como a gente respira… Quiseram assim…

– Quem?

Ele escutou confusamente aquelas duas palavras: "Minha mãe" e retomou em seguida:

– Sua mãe? A espiã? Aquela que combinou toda aquela história de Cagliostro…?

– Sim… Mas não a julgue… Ela me amava… Só que ela não teve sucesso na vida… Ela se tornou pobre, miserável e queria que eu tivesse sucesso… E que fosse rica…

– Mas você era bela, ainda assim. A beleza, para uma mulher, é a maior das riquezas. A beleza basta.

– Minha mãe também era bela, Raoul, e, no entanto, sua beleza não lhe serviu para nada.

– Você se parece com ela?

– A ponto de ser possível confundir. E foi isso que causou minha ruína. Ela quis que eu continuasse o que havia sido sua grande ideia… A herança de Cagliostro…

– Ela tinha os documentos?

– Um pedaço de papel… O papel dos quatro enigmas que uma de suas amigas tinha encontrado em um livro velho… E que parecia realmente ter sido escrito por Cagliostro… Isso a deixou obcecada… Assim como seu sucesso junto à imperatriz Eugénie. Então, tive de continuar. Ainda criança, ela me enfiou isso na cabeça. Meu cérebro formou-se somente com essa ideia. Esse devia ser meu ganha-pão… Meu destino… Eu era a filha de Cagliostro… Eu retomaria a vida dela e a vida dele… Uma vida brilhante como aquela que haviam tido nos romances… A vida de uma aventureira adorada por todos e que domina o mundo. Sem escrúpulos… Sem consciência… Devia vingá-la por tudo aquilo que ela mesma havia sofrido. Quando estava morrendo, esta foi a frase que me disse: "Vingue-me."

Raoul refletia. Ele declarou:

– Que seja. Mas e os crimes…? Essa necessidade de matar…?

Raoul não conseguiu entender a resposta dela, e tampouco o que respondeu quando ele lhe disse:

– Sua mãe não foi a única a criar você e levá-la para o mal, Josine. Quem foi seu pai?

Ele pensou ter escutado o nome de Léonard. Mas ela queria dizer que Léonard era seu pai, que Léonard era o homem que havia sido expulso da França ao mesmo tempo que a espiã? (E isso parecia bastante plausível). Ou então que Léonard a havia levado para o crime?

Raoul não soube mais nada e não conseguiu penetrar naquelas regiões obscuras onde se elaboram os maus instintos e onde fermentam todos os desequilíbrios, tudo o que está descarrilhado e estragado, todos os vícios, todas as vaidades, todos os apetites sanguinários, todas as paixões inexoráveis e cruéis que escapam ao nosso controle.

Ele não a interrogou mais.

Josine chorava em silêncio e ele sentia as lágrimas e os beijos em suas mãos, que ela segurava apaixonadamente e que ele tivera a fraqueza de permiti-lo. Uma piedade manhosa infiltrou-se nele. A maligna criatura tornava-se uma criatura humana, uma mulher entregue ao instinto doente, que enfrentava a lei de forças irresistíveis e que ele talvez precisasse julgar com um pouco de indulgência.

– Não me mande embora – dizia ela. – Você é o único ser no mundo que poderia ter me salvado do mal. Eu o senti na mesma hora. Há em você alguma coisa sã, saudável.. Ah, o amor… o amor… Somente ele me apaziguou… E eu nunca amei ninguém além de você… Então, se você me rejeitar…

Os lábios doces invadiam Raoul com uma languidcz infinita. Toda a volúpia e todo o desejo embelezavam aquela compaixão perigosa que amolece a vontade dos homens.

E, talvez, se a Cagliostro fosse se contentar com aquela humilde carícia, ele mesmo teria sucumbido à tentação de se inclinar e sentir o gosto mais uma última vez daquela boca que se oferecia a ele. Mas ela levantou a cabeça outra vez, deslizou seus braços ao longo dos ombros, envolvendo o pescoço dele, observando-o e aquele olhar bastou para que Raoul não visse mais nela a mulher que implora, mas aquela que quer seduzir e que se vale da ternura de seus olhos e da graça de seus lábios.

Maurice Leblanc

O olhar liga os amantes. Mas Raoul sabia muito bem o que havia atrás daquela expressão charmosa, ingênua e dolorosa! A pureza do espelho não redimiu toda a feiura e toda a ignomínia que ele via com tanta clareza.

Ele se recompôs pouco a pouco, libertou-se da tentação e, repelindo a sereia que o abraçava, disse-lhe:

– Você se lembra... Aquele dia... Na lancha... Nós tivemos medo um do outro como se estivéssemos querendo nos estrangular. É a mesma coisa hoje. Se eu cair outra vez em seus braços, estou perdido. Amanhã, depois de amanhã, seria a morte...

Ela se ergueu na mesma hora, hostil e maligna. O orgulho a invadia de novo e a tempestade elevou-se bruscamente entre eles, fazendo-os passar sem transição daquela espécie de torpor onde a lembrança do amor os mantinha para uma ácida necessidade de ódio e provocação.

– Pois sim – continuou Raoul –, no fundo, desde o primeiro dia, nós fomos inimigos ferozes. Tanto um quanto o outro, nós só pensávamos na derrota do outro. Você, sobretudo! Eu era o rival, o intruso... Em sua cabeça, minha imagem se misturava a pensamentos assassinos. Voluntariamente ou não, você tinha me condenado.

Ela balançou a cabeça e com um tom agressivo disse:

– Até aqui, não.

– Mas agora, sim, não é? Só que um fato novo apresenta-se – exclamou ele. – É que agora eu estou rindo da sua cara, Joséphine. O aluno tornou-se mestre, e é isso que eu quis provar para você ao deixá-la vir até aqui e ao aceitar a batalha. Ofereci-me, sozinho, aos seus golpes e aos golpes de sua gangue. E eis que estamos um diante do outro e você não pode fazer nada contra mim. Você se perdeu toda no caminho, hein?

– Clarisse está viva. Eu, livre. Vamos, minha linda, desapareça da minha vida, você está completamente vencida e eu a desprezo.

Ele lhe atirou bem na cara palavras injuriosas que a atingiam como chibatadas. Josine estava pálida. Seu rosto se decompunha e, pela primeira vez, sua inalterável beleza acusava alguns sinais de decadência e de envelhecimento.

Ela rosnou.

– Eu me vingarei.

– Impossível, eu cortei suas garras – zombou Raoul. – Você tem medo de mim. É isso que é maravilhoso e que é minha obra de hoje: você está com medo de mim.

– Minha vida inteira será dedicada a isso – murmurou ela.

– Não há nada a fazer. Conheço todos os seus truques. Você fracassou. Acabou.

Ela balançou a cabeça.

– Tenho outros meios.

– Quais?

– Essa fortuna incalculável... as riquezas que conquistei.

– Graças a quem? – perguntou Raoul alegremente. – Se houve uma sacada de mestre nessa estranha aventura, não fui eu quem o teve?

– Talvez. Mas fui eu quem soube agir e pegar o prêmio. E tudo está aí. Com as palavras, você nunca fica de fora. Mas era preciso uma ação, naquela ocasião, e essa ação fui eu quem realizou. Porque Clarisse está viva, porque você está livre, você grita pela vitória. Mas a vida de Clarisse e a sua liberdade, Raoul, são coisas pequenas perto da grande coisa que estava em jogo em nosso duelo, isto é, as milhares e milhares de pedras preciosas. A verdadeira batalha estava aí, Raoul, e eu a ganhei, já que o tesouro me pertence.

– Nunca se sabe! – disse ele em um tom irônico.

– Pois sim, ele me pertence. Eu mesma enfiei as inumeráveis pedras em uma mala que foi amarrada e selada na minha frente, que eu levei até ao Havre, que coloquei no fundo do deque n'*O Vagalume* e a retirei antes que fizéssemos o barco explodir. Ela está em Londres agora, em um cofre de um banco, amarrada e selada como no primeiro momento...

– Sim, sim – aprovou Raoul, com um arzinho de entendido. – A corda está bem nova, ainda esticada e limpa... Os selos são em um total de cinco, em cera violeta, com as iniciais J. B., Joséphine Balsamo. Quanto à mala, é feita de vime trançado, munida de correias e puxadores de couro... Uma coisa simples, que não chama a atenção...

A Cagliostro levantou para ele olhos confusos:

– Então você sabe...? Como você sabe...?

– Nós ficamos juntos, ela e eu, durante algumas horas – disse, rindo.
Ela declarou:

– Mentiras! Você está blefando... A valise não saiu um segundo de perto de mim desde o campo de Mesnil-sous-Jumièges até o cofre-forte.

– Sim, já que você a desceu para o deque d'*O Vagalume*.

– Eu estava sentada sobre a portinha de ferro que cobria aquele deque, e um homem a meu serviço estava vigiando bem em cima da escotilha pela qual você poderia ter entrado, e isso durante todo o tempo que estivemos no porto do Havre.

– Eu sei disso.

– Como você poderia saber?

– Eu estava no deque.

Que frase assustadora! Ele a repetiu, depois, ante o estupor de Joséphine Balsamo. Divertindo a si mesmo com sua narrativa, contou:

– Meu raciocínio em Mesnil-sous-Jumièges diante do marco destruído foi o seguinte: "Se eu buscar pela querida Joséphine, eu não a encontrarei. O que preciso fazer é adivinhar o endereço onde ela estará no fim desse dia, chegar nele antes dela, estar lá quando ela o alcançar e aproveitar a primeira ocasião para passar a mão nas pedras preciosas." Ora, procura-da pela polícia, perseguida por mim, ávida por colocar o tesouro a salvo, inevitavelmente você precisava fugir, isto é, ir para o estrangeiro. Como? Graças a seu barco, *O Vagalume*.

"Ao meio-dia, eu estava no Havre. A uma hora, os três homens da sua tripulação foram tomar um café no bar, cruzei o convés e mergulhei no fundo do deque, atrás de um amontoado de caixas, barris e sacos de provisões. Às seis horas, você chegava e descia sua mala por meio de uma corda, deixando-a assim sob minha proteção..."

– Você está mentindo... Você está mentindo... – balbuciou a Cagliostro, com uma voz de raiva.

Ele continuou:

ARSÈNE LUPIN E A CONDESSA DE CAGLIOSTRO

– Às dez horas, Léonard se juntou a você. Ele leu os jornais da noite e ficou sabendo do suicídio de Beaumagnan. Às onze horas, levantaram a âncora. À meia-noite, em pleno mar, foram abordados por um outro barco. Léonard, que se tornou o príncipe Lavorneff, coordena a mudança. Todos os marinheiros, todos os pacotes de algum valor, tudo isso passou de um convés a outro e, em particular, é claro, a mala que você fez subir do fundo do deque. E depois, mandaram *O Vagalume* pro diabo!

"Confesso que houve aí alguns malditos minutos para mim. Eu estava sozinho. Sem mais tripulação. Sem ninguém dirigindo. *O Vagalume* parecia estar sendo guiado por um bêbado, que se agarra a seu timão. Parecia até um brinquedo para criança, no qual a gente sobe e então gira e gira... E, depois, adivinhei seu plano, a bomba colocada em algum lugar, o mecanismo ativando-se, a explosão...

"Eu estava coberto de suor. Jogar-me na água? Estava decidido a fazer isso, quando, no momento de tirar meus sapatos, eu me dei conta, com uma alegria que me fez cambalear, que havia amarrado por uma corda ao lado d'*O Vagalume* uma canoa quicando sobre a espuma. Foi a salvação. Dez minutos mais tarde, sentado tranquilamente, via uma chama jorrar na escuridão, a algumas centenas de metros e escutava uma detonação girando na superfície da água como os ecos de um trovão. *O Vagalume* explodia...

"Na noite seguinte, depois de ter sido um pouco chacoalhado, fui empurrado em direção à costa, não longe do cabo de Antifer. Eu me joguei na água, cheguei à terra firme... E no mesmo dia me apresentei aqui... Para me preparar para sua boa visita, minha querida Joséphine."

A Cagliostro havia escutado, sem interromper e com uma expressão bastante tranquilizada. Tantas palavras inúteis, ela parecia estar dizendo. O essencial era a mala. Se Raoul tinha se escondido no barco e em seguida evitou o naufrágio, isso não tinha a menor importância.

Ainda assim, hesitava em fazer a pergunta definitiva, sabendo bem, da mesma forma, que Raoul não era o tipo de homem que corria tanto risco para não obter outro resultado além de salvar a si mesmo. Ela ficou bem pálida.

– Mas então, você não vai me perguntar nada?

– O que tenho para lhe perguntar? Você mesmo já disse. Eu peguei a mala de volta. Depois disso, eu a coloquei em um lugar seguro.

– E você não a verificou?

– Ora, claro que não. Para que serviria abri-la? As cordas e os selos estão intactos.

– Você não reparou os vestígios de um buraco, na lateral, uma fissura feita entre as malhas de vime?

– Uma fissura?

– Minha nossa! Você acha que eu teria ficado duas horas diante do objeto sem agir? Ainda assim, veja, Joséphine, eu não sou tão tolo.

– Então? – disse ela, com uma voz fraca.

– Então, minha pobre amiga, pouco a pouco, pacientemente, extraí todo o conteúdo da mala, de modo que...

– De modo que...?

– De modo que, quando você a abrir, não encontrará quase nada nela além de um peso equivalente de mercadorias não muito preciosas... O que eu tinha à mão... O que eu pude pegar nos sacos de provisões... Algumas libras de feições e lentilhas... Enfim, mercadorias pelas quais, talvez, não valha a pena você pagar o aluguel de um cofre-forte em um banco de Londres.

Ela tentou protestar e murmurou:

– Não é verdade... É impossível que você tenha conseguido...

De cima de um armário, ele baixou um pequeno pote do qual despejou na palma da mão duas ou três dúzias de diamantes, rubis e safiras e, descuidadamente, os fez dançar, brilhar e tilintar.

– E há mais outros destes – disse ele. – Claro, a explosão iminente me impediu de pegar tudo e as riquezas dos monges se espalharam dentro das águas. Mas, de todo modo, está bom para um rapaz, já dá para se divertir e sossegar, não é? O que você acha disso, Josine? Não vai responder? Mas que droga! O que houve agora? Hein? Espero que você não vá desmaiar. Ah, essas benditas mulheres! Não conseguem perder um bilhão sem perder a consciência. Que franguinhas!

Joséphine Balsamo não perdeu a consciência, como previa Raoul. Ela se levantou, lívida e com o braço estendido. Queria insultar o inimigo. Queria bater nele. Mas estava sufocando. Suas mãos balançavam no ar, como as mãos de um náufrago que se agita na superfície, e ela se chocou contra a cama com gemidos roucos.

Raoul, sem se comover, esperou o fim da crise. Mas ele ainda tinha algumas palavras a dizer e zombou:

– Mas então, eu não a destruí? Os planos da madame já foram água abaixo? Foi nocauteada? Perdeu todo seu rumo, não foi? É isso que eu queria fazer você sentir, Joséphine. Você vai sair daqui convencida de que não pode fazer nada contra mim e que o melhor seria renunciar a todas as suas maquinaçõezinhas. Apesar de você, eu serei feliz, e Clarisse também, e teremos muitos filhos. Tantas verdades com as quais você só pode concordar.

Ele começou a caminhar e continuava a falar, cada vez mais alegre:

– Mas também, o que você queria? Você teve azar no caso. Entrou em guerra contra uma pessoa que é mil vezes mais forte e mais esperta do que você, minha pobre menina. Eu mesmo estou perplexo com minha força e malícia. Deus do céu! Que fenômeno de habilidade, de astúcia, de intuição, de energia, de clarividência! Um verdadeiro gênio! Nada me escapa. Eu leio como um livro aberto o cérebro dos meus inimigos. Conheço até seus menores pensamentos. Então agora você está me dando as costas, não está? Você está deitada na cama e eu não consigo ver seu lindo rosto? Pois bem! Estou me dando conta perfeitamente de que você está deslizando nesse momento sua mão para seu corselete para tirar dele um revólver e que você vai...

A frase não foi acabada. Bruscamente Cagliostro deu meia-volta, com um revólver na mão.

O tiro foi disparado. Mas Raoul, que estava se preparando para isso, teve tempo de pegar o braço, torcê-lo e dobrá-lo na própria direção de Joséphine Balsamo. Ela caiu, atingida no peito.

A cena tinha sido tão brutal e o desfecho tão imprevisto que ele permaneceu estático diante daquele corpo de repente inerte, e que ali jazia, com a face bem branca.

Ainda assim, nenhuma inquietação o atormentava. Raoul não pensava que ela estivesse morta e, de fato, inclinando-se sobre ela, constatou que o coração batia regularmente. Com uma tesoura, cortou o corselete. A bala, havia escorregado de forma enviesada, sulcando a carne um pouco acima do sinal preto que marcava o seio direito.

– A ferida não é grave – disse ele, pensando que a morte de uma criatura como aquela teria sido justa e desejável.

Mantinha a tesoura à mão, a ponta para a frente e se perguntava se seu dever não era estragar aquela beleza perfeita demais, talhá-la bem na carne e assim colocar a sereia na impossibilidade de fazer o mal. Um corte profundo em cruz através do rosto, cuja cicatriz indelével levantaria a pele inchada, que castigo justo seria e uma precaução útil! Quantos infortúnios seriam evitados e crimes, prevenidos!

Ele não teve coragem de fazer isso e nem quis dar-se esse direito. Além do que a havia amado demais...

Ficou observando-a longamente, sem fazer um movimento e com uma tristeza infinita. A luta o havia esgotado. Ele se sentia cheio de amargura e desgosto. Joséphine Balsamo fora seu primeiro grande amor e aquele sentimento, para o qual o coração ingênuo traz tanto frescor e do qual guarda uma lembrança tão doce, não deixaria para *ele* nada além de rancor e ódio. Em toda sua vida, teria nos lábios uma ruga de desencanto e na alma uma impressão de mácula.

Ela respirou mais forte e abriu suas pálpebras.

Então ele sentiu a necessidade irresistível de não vê-la mais e de sequer pensar mais nela.

Abrindo a janela, ele escutou. Passos, pareceu-lhe, chegavam da direção da falésia. Léonard devia ter constatado, ao chegar às margens, que a expedição se reduzira à captura de um boneco e, sem dúvida, preocupado com Joséphine Balsamo, vinha em seu socorro.

Arsène Lupin e a condessa de Cagliostro

– Que ele a encontre aqui, o que importa! – disse a si mesmo. – Que morra ou que viva! Que seja feliz ou infeliz! Pouco me importa! Não quero mais saber nada dela. Basta! Basta desse inferno!

E, sem dizer mais nada, sem um olhar à mulher que lhe estendia os braços e suplicava, partiu...

No dia seguinte pela manhã, Raoul se fazia anunciar para Clarisse d'Étigues.

Para não tocar cedo demais nas feridas que imaginava estarem tão sensíveis, não revira a jovem. Mas Clarisse sabia que ele estava ali, e, de repente, Raoul compreendeu que o tempo já fizera seu trabalho. As maçãs do rosto estavam mais rosadas. Os olhos brilhavam de esperança.

– Clarisse, desde o primeiro dia a senhorita prometeu que me perdoaria por tudo... – disse-lhe ele.

– Eu não tenho nada para perdoar, Raoul – afirmou a jovem, que pensava em seu pai.

– Sim, Clarisse, eu lhe fiz muito mal. Fiz muito mal a mim mesmo também e não é somente o seu amor que estou pedindo, peço os seus cuidados e a sua proteção. Preciso da senhorita para esquecer as atrozes lembranças, Clarisse, para retomar a confiança na vida e para combater de vez as vilanias que estão em mim e que me arrastam... para onde não queria ir. Se a senhorita me ajudar, estou certo de que serei um homem honesto, prometo isso com sinceridade, eu lhe juro que a senhorita será feliz. Quer ser minha esposa, Clarisse?

Ela lhe estendeu a mão.

EPÍLOGO

Como Raoul bem o supunha, todo o vasto sistema de intrigas armado para capturar o tesouro fabuloso permaneceu nas sombras. O suicídio de Beaumagnan, as aventuras de Pellegrini, a personalidade misteriosa da condessa de Cagliostro, sua fuga, o naufrágio d'*O Vagalume*, tantos acontecimentos que a justiça não conseguiu ou não quis ligar uns aos outros. As memórias do cardeal-arcebispo foram destruídas ou desapareceram. Os associados de Beaumagnan afastaram-se e não se falam mais. Não souberam de nada.

Por motivo de força maior, o papel de Raoul em todo aquele caso não podia ser descoberto e seu casamento passou despercebido. Com qual subterfúgio conseguiu ele se casar sob o nome de visconde D'Andrésy? Sem dúvida, deve-se atribuir essa proeza aos recursos formidáveis que os dois punhados de pedras preciosas surrupiados do tesouro lhe concederam. Com isso, compra-se bastante cumplicidade.

E também foi assim, evidentemente, que o nome de Lupin, um dia, encontrou-se escondido. Em nenhuma certidão oficial, em nenhum documento autêntico, havia mais nenhuma menção a Arsène Lupin nem a seu pai, Théophraste Lupin. Legalmente, não havia mais ninguém além do visconde Raoul d'Andrésy, que partiu em viagem pela Europa com a viscondessa, nascida Clarisse d'Étigues.

Arsène Lupin e a condessa de Cagliostro

Dois acontecimentos marcaram aquela época. Clarisse trouxe ao mundo uma filha que não sobreviveu. E, algumas semanas mais tarde, ela soube da morte de seu pai.

Godefroy d'Étigues, de fato, e seu primo Bennetot pereceram durante um passeio de barco. Acidente? Suicídio? Os dois primos, nos últimos tempos de suas vidas, passavam por loucos e admite-se, geralmente, que se mataram. Houve também a versão de que fora um crime e falam de um iate de passeio que teria afundado o barco e fugido em seguida. Mas não há nenhuma prova.

Em todo caso, Clarisse não quis tocar na fortuna de seu pai. Ela a doou para instituições de caridade.

Mais alguns anos se passaram, anos encantadores e despreocupados.

Raoul mantinha uma das promessas que havia feito a Clarisse: ela foi profundamente feliz.

A outra promessa ele não manteve: não foi honesto.

Isso, ele não conseguia. Raoul tinha no sangue a necessidade de roubar, de tramar, de mistificar, de enganar, de se divertir às custas dos outros. Ele era, por instinto, contrabandista, corsário, saqueador, pirata, conspirador e, sobretudo, chefe de quadrilha. Além disso, na escola de Cagliostro, ele se deu conta, com certo orgulho, das qualidades realmente excepcionais que o tornaram sem igual. Acreditava em sua própria genialidade. Reivindicou para si mesmo o direito a um destino fantástico, em oposição ao destino de todos os homens que viviam na mesma época que ele. Estaria acima de todos. Seria o mestre.

Logo, sem o conhecimento de Clarisse e, sem que a jovem nunca tivesse a menor suspeita, organizou empreitadas e teve sucesso em casos nos quais, cada vez mais, afirmava-se sua autoridade e se desenvolviam seus dons realmente sobre-humanos[21].

---

[21] Data dessa época a conquista do tesouro da casa de França, segundo segredo de Cagliostro, e a descoberta daquele esconderijo impenetrável, de onde, quinze anos mais tarde, apenas foi possível retirá-lo com a ajuda de uma frota de navios de guerra de tamanho médio (Ver *Arsène Lupin e a Agulha Oca*). (N.A.)

MAURICE LEBLANC

Mas, antes de tudo, dizia-se ele, o descanso e a felicidade de Clarisse! Respeitava sua esposa. Não admitia que ela fosse – e que soubesse ser – a esposa de um ladrão.

A felicidade deles durou cinco anos. Ao fim do sexto ano, Clarisse morreu em consequência de um parto. Ela deixava um filho chamado Jean.

Ora, no dia seguinte, esse filho desapareceu, sem que o menor indício permitisse a Raoul descobrir quem poderia ter invadido a casinha no bairro de Auteuil, onde morava, nem como tinham conseguido invadi-la.

Quanto a saber de onde o golpe provinha, não havia nenhuma hesitação. Raoul, que não tinha dúvidas de que o naufrágio dos dois primos fora provocado pela Cagliostro, Raoul que, além disso, desde então, ficara sabendo que Dominique morrera envenenado, Raoul considerou como certo que a Cagliostro havia organizado o sequestro.

Seu sofrimento o transformou. Não tendo mais nem esposa nem filho para retê-lo, atirou-se resolutamente no caminho para o qual tantas forças o arrastavam. Do dia para a noite, tornou-se Arsène Lupin. Sem mais reservas. Sem mais prudências. Ao contrário. Escândalo, provocações, arrogância, uma exibição de vaidade e de zombaria, seu nome nos muros, sua carta de visita nos cofres-fortes. Arsène Lupin, ora!

Mas, quer tenha sido com aquele nome, ou com os diversos nomes que se divertia em usar, já que se fez chamar conde Bernard d'Andrésy (havia surrupiado os documentos de um primo de sua família, morto no exterior) ou Horace Velmont, ou coronel Sparmiento, ou duque de Charmerace, ou príncipe Sernine, ou dom Luis Perenna, sempre e em toda parte, no meio de todos os seus avatares e sob todas as máscaras, ele procurava por Cagliostro e procurava seu filho Jean.

Ele não reencontrou seu filho. Ele nunca reviu Joséphine Balsamo.

Ainda estava viva? Ousaria se arriscar na França? Continuava a perseguir e a matar? Devia admitir, no que lhe dizia respeito, que a ameaça eternamente dirigida contra ele, desde o exato minuto da ruptura, culminaria em alguma vingança mais cruel do que o sequestro de seu filho?

Arsène Lupin e a condessa de Cagliostro

Toda a vida de Arsène Lupin, loucas empreitadas, situações sobre-humanas, triunfos inauditos, paixões desmesuradas, ambições extravagantes, tudo isso devia se desenrolar antes que os acontecimentos lhe permitissem responder àquelas temíveis questões.

E foi assim que sua primeira aventura se resolveu, mais de um quarto de século depois, com aquela que lhe agrada considerar hoje como sua última aventura[22].

---

[22] Em preparação: *Arsène Lupin e a vingança de Cagliostro.* (N.A.)